Klaus Schönhoven:
Reformismus und Radikalismus
Gespaltene Arbeiterbewegung im Weimarer Sozialstaat

Deutscher
Taschenbuch
Verlag

Originalausgabe
Oktober 1989
© Deutscher Taschenbuch Verlag GmbH & Co. KG,
München
Umschlaggestaltung: Celestino Piatti
Vorlage: Streik der Eisenbahner in Berlin, 1919 (Bilderdienst
Süddeutscher Verlag)
Gesamtherstellung: C. H. Beck'sche Buchdruckerei,
Nördlingen
Printed in Germany · ISBN 3-423-04511-6

Inhalt

Das Thema

Die Spaltung der deutschen Arbeiterbewegung, organisatorisch eingeleitet durch die Trennung der USPD (Unabhängige Sozialdemokratische Partei Deutschlands) von der SPD im April 1917 und nach der Gründung der KPD Ende Dezember 1918 nicht mehr rückgängig zu machen, lastete von Anfang an als schwere Hypothek auf der Weimarer Republik. Die Frage, ob die Lebensfähigkeit der ersten deutschen Demokratie größer und ihre Widerstandskraft gegen den Nationalsozialismus stärker gewesen wäre, wenn es keine parteipolitisch zerstrittene, sich gegenseitig bekämpfende Arbeiterbewegung gegeben hätte, ist in der historischen Forschung immer wieder gestellt worden. Sie soll hier in einer knappen Gesamtdarstellung erneut aufgegriffen werden.

Die im Titel dieses Buches stehenden Begriffe Reformismus und Radikalismus weisen – plakativ – auf zwei Optionen der deutschen Arbeiterbewegung in der Weimarer Republik hin: die Option der Sozialdemokraten, die einen Ausbau der parlamentarischen Demokratie zum demokratischen Sozialismus durch eine schrittweise Erweiterung der Selbstbestimmung von unten und der gesamtgesellschaftlichen Kontrolle von oben erreichen wollten, und die Option der Kommunisten, die den revolutionären Bruch mit der Welt des Kapitalismus forderten und sich die Russische Revolution von 1917 zum Vorbild nahmen. Zwischen beiden Optionen ließ sich keine ideologische Brücke bauen, weder in der Anfangsphase der Republik, als die USPD als dritte Kraft zwischen Sozialdemokratie und Kommunismus scheiterte, noch in der Endphase der Republik, als linkssozialistische und rechtskommunistische Splittergruppen oder Kleinparteien nie aus dem Schatten der Bedeutungslosigkeit herauszutreten vermochten. Die beiden Optionen schlossen sich nicht nur gegenseitig aus, beide waren auch unter den in der Weimarer Republik bestehenden Macht- und Mehrheitsverhältnissen politisch nicht durchsetzbar. Die Weimarer Republik erlebte weder den von den Kommunisten propagierten »deutschen Oktober«, weil alle linksradikalen Putschversuche fehlschlugen, noch verwandelte sie sich in den sozialdemokratischen »Zukunftsstaat«, weil die SPD nie die Mehrheit der Wähler für sich gewann. Im Gegenteil. Die parlamentarische Demokratie und mit ihr die organisierte Arbeiterbewegung wurden immer mehr in die Defensive gedrängt. Trotzdem kam es in der Auflösungsphase der Republik zu keiner gemeinsamen Abwehrfront der Arbeiterparteien gegen die Republikfeinde von rechts. Der Triumph des Nationalsozialismus und die Tragödie der Arbeiterbewegung waren komplementäre Ereignisse.

Dieses Buch zeichnet nicht nur die Stationen der ideologischen Konfrontation von Sozialdemokratie und Kommunismus nach, die einen intellektuellen Tiefpunkt erreicht hatte, als die KPD ihre politische Strategie an der Sozialfaschismusdoktrin ausrichtete. Es untersucht auch aus sozialgeschichtlicher Perspektive, ob die Spaltung der Arbeiterbewegung bis in das Arbeitermilieu hineinreichte und wo hier die Bruchlinien zwischen Reformismus und Radikalismus verliefen. Außerdem rückt es die Freien Gewerkschaften ins Blickfeld, die im Weltkrieg und in den Revolutionsmonaten 1918/19 zwar ihre organisatorische Einheit bewahren konnten, aber zu keinem Zeitpunkt der Republikgeschichte von der parteipolitischen Polarisierung unberührt blieben. In diesem Zusammenhang werden die gesellschaftspolitischen Zielsetzungen der Gewerkschaften, ihre Erfolge und Mißerfolge bei der Verwirklichung des Sozialstaats und schließlich ihr Anpassungskurs an das »nationale Deutschland« im Frühjahr 1933 behandelt.

Die Darstellung beginnt mit einem ereignisgeschichtlich akzentuierten Kapitel über den Kapp-Lüttwitz-Putsch, als die Gewerkschaften einige Tage lang die politische Gesamtverantwortung für das Schicksal der Republik übernahmen und sich für kurze Zeit eine Einheitsfront der Arbeiterbewegung bildete, die den antirepublikanischen Angriff der Reaktion erfolgreich abwehrte; sie endet mit der Analyse der kampflosen Kapitulation der zerstrittenen Arbeiterbewegung vor dem Nationalsozialismus.

I. Acht Tage im März 1920

Am späten Abend des 12. März 1920 verließ die Marinebrigade Ehrhardt im Schutz der Dunkelheit das Truppenlager Döberitz bei Berlin. Die Soldaten waren kriegsmäßig ausgerüstet. Jeder der etwa 5000 Mann hatte seinen Munitionsvorrat auf 120 scharfe Patronen aufgefüllt. An der Spitze der Brigade marschierte die Sturmkompanie. Ihr folgte die Haubitzenbatterie, von deren 10,5-cm-Geschützen die Schutzplanen entfernt waren. Auf den Bagagewagen führte man Lebensmittel für vier Tage mit. Obwohl der offizielle Brigadebefehl als Grund des Unternehmens eine Nachtübung angab, wußte doch jeder Mann, daß das Ziel des Marsches die 25 km entfernte Reichshauptstadt war. Wie in Feindesland rückte die Truppe mit wehenden schwarz-weiß-roten Fahnen, mit Sturmgepäck und Handgranaten im Koppel, auf der Heeresstraße über Spandau nach Pichelsdorf vor.

Unterwegs begegnete man einem Kraftwagen, in dem die beiden Generäle von Oven und von Oldershausen saßen. Sie waren auf dem Weg von Berlin nach Döberitz, um Korvettenkapitän Ehrhardt zum Abbruch dieses Vormarsches zu bewegen. Im Truppenlager trafen sie den Kommandeur der Brigade schlafend an. Sie weckten ihn, und General von Oven bestürmte ihn, das Gewaltvorhaben aufzugeben. Ehrhardt lehnte ab. Er berief sich auf einen Befehl des Generals von Lüttwitz, den Reichswehrminister Noske allerdings am 11. März von seinem Amt als Oberbefehlshaber des Reichswehrgruppenkommandos I abberufen hatte. Lüttwitz hatte sich der auf Grund des Versailler Vertrages nötigen raschen Verminderung der Reichswehr widersetzt. Er wollte die Freikorps nicht auflösen und forderte sofortige Neuwahlen zum Reichstag. Der noch schlaftrunkene Ehrhardt präsentierte seinen beiden von Berlin nach Döberitz geeilten nächtlichen Besuchern Forderungen, die sich mit den Vorstellungen von Lüttwitz weitgehend deckten: 1. Neuwahlen zum Reichstag; 2. baldige Wahl des Reichspräsidenten durch das Volk; 3. Einsetzung von Fachministern; 4. Zurücknahme der Auflösungsbefehle; 5. Wiedereinsetzung des Generals von Lüttwitz; 6. Straffreiheit für die am Putsch Beteiligten; 7. ein General statt Noske an der Spitze der Armee[1].

[1] Zitiert nach Johannes Erger, Der Kapp-Lüttwitz-Putsch. Ein Beitrag zur

Oldershausen übermittelte diese Forderungen telefonisch nach Berlin, wo Noske sie sofort ablehnte und die beiden Generäle anwies, in die Reichshauptstadt zurückzukehren. Diese bestanden jedoch darauf, daß mit den Putschisten verhandelt werden müsse und verlangten die Einberufung einer Kabinettssitzung. Ehrhardt sagte zu, bis 7 Uhr morgens auf die Annahme seines Ultimatums zu warten und seine Truppen an der Siegessäule vor dem Brandenburger Tor zum Stehen zu bringen. In den folgenden Nachtstunden spitzte sich die Lage immer weiter zu: Der putschende Korvettenkapitän fuhr seiner Truppe nach und gab ihr an der Pichelsdorfer Brücke in einer zündenden Ansprache, die begeisterten Jubel auslöste, seine Absichten bekannt. Reichswehrminister Noske berief für 1 Uhr morgens eine Führerbesprechung in seinem Ministerium in der Bendlerstraße ein und unterrichtete Reichskanzler Bauer und Reichspräsident Ebert von der dramatischen Entwicklung.

An der nächtlichen Konferenz in der Bendlerstraße nahmen 15 Personen teil, unter ihnen die ranghöchsten Offiziere der Reichswehr und der Pressechef der Reichskanzlei. Noske forderte die versammelten Militärs auf, den Meuterern mit Waffengewalt entgegenzutreten und die in und um Berlin stationierten Reichswehreinheiten zu mobilisieren. Doch nur Generalmajor Reinhardt, der Chef der Heeresleitung, und Major von Gilsa, der persönliche Adjutant des Reichswehrministers, waren zum militärischen Widerstand entschlossen. Alle anderen Offiziere lehnten ein bewaffnetes Vorgehen gegen die Putschisten ab. Die Generale Seeckt, Oven und Oldershausen, Vizeadmiral von Trotha, Oberstleutnant Wetzell und Oberstleutnant Hasse, Major von Hammerstein-Equord, Major von Schleicher, Major von Bock und Major von Stockhausen sahen in einem Kampf Truppe gegen Truppe keinen Sinn und meinten, damit würde »die vorläufige Beseitigung der Regierung« nicht verhindert, »sondern nur hinausgeschoben«[2]. Nach einer Stunde brach Noske die Verhandlungen »mit einem Gefühl tiefsten Ekels«[3] ab und erklärte, nun müsse das Reichskabinett die Entscheidung zum militärischen Widerstand treffen.

deutschen Innenpolitik 1919/20. Düsseldorf 1967, S. 140. Dort auch viele der im folgenden erwähnten Fakten.

[2] So Reinhardt in einer nachträglichen Aufzeichnung über diese Besprechung. Zitiert nach Wolfram Wette, Gustav Noske. Eine politische Biographie. Düsseldorf 1987, S. 638.

[3] Gustav Noske, Von Kiel bis Kapp. Zur Geschichte der deutschen Revolution. Berlin 1920, S. 206.

Um 2 Uhr morgens unterrichtete Noske den Reichskanzler von der Unterredung in der Bendlerstraße, in der ihm die Reichswehrspitze fast geschlossen den Gehorsam aufgekündigt hatte. Etwa zwei Stunden später versammelten sich die telefonisch erreichbaren Reichsminister und Mitglieder der preußischen Landesregierung in der Reichskanzlei unter dem Vorsitz Eberts. Die ebenso verstörte wie erregte Ministerrunde beschloß, auf eine bewaffnete Gegenwehr zu verzichten, nachdem die zunächst im Vorzimmer wartenden, dann zur Berichterstattung hereingeholten Militärs unisono die Zwecklosigkeit des Widerstands und die Unzuverlässigkeit der Reichswehrverbände betont hatten. Lediglich Reinhardt plädierte für ein militärisches Vorgehen, drang aber mit seiner Auffassung nicht durch und zog sofort die Konsequenzen, indem er Noske und Ebert bat, ihn von seinem Amt als Chef der Heeresleitung zu entbinden. Ein republiktreuer General war das erste Opfer des Putsches.

Der Vormarsch der Marinebrigade Ehrhardt nach Berlin war nun nicht mehr aufzuhalten. Es stellte sich deshalb die Frage, ob die von der bewaffneten Macht im Stich gelassene Regierung in der Reichshauptstadt ausharren sollte. Auf Anraten Noskes beschloß das Kabinett schließlich, nach Dresden auszuweichen, um von dort aus die Gegenwehr zu organisieren. Noske hielt die sächsische Landeshauptstadt für einen sicheren Ort, weil er auf die Regierungstreue des dort stationierten Wehrkreiskommandeurs, Generalmajor Maercker, vertraute. Kurz nach 6 Uhr morgens, zehn Minuten bevor Ehrhardts Brigade in das Zentrum Berlins einrückte, verließen Reichspräsident Ebert, Reichskanzler Bauer, Außenminister Müller und Noske in eiligst herbeigerufenen Kraftwagen die Reichshauptstadt. Die Minister Koch und Giesberts folgten ihnen zwei Stunden später im nächsten Schnellzug nach Dresden. In Berlin zurückbleiben sollten Vizekanzler Schiffer (DDP, Deutsche Demokratische Partei), der parteilose Minister für Wiederaufbau Geßler sowie Arbeitsminister Schlicke und Wirtschaftsminister Schmidt, zwei Sozialdemokraten, die vor ihrem Eintritt in das Kabinett hochrangige Gewerkschaftsfunktionäre gewesen waren.

Als das Rumpfkabinett und der Reichspräsident in Dresden eintrafen, hatten die Putschisten in Berlin bereits die strategisch wichtigen Punkte kampflos besetzt. Die Marinebrigade Ehrhardt war in den frühen Morgenstunden bis zum Tiergarten marschiert, vorbei an applaudierenden Verbänden der Einwohnerwehren, vorbei an abrückenden Einheiten der Sicherheitspolizei und vorbei an einem vor dem Reichswehrministerium stationierten Bataillon, das die dort aufgespannten Drahthindernisse eigenhändig beseitigte. Pünktlich um 7 Uhr morgens teilte General von Oldershausen dem an der Siegessäule wartenden Korvettenkapitän mit, sein nächtliches Ultimatum sei von der Reichsregierung abgelehnt worden. Daraufhin ließ General von Lüttwitz, der jetzt ebenfalls eingetroffen war, ein Regiment der Marinebrigade im Parademarsch durch das Brandenburger Tor in das Regierungsviertel einmarschieren. Das Defilee dieser antirepublikanischen Prätorianergarde beobachteten zwei Zivilisten: der ostpreußische Generallandschaftsdirektor Kapp, einer der Drahtzieher des Putsches und als Kanzler der neuen Regierung vorgesehen, und der pensionierte Erste Generalquartiermeister Ludendorff. Er versicherte später unter Eid, rein zufällig auf seinem Morgenspaziergang vorbeigekommen zu sein[4].

Nach der Abnahme der Parade, mittlerweile war es 7.45 Uhr, betrat Kapp die Reichskanzlei und ließ sich von dem diensttuenden Kriminalwachtmeister zu Unterstaatssekretär Albert führen. In Kapps Begleitung waren Freiherr von Falkenhausen, der in den nächsten Tagen als Chef der Reichskanzlei amtierte, und Traugott von Jagow, von 1906 bis 1916 als Polizeipräsident von Berlin bei der Sozialdemokratie besonders verhaßt, nun designierter preußischer Innenminister der Kapp-Regierung. Als Albert die drei Herren fragte, mit welchem Recht sie die Regierungsgewalt ergreifen wollten, erhielt er von Jagow die Antwort: »Mit dem Recht des 9. November 1918.« Vizekanzler Schiffer wartete 15 Minuten lang in seinem Amtszimmer vergeblich auf die »neue Regierung«. Er fand die drei Herren schließlich im Bibliothekszimmer der Reichskanzlei »bereits in voller Tätigkeit«. Eine kurze Unterredung endete mit der Aufforderung Kapps an den Vizekanzler, das Haus zu verlassen. Alberts Bericht über diesen Wortwechsel schließt mit folgender Passage: »Der Vizekanzler Schiffer stellte darauf ausdrücklich fest, daß dies eine gewaltsame Verdrängung sei, worauf Kapp erwiderte, daß er hoffe, eine gewaltsame Entfernung sei infolge der völligen Aussichtslosigkeit eines körperlichen Widerstandes nicht erforderlich. Der Vizekanzler Schiffer stellte daraufhin

[4] Vgl. dazu Hagen Schulze, Freikorps und Republik 1918–1920. Boppard a. Rh. 1969, S. 272.

fest, daß er und ich durch Nötigung gezwungen seien, das Haus zu verlassen. Drauf entfernten wir uns.«[5]

Putschgeneral von Lüttwitz war inzwischen auch nicht untätig geblieben. Er nahm zusammen mit Oberst Bauer, der als Chef der Operationsabteilung II der Obersten Heeresleitung einer der engsten Mitarbeiter Ludendorffs im Ersten Weltkrieg gewesen war, das Reichswehrministerium in der Bendlerstraße in Besitz. Von dort drahtete er nach Dresden, General Maercker solle die geflohene Reichsregierung sofort nach ihrem Eintreffen in Schutzhaft nehmen. Maercker sympathisierte zwar mit den politischen und militärischen Vorstellungen der Berliner Meuterer, als vorsichtiger Mann lehnte er aber eine offene Parteinahme für die Putschisten ab. Seinen Vorschlag, er wolle zwischen den beiden Regierungen vermitteln, wies Ebert entschieden zurück. Zur Aktivität fanden die zunächst apathischen und deprimierten Mitglieder der legalen Reichsregierung nur langsam wieder. Ein von Dresden aus verbreiteter Aufruf geißelte den Staatsstreich als »Akt der Tollheit« und beschwor die Bevölkerung, sich um ihre »verfassungsmäßige Regierung« zu scharen[6].

Da die Regierung sich unter der Obhut Maerckers nicht sicher fühlte, beschloß sie am Abend des 13. März, nach Stuttgart weiterzureisen, um sich dort dem Schutz der württembergischen Regierung und des verfassungstreuen Wehrkreisbefehlshabers anzuvertrauen. Am Nachmittag des 14. März, einem Sonntag, verließen Ebert und die Reichsminister Dresden. Auf der Fahrt nach Stuttgart, die von Chemnitz aus mit dem Zug erfolgte, weil der Benzinvorrat der Kraftwagen erschöpft war, formulierten Ebert und Noske einen Aufruf an die Reichswehr, in dem sie den Putsch als das »verbrecherische Vorgehen eines Häufleins reaktionärer politischer Abenteurer« anprangerten[7]. Aber diese und andere verbale Beschwörungen konnten nicht darüber hinwegtäuschen, daß die legale Reichsregierung tatsächlich machtlos war. Ihre ganze Hoffnung richtete sich auf die Republiktreue der Arbeiter, Angestellten und Beamten.

Bereits zwei Tage vor dem Abmarsch der Putschisten aus Döberitz hatte Noske in einer Besprechung mit Ebert und

[5] Abgedruckt als Dokument 189 in: Akten der Reichskanzlei. Weimarer Republik. Das Kabinett Bauer. 21. Juni 1919 bis 27. März 1920. Bearb. von Anton Golecki. Boppard a. Rh. 1980, S. 677 ff.

[6] Ebenda, S. 683, Anm. 1.

[7] Zitiert nach Wette, Gustav Noske, S. 645.

Lüttwitz darauf hingewiesen, daß eine Militärrevolte einen Generalstreik heraufbeschwören werde. In der nächtlichen Konferenz mit der Reichswehrspitze betonte Noske dann, man werde mit allen Mitteln versuchen, den Putsch niederzuzwingen. Dies hörte auch der anwesende Pressechef der Reichskanzlei, Ministerialdirektor Rauscher, der während der sich anschließenden Kabinettssitzung einen Entwurf mit dem Aufruf zum Generalstreik verfaßte. Auf wessen Weisung dieser »überaus wendige und geschickte«[8] Regierungsbeamte handelte, ist unklar. Ebenso unklar ist, wer von den Kabinettsmitgliedern vor der überhasteten Abreise nach Dresden diesen Aufruf gesehen und gelesen hatte. Am Kopf seines Entwurfes hatte Rauscher mit Bleistift die Namen der Personen vermerkt, die nach seiner Meinung für eine Unterzeichnung in Frage kamen: es waren die Namen der sozialdemokratischen Minister und der des SPD-Vorsitzenden Wels.

Ob Wels, der an der Kabinettssitzung nicht teilnahm, Rauscher zu dieser Initiative veranlaßt hatte oder ob er nur sein Placet zum Aufruf des Pressechefs gab, läßt sich ebensowenig klären. Für Wels war jedenfalls der Zeitpunkt zum Handeln gekommen. Mit – vielleicht auch ohne – Zustimmung der sozialdemokratischen Regierungsmitglieder wurde in den frühen Morgenstunden des 13. März noch vor Ablauf des Ehrhardtschen Ultimatums in allen größeren deutschen Städten dieser Aufruf zum Generalstreik bekannt. Er schloß mit dem Appell: »Kein Proletarier darf der Militärdiktatur helfen! Generalstreik auf der ganzen Linie! Proletarier vereinigt Euch! Nieder mit der Gegenrevolution!«[9] Am Ende des Textes folgten die Namen des Reichspräsidenten, des Reichskanzlers und der sozialdemokratischen Minister. Für den Parteivorstand der SPD zeichnete Wels verantwortlich.

Hinter dem Entschluß, mit der Waffe des Generalstreiks den Kampf gegen die Putschisten aufzunehmen, stand auch die Berliner Parteiorganisation der SPD, deren Vorsitzender den Aufruf sofort an die zwanzig Bezirksorganisationen der Partei im Reich durchtelefonierte. Der Reichspräsident und die SPD-Minister wurden schon bei ihrer Ankunft in Dresden von Maerk-

[8] So der preußische Ministerpräsident Otto Braun in seinen Memoiren. Zitiert nach Susanne Miller, Die Bürde der Macht. Die deutsche Sozialdemokratie 1918–1920. Düsseldorf 1978, S. 378. Dort weitere Hinweise zum folgenden.
[9] Als Faksimile abgedruckt bei Erwin Könnemann/Hans-Joachim Krusch, Aktionseinheit contra Kapp-Putsch. Berlin 1972, S. 165.

ker mit Vorwürfen überschüttet, sie hätten mit ihrer klassenkämpferischen Kundgebung einen gemeinsamen Kampf von Reichswehr und Regierung gegen die Putschisten unmöglich gemacht. Daraufhin leugneten die Minister ihre Beteiligung am Zustandekommen des Aufrufs und distanzierten sich von der Generalstreik-Parole. Noske ging sogar so weit, am 16. März dem Befehlshaber des Wehrkreises VI, der das rheinisch-westfälische Industrierevier einschloß, telefonisch zu versichern, die legale Regierung verurteile diesen »unheilvollen« Aufruf[10]. Diese Kehrtwendung der SPD-Minister war moralisch bedenklich, weil man damit die eigene Parteiführung desavouierte, und sie war politisch nicht zu rechtfertigen, weil man so vor der Gefahr von rechts resignierte und erneut auf die Karte der Reichswehr setzte, die sich schon in Berlin im nächtlichen Poker um die Macht nicht gerade als republikanische Trumpfkarte bewährt hatte.

Für die SPD-Führung in der Reichshauptstadt wäre ein Abrücken vom Generalstreikaufruf dem politischen Selbstmord gleichgekommen, denn seit dem Vormittag des 13. März hatte der Bundesvorstand des Allgemeinen Deutschen Gewerkschaftsbundes (ADGB) unter der Regie von Legien die Sache in die Hand genommen. Legien, der in seiner 30jährigen Amtszeit als Vorsitzender der Generalkommission der Freien Gewerkschaften kaum jemals in den Verdacht geraten war, ein revolutionärer Sozialist zu sein, stellte sich am ersten Putschtag mit seiner ganzen Autorität an die Spitze der Befürworter des Generalstreiks. Er wußte genau, daß die verbliebene Einheit der Arbeiterbewegung, deren letzte Bastion nach der Parteispaltung die Freien Gewerkschaften verkörperten, endgültig zerfallen mußte, wenn man keine geschlossene Streikfront gegen den antirepublikanischen Putschismus bildete. Außerdem brauchte der sozialdemokratische Gewerkschaftsvorsitzende, der sich auf ein Millionenheer republiktreuer Arbeiter verlassen konnte, weder auf Bedenken bürgerlicher Koalitionspartner Rücksicht zu nehmen, noch beeindruckten ihn Drohungen von Reichswehrgenerälen. Da die Enttäuschung über die Regierungspolitik der Weimarer Koalition auch bei den Gewerkschaftsmitgliedern groß war, stand Legien zugleich als Treibender und Getriebener da. Für ihn gab es nach der Flucht der Regierung aus Berlin nur noch eine Entscheidung: Er hatte jetzt die Verantwortung für das Schicksal der Republik zu tragen.

[10] Zitiert nach Wette, Gustav Noske, S. 653.

In den Büroräumen der Gewerkschaftszentrale am Engelufer in Berlin herrschte am Vormittag des 13. März hektische Betriebsamkeit. Wer von den Bundesvorstandsmitgliedern des ADGB an diesem Samstagmorgen in der Reichshauptstadt war, eilte zum Sitz des Dachverbandes, den die dilettantisch planenden und handelnden Putschisten nicht besetzt hatten. Die ADGB-Spitze konnte hier ungestört ihre Fäden ziehen, die örtlichen Gewerkschaftskartelle im Reichsgebiet und die Verbandsfunktionäre alarmieren sowie erste Gegenmaßnahmen gegen den Staatsstreich in die Wege leiten. Noch am Vormittag beschlossen die in Berlin anwesenden Mitglieder des geschäftsführenden Bundesvorstandes, die deutsche Arbeitnehmerschaft zum Generalstreik gegen die drohende Militärdiktatur aufzurufen. Für den Nachmittag lud man zu einer gemeinsamen Sitzung mit den Vorständen des AfA-Bundes (Arbeitsgemeinschaft freier Angestelltenverbände), der SPD, der USPD und der Berliner Gewerkschaftskommission ein. Der ADGB-Vorstand demonstrierte damit, daß er bemüht war, »als primus inter pares des sozialistischen Lagers« eine geschlossene Abwehrfront der zerstrittenen Linken gegen den gemeinsamen reaktionären Feind zu schmieden[11].

Doch die im Krieg aufgebrochenen und seitdem immer tiefer gewordenen Gräben zwischen Sozialdemokraten, unabhängigen Sozialisten und Kommunisten ließen sich nicht mit einem Schritt überwinden. In mehreren Verhandlungsrunden, die sich bis zum Abend des 13. März hinzogen, kam keine gemeinsame Kampfleitung gegen die Putschisten zustande. Die Vertreter der USPD lehnten ein Zusammengehen mit der SPD ab, weil diese »an der ganzen Geschichte mitschuldig« sei. Für die Regierung »Ebert-Bauer-Noske« wollten sie nicht Partei ergreifen, waren aber bereit, nach der Niederwerfung des Putsches sich an einer rein sozialistischen Regierung zu beteiligen. Ähnlich argumentierten die Abgesandten der Berliner Gewerkschaftskommission, die politisch der linken USPD nahestanden. Nach dem Scheitern der Einigungsbemühungen bildeten sich in der Reichshauptstadt zwei Streikleitungen, deren unterschiedliche Zielsetzungen sich in ihren Aufrufen widerspiegelten: eine »Reichszentrale«, der die Vorstände des ADGB und des AfA-Bundes angehörten und die eng mit dem Parteivorstand der

---

[11] So Heinrich Potthoff, Gewerkschaften und Politik zwischen Revolution und Inflation. Düsseldorf 1979, S. 263.

SPD kooperierte, sowie eine »Zentralstreikleitung von Groß-Berlin«, in der sich die radikale Linke hinter den Namensschildern der USPD, der KPD, des sogenannten »roten« Berliner Vollzugsrats und der Berliner Betriebsrätezentrale sammelte. Der freigewerkschaftlich orientierten Reichszentrale trat später noch der Deutsche Beamtenbund bei, der zu dieser Zeit noch mit den Freien Gewerkschaften sympathisierte.

Besonders widersprüchlich war am ersten Putschtag die Haltung der KPD. Ihre Zentralleitung votierte gegen den Generalstreik und erklärte, das revolutionäre Proletariat werde »keinen Finger rühren für die in Schmach und Schande untergegangene Regierung der Mörder Karl Liebknechts und Rosa Luxemburgs«. Die demokratische Republik sei »nur eine dürftige Maske der Diktatur der Bourgeoisie« gewesen und sie sei nun »rettungslos verloren«. Die Arbeiter würden ihr »einen Fluch ins Grab nachschleudern«. Die Arbeiterklasse, die jetzt »nicht aktionsfähig« sei, werde den »Kampf gegen die Militärdiktatur aufnehmen in dem Augenblick und mit den Mitteln, die ihr günstig erscheinen«[12]. Dieser Aufruf dokumentierte die verbalradikale Konzeptionslosigkeit einer Splitterpartei – in Berlin hatte die KPD im März 1920 knapp 800 Mitglieder –, über die die Entwicklung hinwegging. Bereits am zweiten Putschtag mußte die KPD-Zentrale ihren Kurs korrigieren. Nachdem schon seit dem 13. März kommunistische Arbeiter in Sachsen, in Mitteldeutschland und im Ruhrgebiet sich spontan, und ohne Anweisungen aus Berlin abzuwarten, am Generalstreik beteiligt hatten, folgte nun die taktische Kehrtwendung der Zentrale. In einem Flugblatt und in einem Rundschreiben an die Genossen gab man jetzt die Parole der Aktionseinheit von Kommunisten, Unabhängigen und Mehrheitssozialdemokraten aus und suchte durch diese Flucht nach vorn einen Ausweg aus der drohenden Isolierung.

Obwohl der 14. März ein Sonntag war, an dem normalerweise das private Leben überall in ruhigeren Bahnen verlief, setzte in den Straßen der bürgerlichen Wohnviertel und in der Innenstadt Berlins »ein Treiben der Militärs wie in den Tagen vor dem Kriege« ein: »Die feldgraue Uniform war bei den Offizieren verbannt, man hatte das echte altpreußische zweierlei Tuch

---

[12] Als Faksimile abgedruckt bei Könnemann, Krusch, Aktionseinheit, S. 178 f. Vgl. auch Heinrich August Winkler, Von der Revolution zur Stabilisierung. Arbeiter und Arbeiterbewegung in der Weimarer Republik 1918 bis 1924. Berlin, Bonn 1984, S. 303 f.

wieder hervorgeholt, die langgespitzte Pickelhaube blinkte und
gleißte wieder im Sonnenlicht. Gardesterin und Gardelitze kamen zu ihrem Recht, und die Herren mit dem Monokel reckten
den Hals weit über den hohen, roten Kragen hinaus. Man war
ganz in den Tagen des alten Regimes ... Kadetten, Fähnriche
und die jungen Leutnants am Arm schwarzweißrotbebänderter
begeisterter junger Damen, Primaner und Studenten mit
schwarzweißroten Bändchen im Knopfloch bildeten die scheu
bewundernden Trabanten ... Selbst alte Herren, grauhaarig,
bebrillt und gebeugt, im schwarzen Frack und der Angströhre,
hatten den ganzen Klempnerladen, der ihnen einst gnädigst ver-
liehen worden war, auf der linken Seite der teutschen Helden-
brust zur Schau gestellt. Man unterließ es auch nicht, das Feld-
lager der modernen jungen Landsknechte zu bewundern, die
Fahnen wehten stolz im Winde, die Feldküchen brodelten,
Kriegslieder wurden gesungen. Der Alkohol hatte hier die Begeisterung schon höher getrieben, als den Regisseuren lieb war.
Hohnworte gegen die Republik und beutegierige Drohungen
gegen die Juden verrieten die Schürer und Hetzer.«[13]

Aber auch die Auswirkungen des Generalstreiks machten
sich am zweiten Putschtag bereits bemerkbar. Das schwarz-
weiß-rote Berlin, das die einrückende Marinebrigade am Samstagmorgen mit Hurrarufen begrüßt und am Samstagabend in
großer Toilette Siegesfeiern veranstaltet hatte, wachte am Sonn-
tagmorgen in kalten Villen auf. Die städtischen Arbeiter hatten
Wasser, Licht und Gas gesperrt, und die von der Kapp-Regierung zum Dienst befohlene Technische Nothilfe verhinderte
allenfalls die Lahmlegung lebenswichtiger Betriebe, sofern die
streikenden Arbeiter dies zuließen. Der Eisenbahnverkehr
brach zusammen, und die Lebensmittelversorgung der Reichshauptstadt war gefährdet. Kapp mußte bei Kerzenlicht regieren.
Die Androhung von Gefängnis, Zwangsarbeit und schließlich
sogar der Todesstrafe für »Rädelsführer« und »Streikposten«
beeindruckte die Arbeiter nicht, sondern bestärkte sie nur noch
in ihrem Abwehrkampf. Schutzversprechen für Streikbrecher
waren ebenso wirkungslos wie Beschwörungen, die neue Regierung werde das Betriebsrätegesetz respektieren und das Koali-

[13] So ein Bericht der Berliner Volkszeitung vom 24. März 1920; zitiert nach:
Illustrierte Geschichte der Deutschen Revolution. Berlin 1929, S. 474. Vgl. auch
Erger, Kapp-Lüttwitz-Putsch, S. 162, 345.

tionsrecht garantieren[14]. Es trat die Situation ein, die Georg Herwegh rund sechzig Jahre vorher im Bundeslied des Allgemeinen Deutschen Arbeitervereins visionär beschworen hatte: »Alle Räder stehen still, wenn dein starker Arm es will.«

Am 15. und 16. März, den ersten beiden Arbeitstagen nach dem Putschwochenende, wurde die Lage der Verschwörer in Berlin immer hoffnungsloser. Da die Mehrheit der unteren und mittleren Beamten den Streik billigte und die hohe Ministerialbürokratie den Anordnungen der neuen Herren höchstens halbherzig Folge leistete, erlahmte auch die Regierungsmaschinerie. Sogar finanziell saß Kapp nun auf dem trockenen, weil die Reichsbank ihm keine Gelder auszahlte. Das Ansinnen, die benötigten Geldmittel zwangsweise zu beschaffen, lehnte Korvettenkapitän Ehrhardt mit dem Argument ab, ein Offizier könne nicht als Geldschrankknacker auftreten. Passive Resistenz prägte auch das Verhalten der Landes- und Kommunalbehörden im Reich. Aktiven Rückhalt besaß Kapp nur im ostelbischen Preußen, dem Wurzelboden der junkerlichen Reaktion. Hier schlossen sich ihm viele Landräte sowie mehrere Ober- und Regierungspräsidenten an, unter ihnen auch der Oberpräsident von Ostpreußen, der Sozialdemokrat August Winnig.

In der Reichswehr begann am dritten Putschtag die Phase des Umdenkens. Wehrkreiskommandeure und Offiziere, die sich am Samstag noch »neutral« verhalten hatten, fürchteten am Montag um den Zusammenhalt ihrer Einheiten, weil politische Auseinandersetzungen die Disziplin erschütterten. Das Schreckgespenst eines »Bruderkampfes« Truppe gegen Truppe rückte in greifbare Nähe, wie General Maercker in einer Unterredung Kapp verdeutlichte: »Deutschland ist gegenwärtig in zwei Teile geteilt. Der eine ist das ganze West- und Süddeutschland, der andere das nördliche und östliche Deutschland. Wenn diesem Zustande nicht bald ein Ende gemacht wird, dann muß es zu einem Kampf zwischen Reichswehr und Reichswehr kommen, und das muß unter allen Umständen vermieden werden.«[15] Einige Politiker sprachen in diesen Tagen wieder von der »Mainlinie«, die sich zwischen dem reaktionären Norden und dem demokratischen Süden auftue. Für Bayern galt diese Feststellung allerdings nicht. Denn hier etablierte sich in den

---

[14] Aufrufe der Kapp-Regierung sind abgedruckt bei Erger, Kapp-Lüttwitz-Putsch, S. 324 ff.; Könnemann, Krusch, Aktionseinheit, S. 176, 286.
[15] Zitiert nach Francis L. Carsten, Reichswehr und Politik 1918–1933. Köln, Berlin 1964, S. 97.

Kapp-Tagen eine Rechtsregierung, die dann den weiß-blauen Freistaat zur antirepublikanischen »Unordnungszelle« ausbaute.

Am dritten und vierten Putschtag jagte eine Konferenz die andere. Vizekanzler Schiffer, der geschäftige Kontaktmann der legalen Reichsregierung in Berlin, knüpfte die Fäden zwischen der Reichshauptstadt und Stuttgart sowie zwischen den Regierungs- und Oppositionsparteien; eine Kommission des Reichsrats verhandelte mit dem militärischen Kopf des Putsches, General von Lüttwitz; sein Berufskollege Maercker reiste als Unterhändler in die württembergische Metropole; die Rechtsparteien Deutschnationale Volkspartei (DNVP) und Deutsche Volkspartei (DVP) arbeiteten, einem Vorschlag Stresemanns folgend, »auf ein Koalitionskabinett unter Rücktritt der beiden Regierungen« hin, bemühten sich um einen ehrenvollen Abzug für die Kapp-Truppen und wollten eine Amnestie für alle politischen Vergehen durchsetzen[16]; Abgeordnete der Regierungsparteien schalteten sich in die Verhandlungen ein, ohne daß zwischen der SPD und ihren beiden bürgerlichen Partnern Zentrum und DDP ein Konsens über den einzuschlagenden Weg gefunden werden konnte.

Der Möchtegernkanzler Kapp war von den Turbulenzen physisch und psychisch sichtlich überfordert. Sein Kumpan Ehrhardt fand ihn bei einer Kabinettssitzung am Morgen des 16. März in einem beklagenswerten Zustand vor: »Kapp war körperlich und seelisch völlig zusammengebrochen. Er hatte den Vorsitz am runden Tisch. Seine Augen waren verschwollen. Seine Stimme war belegt, wenn er mechanisch sagte: Ich erteile Ihnen das Wort. Er war gar nicht mehr in der Lage, etwas zu entscheiden. Er wußte gar nicht, was geredet wurde.«[17] Am Abend dieses vierten Putschtages lautete eine sarkastische Situationsanalyse im Umfeld der Kapp-Regierung, in der längst schon Lüttwitz die Regie übernommen hatte: »Die Lage ist ernst, aber durchaus erfolgversprechend.«

Zu diesem Zeitpunkt meldete Maercker aus Stuttgart, die Reichsregierung bestehe bedingungslos auf dem sofortigen Rücktritt von Kapp und Lüttwitz. Aus den Berliner Arbeitervierteln eilten General von Hülsen und Oberstleutnant von

[16] Vgl. Erger, Kapp-Lüttwitz-Putsch, S. 254.
[17] Zitiert nach Schulze, Freikorps und Republik, S. 284. Dort auch das folgende Zitat.

Klewitz, zwei treue Gefolgsleute von Lüttwitz, mit der Nachricht in die Reichskanzlei, ein bewaffneter Aufstand der Arbeiter stehe bevor, wenn sich die Reichswehr nicht bis 21 Uhr aus diesen Stadtvierteln zurückziehe. Dieses »Ultimatum«, das der preußische Ministerpräsident Hirsch als einen »aufgelegten Schwindel« bezeichnete[18], schien sich, erfunden oder wahr, für kurze Zeit als ein Rettungsanker für die Kappisten anzubieten: Konnte man mit dem Kommunistenschreck die Sozialdemokraten zum Einlenken zwingen und wenigstens für die Übertragung des Oberbefehls auf Lüttwitz im drohenden Straßenkampf in der Reichshauptstadt gewinnen?

Im Reichsjustizministerium tagte ab 20 Uhr eine Politikerrunde mit Major Pabst, dem Unterhändler der Kapp-Regierung, der im Januar 1919 als Generalstabsoffizier der Garde-Kavallerie-Schützen-Division für die Ermordung von Rosa Luxemburg und Karl Liebknecht verantwortlich gewesen war. Man debattierte unter dem Vorsitz Schiffers stundenlang mit diesem Spießgesellen der Konterrevolution. Gegen Mitternacht einigte sich die Runde, zu der neben Schiffer der preußische Ministerpräsident Hirsch (SPD) und seine Kabinettsmitglieder Südekum (SPD), Stegerwald (Zentrum) und Oeser (DDP) sowie der DNVP-Vertreter Hergt, der Berliner Polizeipräsident Ernst (SPD) und mehrere Unterstaatssekretäre gehörten, auf folgenden Vorschlag: »Kapp tritt zurück. Lüttwitz legt den Oberbefehl nieder; die Reichsregierung ernennt einen anderen Oberbefehlshaber. Der Stellvertreter des Reichskanzlers wird gegenüber den maßgebenden Stellen folgende Vorschläge machen: Der Nationalversammlung wird anempfohlen, sich längstens 4 Wochen nach ihrem Zusammentreten aufzulösen; Wahl des Reichspräsidenten durch das Volk; schleunigste Umbildung des Kabinetts. Der Reichsjustizminister wird sich bei der Nationalversammlung dafür einsetzen, daß eine allgemeine Amnestie erfolgt.«[19]

Pabst überbrachte diesen Vorschlag Kapp und Lüttwitz, die zwischen 3 und 4 Uhr morgens der wartenden Politikerrunde mitteilen ließen, sie würden sich am nächsten Vormittag entscheiden. Zu dieser Runde waren in der Zwischenzeit auch die einflußreichen SPD-Politiker Lüdemann, Krüger und Stampfer hinzugekommen. Sie distanzierten sich einmütig und entschie-

---

[18] Vgl. Erger, Kapp-Lüttwitz-Putsch, S. 256.
[19] Ebenda, S. 260.

den vom mitternächtlichen Verhandlungsergebnis, forderten den Abzug der Reichswehrtruppen aus Berlin und wollten an die Putschisten keinerlei Zugeständnisse machen: »Die Militärherrschaft müsse niedergekämpft werden, und es sei besser, Menschenleben zu opfern, als mit den Kapp-Leuten zu verhandeln.«[20] Schiffer und Südekum waren anderer Meinung. Sie befürchteten einen kommunistischen Putsch, die Zersetzung der Reichswehr durch die Linksradikalen und eine Verlängerung des »verhängnisvollen politischen Wirrwarrs«. Um 5 Uhr morgens ging man ohne Ergebnis auseinander.

Drei Stunden später, am 17. März morgens um 8 Uhr, versammelten sich die führenden Putschisten in der Reichskanzlei. Lüttwitz kam zu diesem Treffen mit der festen Absicht, Kapp zum Rücktritt zu zwingen, selbst aber Oberbefehlshaber zu bleiben. Aus dem Reichswehrministerium wußte er mittlerweile, daß sich fast alle Truppen in West- und Süddeutschland der Regierung in Stuttgart unterstellt hatten. Hinzu kamen weitere Hiobsmeldungen für die Putschisten aus mehreren Wehrkreiskommandos: Die Geschlossenheit der Reichswehr zerbröselte überall. Befehle wurden verweigert, Offiziere versagten oder wurden verhaftet, Truppenteile ließen sich entwaffnen, im Ruhrgebiet kam es zu verlustreichen Kämpfen mit streikenden und bewaffneten Arbeitern. In Berlin, wo man geradezu auf einen Putsch der Linksradikalen gehofft hatte, um das verängstigte Bürgertum als Bundesgenossen zu gewinnen, war es jedoch in der vorangegangenen Nacht in den Arbeitervierteln ruhig geblieben. Dagegen wußte Lüttwitz von leitenden Offizieren, daß sich die Sicherheitspolizei wieder der legalen Regierung unterstellen wollte und daß es beim Garde-Pionier-Bataillon zu einer Meuterei gegen die Kappisten gekommen war.

Zum Treffen in der Reichskanzlei hatte Lüttwitz eigens Ludendorff mitgebracht, der während der Putschtage Kapp zwar immer wieder den Rücken gestärkt hatte, nun aber den Generallandschaftsdirektor zur Resignation bewegen sollte. Am Ende der Unterredung, in deren Verlauf es zu scharfen gegenseitigen Vorwürfen kam, gab der »körperlich und seelisch völlig zusammengebrochene« Kapp seine Regierungsvollmacht zurück. In seiner letzten Erklärung übertrug er an Lüttwitz die vollziehende Gewalt. Dabei ließ er sich von der Überzeugung leiten, wie es in dieser Kapitulationsurkunde hieß, »daß die

[20] Ebenda, S. 261. Dort auch das folgende Zitat.

äußerste Not des Vaterlandes den einheitlichen Zusammenschluß aller gegen die vernichtende Gefahr des Bolschewismus verlangt«[21].

General von Lüttwitz, der militärische Drahtzieher des Putsches, konnte sich seiner Militärdiktatur in Berlin allerdings nur noch wenige Stunden erfreuen. Weder die Parteiführer der DNVP und DVP und schon gar nicht die in Berlin anwesenden Vertreter der Regierungskoalition wollten sich mit den Vorstellungen des Generals anfreunden, der für sich weiterhin die Beibehaltung des Oberbefehls forderte. Allerdings wurde in einem geheimen Protokoll, dem auch der Sozialdemokrat Südekum zustimmte, eine Amnestiezusage gemacht. Dieses folgenschwere Zugeständnis – die meisten Putschisten gingen später tatsächlich straffrei aus – ebnete den Weg zum Rücktritt von Lüttwitz. Den letzten Anstoß gab jedoch ein »Offiziersrat«, zu dem sich in den Mittagsstunden die in Berlin anwesenden Truppenkommandeure versammelten. Sie kündigten bis auf Ehrhardt, der seine Nibelungentreue auch noch jetzt bewies, Lüttwitz die Gefolgschaft auf.

Als Nachfolger Reinhardts schlug man General von Seeckt vor, mit der Begründung, sein Verdienst sei es gewesen, daß die Reichswehr am 13. März in Berlin nicht auf die einrückende Marinebrigade geschossen habe. Für Seeckt plädierte auch Schiffer, der schon am 16. März in Telefonaten mit Stuttgart dessen Namen ins Gespräch gebracht hatte. In seinen Memoiren rechtfertigte Schiffer diese Entscheidung, die für die wenigen republiktreuen Offiziere ein Schlag ins Gesicht war, mit den Sätzen: »Seeckts Ernennung mußte auf die konservativen altpreußischen Kreise, die in der Kapp-Bewegung reichlich vorhanden und maßgebend waren, stärker wirken, als die eines schwäbischen Demokraten es getan hätte. Sie mußte sie gewinnen oder mindestens verwirren und jedenfalls den Widerstand, den sie noch gegen die Abschiebung von Lüttwitz leisteten, erheblich schwächen; und es kam mir darauf an, den Übergang sich möglichst glatt und reibungslos vollziehen zu lassen.«[22] Als Schiffer am Nachmittag des 17. März vor einem Kreis von Ministern, Abgeordneten und Journalisten die mittlerweile von Reichspräsident Ebert ausgesprochene Ernennung Seeckts zum

---

[21] Ebenda, S. 266. Dort auch das vorhergehende Zitat.
[22] Zitiert nach Hans Meier-Welcker, Seeckt. Frankfurt 1967, S. 268. Dort auch das folgende Zitat.

Chef der Heeresleitung verkündete, rief ein sozialdemokratischer Abgeordneter: »Dem Aas trau ich nicht.«

Wenn Schiffer – wie er in seinen Memoiren betont – am 17. März tatsächlich gehofft haben sollte, das Ende des Staatsstreichs sei auch das Ende des Generalstreiks, so hatte er sich getäuscht. Als Kapp und Lüttwitz in Berlin kapitulierten und ihr im monarchistischen Milieu beheimateter Anhang aus Großgrundbesitzern, Offizieren und Besitzbürgern die schwarz-weiß-roten Fahnen wieder einrollen mußte, war der Generalstreik noch nicht abgeflaut. Im Gegenteil. Die Gewerkschaftsaufrufe vom 13. März hatten sich erst zwei Tage später, am Beginn der Arbeitswoche, überall im Reich voll ausgewirkt. Wie ein Flächenbrand verbreitete sich nun der Widerstand gegen die antirepublikanische Rebellion von Breslau bis Saarbrücken und von Kiel bis Konstanz. Hauptträger dieses Massenwiderstandes waren die gewerkschaftlich und politisch organisierten Arbeiter – die Gesamtzahl der Streikenden wird auf rund zwölf Millionen geschätzt –, die in einigen Regionen des Reiches dem Militär mit Waffengewalt entgegentraten, ohne vorher lange nachzuforschen, ob die von ihnen attackierten Reichswehreinheiten für die Putschisten Partei ergriffen hatten.

Die anfangs unübersichtliche Lage veränderte sich im Laufe der fünf Putschtage immer mehr zugunsten der im Stuttgarter »Exil« abwartenden Reichsregierung. Im deutschen Südwesten, in Württemberg, Baden und Hessen, blieb die Reichswehr eine zuverlässige Stütze des geflohenen Kabinetts. Hier kam es nicht zu bewaffneten Auseinandersetzungen. In Bayern war vom Generalstreik wenig zu spüren. Dagegen mußte die sozialdemokratisch geführte bayerische Landesregierung unter dem Druck von Freikorps und Freiwilligen-Verbänden zurücktreten und einem konservativen Kabinett unter der Führung des Monarchisten Gustav von Kahr Platz machen. Dieser taktierte aber vorsichtig und war schlau genug, der gesetzmäßigen Reichsregierung nicht offen den Gehorsam aufzukündigen. In den mitteldeutschen Kleinstaaten und in Sachsen schwankten die Landesregierungen und Behörden zwischen Berlin und Stuttgart. Gleichzeitig flammten im Industriegebiet um Halle heftige Unruhen auf, deren linksradikale Anführer mit der Regierung Kapp auch die sächsische Regierung Bauer stürzen wollten. In Ost- und Nordostdeutschland stand die militärische und die zivile Führung hinter dem Kapp-Lüttwitz-Unternehmen, aber die putschenden Reichswehreinheiten gerieten in Pommern und

24

Mecklenburg in Kämpfe mit bewaffneten Land- und Industrie-
arbeitern. Eindeutig gewannen Kapp und seine Anhänger nur in
Ostpreußen und in Schlesien die Oberhand, wo Oberpräsidenten und Landräte sich diesem Aufbruch zurück in den wilhelminischen Kaiserstaat anschlossen oder von Freikorps verhaftet
und aus dem Amt gejagt wurden. Im Nordwesten des Reiches
kam es in Oldenburg zu linksradikalen Aufständen, die regierungstreue Truppen rasch erstickten; in der Hansestadt Hamburg entmachtete der Senat das putschende Wehrkreiskomman-
do, während in Schleswig-Holstein und in Mecklenburg-
Schwerin die Kappisten die legalen Amtsinhaber absetzten. Im
hochindustrialisierten Westen an Rhein und Ruhr entwickelte
sich aus der Generalstreikbewegung ein Bürgerkrieg zwischen
der »Roten Armee«, Reichswehrverbänden und Freikorps, dessen militärischer und politischer Frontverlauf von Tag zu Tag
schwerer zu bestimmen war[23].

Legien, der gewerkschaftliche Statthalter der Republik in der
Reichshauptstadt, ließ sich von den Lockrufen der Putschisten
ebensowenig beeindrucken wie von den Mäßigungsappellen der
auf Ausgleich bedachten Politiker aus dem bürgerlichen Lager.
Er war entschlossen, wie er im Rückblick schrieb, gegen den
»Hexenkessel der Reaktion« den »Kampf auf der ganzen Linie
aufzunehmen«[24]. Welche politischen Konsequenzen diese Entscheidung hatte, konnten Legien und seine Mitstreiter im Bundesvorstand des ADGB nicht übersehen, als sie am 13. März
das Gewerkschaftslager zum Generalstreik mobilisierten. In
den ersten Putschtagen waren die ADGB-Führer damit beschäftigt, die gewerkschaftliche Abwehrfront zu stabilisieren
und Bundesgenossen zu gewinnen. Die Christlichen Gewerkschaften und die Hirsch-Dunckerschen Gewerkvereine schlossen sich der Protestbewegung nur zögernd und halbherzig an,
weil aus ihrer Sicht der Generalstreik eine gefährliche Eigendynamik entwickeln konnte, die möglicherweise über die Verteidigung der bürgerlichen Demokratie hinwegschritt. Der

---

[23] Zu den einzelnen Vorgängen im Reich findet sich eine Fülle von Hinweisen
in der regionalen und lokalen Spezialliteratur. Vgl. Illustrierte Geschichte,
S. 473–508; Könnemann, Krusch, Aktionseinheit, S. 89–162; Erhard Lucas,
Märzrevolution im Ruhrgebiet. März/April 1920. 3 Bde, Frankfurt 1970 ff.; ferner George Eliasberg, Der Ruhrkrieg von 1920. Bonn-Bad Godesberg 1974;
Erger, Kapp-Lüttwitz-Putsch, S. 177 ff.
[24] Carl Legien, Der Generalstreik gegen den Monarchistenputsch. In: Korrespondenzblatt des ADGB, Nr. 12/13 vom 27. 3. 1920, S. 149.

Reichsverband der Deutschen Industrie, auf dessen Hilfe Legien gehofft hatte, bereitete dem Gewerkschaftsführer eine herbe Enttäuschung: Die Unternehmer wollten zwar, wie sie ihn am 13. März wissen ließen, an den Prinzipien der im November 1918 zwischen Kapital und Arbeit vereinbarten Zentralarbeitsgemeinschaft festhalten, aber zu einer offenen Parteinahme gegen die reaktionäre Revolte waren sie nicht bereit. Erst am 17. März, als das Scheitern Kapps praktisch feststand, boten sie ihr Zusammenwirken mit den Gewerkschaften an[25]. An diesem Tag des gewerkschaftlichen Triumphs über die Republikgegner war man aber auf »Trittbrettfahrer« aus dem Arbeitgeberlager im ADGB nicht mehr angewiesen. Die Unternehmer drängten nun auf eine sofortige Beendigung des Generalstreiks, in dieser Frage einig mit der Reichsregierung in Stuttgart, den drei Regierungsparteien und den christlichen und liberalen Gewerkschaftsführern. Nach dem Rücktritt von Lüttwitz, dessen Abschiedsgesuch Schiffer am 17. März gegen 18 Uhr unter Bewilligung der Pensionsansprüche des Meuterers annahm, herrschte unter den Politikern der Mehrheitsparteien des Reichstags »Hochstimmung«[26]. Die Freude über den errungenen Sieg wurde in Stuttgart allerdings empfindlich getrübt, als man erfuhr, welche Zugeständnisse der Vizekanzler den Putschisten gemacht hatte. Das Amnestieversprechen drohte zu einem Mühlstein zu werden, der die mit knapper Not davongekommene Reichsregierung doch noch in die Tiefe ziehen konnte. Aber auch der ADGB, in dessen Händen nach der überstürzten Flucht von Reichspräsident und Reichskabinett die Verantwortung für das Schicksal der Republik gelegen hatte, wollte jetzt nicht einfach zur Tagesordnung zurückkehren. Der Vormarsch der Gegenrevolution bis in die Reichskanzlei hatte den Gewerkschaftsführern dafür die Augen geöffnet, wie brüchig das Fundament war, auf dem man die Weimarer Demokratie erbaut hatte.

Als sich die Vertreter des ADGB, des AfA-Bundes und des Deutschen Beamtenbundes (DBB), die gemeinsam die gewerkschaftliche Reichszentrale für den Generalstreik bildeten, am Abend des 17. März zu einer Lagebesprechung trafen, wurde schnell deutlich, daß aus ihrer Sicht mit dem Rücktritt der Rä-

[25] Vgl. Gerald D. Feldman, Big Business and the Kapp-Putsch. In: Central European History IV (1971), S. 99 ff.
[26] Zitiert nach Erger, Kapp-Lüttwitz-Putsch, S. 281.

delsführer das Kapp-Abenteuer noch nicht erledigt war. Im Namen der acht Millionen Mitglieder der drei Dachverbände machte man den Abbruch des Generalstreiks von vier Bedingungen abhängig: Erstens müsse »die Besetzung Berlins durch meuternde Truppen erledigt sein«; zweitens dürfe Noske »nicht mehr als Wehrminister zurückkehren«; drittens wurde ein »entscheidender Einfluß auf die Neuordnung der Dinge« verlangt, und viertens erhob man »einzelne sozialpolitische Forderungen«[27]. Diese offensichtlich hastig formulierten Bedingungen fanden sich teils wörtlich in einem Aufruf der drei Dachverbände wieder, den sie am 18. März in Berlin verbreiteten. Damit hatten sich die Freien Gewerkschaften auf Positionen festgelegt, von denen sie in den anstehenden Verhandlungen mit der Reichsregierung nicht abrücken konnten, wollten sie das Vertrauen der von ihnen mobilisierten Streikenden nicht verspielen.

In Stuttgart tagte am Vormittag des 18. März die Fraktion der Mehrheitssozialdemokratie (MSPD), um die für den Nachmittag des gleichen Tages dort einberufene Sitzung der Nationalversammlung vorzubereiten. In der Fraktion richtete Scheidemann – sehr zum Mißvergnügen Eberts – heftige Angriffe gegen die Politik Noskes, die er dann in der Parlamentssitzung öffentlich wiederholte. Mit dem »System Noske« rechnete auch der Sprecher der USPD ab, während die Redner der bürgerlichen Parteien es vermieden, den Reichswehrminister vor der Nationalversammlung anzuprangern. Noske entwarf schon während der Sitzung des Parlaments sein Rücktrittsgesuch, das er anschließend sofort dem Reichspräsidenten überreichte. Ebert verweigerte die Entlassung seines persönlichen Freundes noch mehrere Tage lang, mußte sich aber schließlich dem wachsenden Druck aus seiner Partei und den Gewerkschaften beugen[28].

Daß Noske bei den Gewerkschaften nach dem Kapp-Putsch überhaupt keinen Rückhalt mehr besaß, verdeutlichte Legien wenige Tage später mit scharfer Feder: »Der allezeit kampfbereite Mann, wenn es galt, einen Putsch der revolutionären Linken niederzuschlagen, sah augenscheinlich nicht die geringste Gefahr für die Republik. Er duldete, daß Militärgerichte über Verbrechen von Offizieren in herausfordernd milder Weise urteilten, daß belastete Offiziere verschwanden, daß die Balti-

---

[27] Vgl. Kabinett Bauer, Dok. 204, S. 711.
[28] Vgl. Wette, Gustav Noske, S. 660 ff.

kumtruppen unentwaffnet bis in die Nähe der Reichshauptstadt gelangten, daß sich die Junker mit Waffenlagern und Schutzgarden ausrüsteten, daß republikanische Offiziere und Unteroffiziere aus der Reichswehr hinausgedrängt wurden. Er war förmlich fasziniert von der rührenden Anhänglichkeit seiner Offiziere und Wehrmacht und kannte nur einen Feind, das revolutionäre Proletariat, und nur eine Gefahr, den Bolschewismus. Auf diese Gefahr stellte er seine Reichswehr ein, und darin konnte er sich allerdings unbedingt auf sie verlassen. Aber die Republik hatte an dieser Wehrmacht nur eine geringe Stütze.«[29]

Der Rücktritt des Reichswehrministers war für die Gewerkschaftsführer, die sich am Abend des 18. März zu einer gemeinsamen Besprechung mit Mitgliedern der Reichsregierung, der preußischen Regierung und Vertretern der Mehrheitsparteien im Preußischen Staatsministerium in Berlin trafen, eine conditio sine qua non. Sie verfielen allerdings nicht in den Fehler, alle Vorgänge zu personalisieren und dem »Sündenbock« Noske in die Schuhe zu schieben. Sie sahen durchaus die strukturellen Schwächen der Republik, die den Putsch möglich gemacht hatten. In der vierstündigen Konferenz, die von 18 bis 22 Uhr dauerte, meldeten sich nach der überlieferten Niederschrift insgesamt 31 Redner zu Wort[30]. Die Aussprache begann in moderatem Ton, nachdem die Gewerkschaftsvertreter ihre bereits bekannten vier Forderungen nochmals erläutert hatten. Im Laufe der Unterredung verhärteten sich jedoch die Fronten immer mehr, als Gothein (DDP) und Stegerwald (Zentrum) betonten, die Gewerkschaftsforderungen stünden im Widerspruch zur Verfassung und zur Demokratie. Vor allem Gothein goß Öl in das Feuer: »Ein Protest gegen den terroristischen Putsch war allgemein. Aber ich wehre mich gegen Terror von der anderen Seite. Legien will den Terror.«[31]

Diese persönliche Attacke konterte der ADGB-Vorsitzende, der vorher erklärt hatte, »die Reichsregierung kommt nicht zurück, wenn diese Forderungen nicht erfüllt werden«[32], mit einer impulsiven Antwort: »Wir sind keine unartigen Kinder. Wenn Sie sich nicht verständigen, dann ist das nichts anderes als der Bürgerkrieg in Deutschland. Wir sind außerstande, die Arbeiterschaft aus dem Kampf zurückzurufen, wenn wir nichts zei-

[29] Siehe Anm. 24.
[30] Vgl. Kabinett Bauer, Dok. 204, S. 710–725.
[31] Ebenda, S. 715.
[32] Ebenda, S. 714.

gen können.« Dann präsentierte er seinen konsternierten Verhandlungspartnern einen neun Punkte umfassenden Katalog, den die gewerkschaftliche Streikzentrale im Laufe des 18. März ausgearbeitet hatte.

Der erste Punkt dieses Katalogs enthielt eine Generalklausel, aus der sich alles Folgende ableitete: »Entscheidender Einfluß der genannten Arbeitnehmerverbände« – gemeint waren die beiden freigewerkschaftlichen Dachverbände und der DBB – »auf die Umgestaltung der Regierungen im Reich und in den Ländern sowie auf die Neuregelung der wirtschafts- und sozialpolitischen Gesetzgebung«. In den sich diesem Passus anschließenden Punkten forderte man: die Entwaffnung und Bestrafung der Putschisten (II), den Rücktritt Noskes und der beiden preußischen Minister Oeser und Heine (III), die »gründliche Reinigung der gesamten öffentlichen Verwaltungen und Betriebsverwaltungen von allen reaktionären Persönlichkeiten« (IV), die »schnellste Durchführung der Demokratisierung der Verwaltungen« unter Hinzuziehung der gewerkschaftlichen Arbeiter-, Angestellten- und Beamtenverbände (V), den »Ausbau der bestehenden« und die »Schaffung neuer Sozialgesetze« sowie die »schleunige Einführung eines freiheitlichen Beamtenrechts« (VI), die »sofortige Sozialisierung des Bergbaus und der Kraftgewinnung«, ferner die »Übernahme des Kohlen- und des Kalisyndikats durch das Reich« (VII), den Erlaß eines »Enteignungsgesetzes gegen Grundbesitzer«, die verfügbare Lebensmittel nicht abführten (VIII), und schließlich die »Auflösung aller konterrevolutionären-militärischen Formationen« sowie die »Übernahme des Sicherheitsdienstes durch die organisierte Arbeiterschaft« (IX)[33]. Einen zehnten Punkt, in dem man die »Bezahlung der infolge des Generalstreiks entstandenen Verluste an Arbeitslohn oder Gehalt durch die öffentlichen bzw. privaten Arbeitgeber« forderte, ließ Legien stillschweigend fallen. Vor dem Bundesausschuß des ADGB rechtfertigte er diesen eigenmächtigen Verzicht eine Woche später mit der Bemerkung, daß »er sich geschämt habe, namens der Arbeiterschaft für diesen revolutionären Kampf Bezahlung der Streiktage zu verlangen«[34].

Wie lange der Schock der Sprachlosigkeit nach diesem Beitrag

---

[33] Der Katalog ist abgedruckt bei Heinz Josef Varain, Freie Gewerkschaften, Sozialdemokratie und Staat. Bonn 1956, S. 174 f.

[34] Zitiert nach Michael Ruck (Bearb.), Die Gewerkschaften in den Anfangsjahren der Republik 1919–1923. Köln 1985, S. 161 f.

Legiens dauerte, ist der Sitzungsniederschrift nicht zu entnehmen. Der SPD-Vorsitzende Wels meinte am nächsten Tag, Legien habe durch die »verletzende Form« seines schroffen Auftritts »viel Porzellan in Scherben geschlagen«[35]. Er selbst hatte sich in der abendlichen Konferenz nach Legien zur Geschäftsordnung gemeldet, um zu betonen, er halte »die Forderungen der Gewerkschaften nach entscheidender Mitwirkung für berechtigt«, wolle aber ohne die Reichsregierung nichts entscheiden[36]. Ähnlich argumentierte Krüger, der Vorsitzende der Berliner Bezirksorganisation der SPD. Nach seiner Meinung bestand »über einen großen Teil« des gewerkschaftlichen Programms »gar kein Streit«. Nur der erste Punkt – die Forderung nach gewerkschaftlicher Mitwirkung bei der Regierungsumbildung – schien ihm problematisch zu sein[37]. Schließlich vertagte sich die Konferenz ohne Ergebnis, nachdem im Verlauf der Diskussionen klargeworden war, daß die Sprecher von Zentrum und DDP die Gewerkschaftsforderungen strikt ablehnten, während die Repräsentanten der SPD nach Kompromißmöglichkeiten suchten. Man verabredete für den nächsten Tag eine weitere Zusammenkunft.

Der Gang der Verhandlungen in den nächsten 24 Stunden ist aus den nur bruchstückhaft überlieferten Quellen nicht lückenlos zu rekonstruieren. Reichspräsident Ebert, der telefonisch über die Verhandlungen im Preußischen Staatsministerium unterrichtet wurde, äußerte verfassungsrechtliche Vorbehalte gegen eine gewerkschaftliche »Mitbestimmung bei der Regierung«, wollte sich aber dafür einsetzen, daß die Regierungsparteien bei der Kabinettsumbildung den Gewerkschaften entgegenkämen[38]. Die in Berlin anwesenden Parteiführer und Regierungsmitglieder der SPD einigten sich am 19. März in einer internen Besprechung auf eine Formel, die der preußische Ministerpräsident Hirsch vorschlug: »Die Vertreter der Mehrheitsparteien verpflichten sich, dafür zu sorgen, daß bei der Umbildung der Regierungen im Reich und den Ländern die Personenfrage von den Parteien im Einverständnis mit den gewerkschaftlichen Arbeiterorganisationen gelöst und daß diesen Organisationen ein entscheidender Einfluß auf die Neuregelung der wirtschaftlichen und sozialpolitischen Gesetzgebung einge-

[35] Zitiert nach Potthoff, Gewerkschaften, S. 270.
[36] Kabinett Bauer, Dok. 204, S. 723 f.
[37] Ebenda, S. 724.
[38] Zitiert nach Winkler, Revolution, S. 311.

räumt wird.«[39] Der linksliberale Vizekanzler Schiffer suchte inzwischen auf seine Weise Nägel mit Köpfen zu machen: Er erklärte einfach den Generalstreik für beendet.

Er hatte allerdings ohne Rücksprache mit den Gewerkschaftsführern gehandelt, die, von diesem Vorstoß des Vizekanzlers düpiert, in einem um 14 Uhr publizierten Aufruf ihren Willen zur Fortsetzung des Generalstreiks bekräftigten. Zu diesem Zeitpunkt stand die gewerkschaftliche Streikführung fester denn je. Es war nämlich Legien in intensiven Verhandlungen mit dem Vorstand der USPD gelungen, diesen auf eine gemeinsame Linie mit dem ADGB zu bringen: Die USPD-Führer sicherten Legien zu, ihre eigenen weiter gespannten Forderungen zurückzustellen und sich dem Verhandlungskurs der gewerkschaftlichen Reichszentrale anzuschließen. Dieses Zweckbündnis pries Aufhäuser, Vorsitzender des AfA-Bundes und prominentes USPD-Mitglied, zwei Wochen später als Sieg der Vernunft, weil damit »eine Auswertung des Generalstreiks durch syndikalistische und unverantwortliche Elemente für ihre dunklen Zwecke verhindert werden konnte«. Ernst Däumig hingegen, radikales Vorstandsmitglied der USPD, geißelte den Schulterschluß mit der ADGB-Spitze später als schweren politischen Fehler, denn dadurch sei man »in ein Abhängigkeitsverhältnis von der Politik Legiens geraten«[40].

Die Reichsregierung in Stuttgart konnte sich am 19. März auf der Berliner Bühne nur telefonisch zu Wort melden und blieb selbst auf fernmündliche Informationen aus der Reichshauptstadt angewiesen. Diese waren aber höchst widersprüchlich. Deshalb kam es auch in der in Stuttgart weilenden Ministerriege zu keiner Einigung darüber, ob man die Zelte in der württembergischen Landeshauptstadt sofort abbrechen und an den eigenen Regierungssitz an der Spree zurückkehren sollte. Reichsinnenminister Koch (DDP) plädierte für die umgehende Heimfahrt des ganzen Kabinetts, was jedoch Ebert ablehnte. Seinen Unwillen über diese Entscheidung vertraute Koch seinem Tagebuch an, in dem Ausruf: »Verflucht noch mal!«[41] Schließlich verständigte man sich darauf, eine vierköpfige Verhandlungskommission auf die Reise nach Norden zu schicken. Als deren Mitglieder – Bauer (SPD), Giesberts (Zentrum), Geßler (partei-

[39] Zitiert nach Miller, Bürde, S. 384 f.
[40] Beide Zitate nach Potthoff, Gewerkschaften, S. 271.
[41] Kabinett Bauer, Dok. 205, S. 727.

los) und Müller (SPD) – am Morgen des 20. März in Berlin eintrafen, waren die Annahme der Gewerkschaftsforderungen und der Abbruch des Generalstreiks bereits beschlossene Sache.

Die Würfel fielen in einer Marathonsitzung, die am 19. März abends um 19 Uhr begann und am 20. März morgens um 5 Uhr endete. An dieser zweiten Zusammenkunft von Vertretern der Regierungsparteien, der gewerkschaftlichen Streikleitung und Mitgliedern des Reichs- und Preußenkabinetts nahm auch Otto Braun (SPD) teil. Er war am Morgen des 19. März von Stuttgart nach Berlin mit einer von Ebert unterschriebenen Vollmacht aufgebrochen, in der es hieß, er fahre im Auftrag der Reichsregierung, um in Berlin »in Verhandlungen mit den Arbeitern sämtlicher sozialistischer Richtungen« einzutreten, »nachdem die Arbeiter und die Vertreter der Reichsregierung in Berlin den dringenden Wunsch nach solchen Verhandlungen ausgesprochen haben«[42]. Welche Rolle Braun, der wenige Tage später Hirsch als preußischer Ministerpräsident – Ebert hatte Hirsch in einem privaten Gespräch als »Schlappschwanz« bezeichnet – ablöste, im nächtlichen Verhandlungspoker spielte, ist nicht zu klären, weil über diese dramatische Sitzung kein Protokoll vorliegt.

In den frühen Morgenstunden des 20. März war jedenfalls eine Verständigung über den gewerkschaftlichen Forderungskatalog erzielt. Die nunmehr acht Punkte dieses Einigungspapiers deckten sich weitgehend, aber nicht vollständig mit dem Gewerkschaftsprogramm vom Vortag. Die Forderung nach dem Rücktritt Noskes und dem des preußischen Ministers Heine war entfallen, nachdem beide ihr Abschiedsgesuch bereits eingereicht hatten; die Übernahme des Sicherheitsdienstes durch die organisierte Arbeiterschaft wurde nicht mehr erwähnt, und die Forderung, ein Enteignungsgesetz gegen Grundbesitzer zu erlassen, die Lebensmittel zurückhielten, hatte man durch folgenden Passus ersetzt: »Wirksame Erfassung, gegebenenfalls durch Enteignung, aller verfügbaren Lebensmittel und verstärkte Bekämpfung des Wuchers und Schiebertums in Stadt und Land. Sicherung der Erfüllung der Ablieferungsverpflichtungen durch Gründung von Lieferungsverbänden und Verhängung fühlbarer Strafen bei böswilliger Verletzung der Bestimmungen.«

---

[42] Dieses und das folgende Zitat nach Hagen Schulze, Otto Braun oder Preußens demokratische Sendung. Eine Biographie. Frankfurt 1977, S. 294.

Durch eine Umformulierung war auch dem Punkt VII des Gewerkschaftsprogramms seine ultimative Schärfe genommen worden. Der an seine Stelle getretene Punkt VI lautete nun: »Sofortige Inangriffnahme der Sozialisierung der dazu reifen Wirtschaftszweige unter Zugrundelegung der Beschlüsse der Sozialisierungskommission, zu der Vertreter der Berufsverbände hinzuzuziehen sind. Sofortige Einberufung der Sozialisierungskommission. Übernahme des Kohlen- und Kalisyndikats durch das Reich.« Präzisiert und damit eingeengt war aber vor allem der erste Punkt, die Generalklausel für das politische Mandat der Gewerkschaften: »Die anwesenden Vertreter der Regierungsparteien werden bei ihren Fraktionen dafür eintreten, daß bei der bevorstehenden Neubildung der Regierungen im Reiche und in Preußen die Personenfrage von den Parteien nach Verständigung mit den am Generalstreik beteiligten gewerkschaftlichen Organisationen der Arbeiter, Angestellten und Beamten gelöst und diesen Organisationen unter Wahrung der Rechte der Volksvertretung ein entscheidender Einfluß auf die Neuregelung der wirtschafts- und sozialpolitischen Gesetzgebung eingeräumt wird.«[43] Diese Bestimmung besiegelte de facto das Scheitern des gewerkschaftlichen Mitbestimmungsanspruchs auf politischer Ebene. Denn dieser entscheidende Passus besaß lediglich empfehlenden Charakter, und die parlamentarische Vorbehaltsklausel machte ihn angesichts der Machtverhältnisse im Reichstag von vornherein zu Makulatur.

Zwei Stunden nach der im Morgengrauen beendeten Konferenz verkündeten ADGB, AfA-Bund und Deutscher Beamtenbund die sofortige Beendigung des Generalstreiks, obwohl man vom Ergebnis der Verhandlungen »nicht restlos« befriedigt war. Dieser Beschluß wurde um 7.05 Uhr morgens publiziert – zur gleichen Stunde, in der acht Tage vorher die Marinebrigade Ehrhardt durch das Brandenburger Tor in das Regierungsviertel einmarschiert war. Die Berliner Gewerkschaftskommission, in der die Linke dominierte, schloß sich der Parole zum Abbruch des Streiks an. Die USPD verweigerte ihre Zustimmung. Aber auch von anderer Seite wurde das Ergebnis der Nachtsitzung in Frage gestellt: Ebert sträubte sich immer noch gegen die Entlassung Noskes; Reichskanzler Bauer wollte erst einmal das Votum aller Kabinettsmitglieder abwarten; Wiederaufbauminister Geßler lehnte es ab, sich dem »Gewerkschaftsklüngel zu

[43] Das Einigungspapier ist abgedruckt bei Varain, Gewerkschaften, S. 176f.

fügen«[44]. Der politische Triumph der Gewerkschaften war ein Scheinsieg.

Die Ereignisse und Entscheidungen der nächsten acht Tage, der Woche vom 20. März bis zur Regierungsumbildung am 27. März, können nur noch im Zeitraffer wiedergegeben werden. Im Brennpunkt der Diskussionen standen mehrere Fragen: Konnte das gewerkschaftliche Programm des Verfassungswandels, das eigentlich die 1918/19 steckengebliebene Revolution vollenden wollte, verwirklicht werden? Sollte dem von den einen erhofften, von den anderen befürchteten »Ruck nach links« koalitions- und personalpolitisch im Reich und in Preußen Rechnung getragen werden? Wie konnte man den Arbeiteraufstand im Ruhrgebiet, der sich aus dem Massenstreik gegen Kapp und Lüttwitz entwickelt hatte, ohne blutige Konfrontation mit den Streikenden eindämmen? Galt das den Putschisten von Schiffer gemachte Amnestieversprechen noch, und welche Maßnahmen mußten zum Schutz der Republik ergriffen werden?

Eine für alle Beteiligten befriedigende Lösung dieser vielfältigen und miteinander verknüpften Probleme gab es von vornherein nicht. Dazu war die politische und ideologische Spannweite der in den Entscheidungsprozeß einbezogenen Kräfte zu groß, selbst wenn man die von KPD und syndikalistischen Gruppen repräsentierten linksradikalen Republikgegner sowie die sich in DVP, DNVP, Reichswehr und antidemokratischen Bünden sammelnde Fronde der reaktionären Republikgegner ausklammert. Schon innerhalb der Weimarer Koalitionsparteien bestanden kaum zu überbrückende Frontlinien, die durch persönliche Animositäten und programmatische Gegensätze vertieft wurden. Auch im Gewerkschaftslager wurden die alten richtungspolitischen Risse schnell wieder sichtbar: In den Freien Gewerkschaften plädierten die Reformsozialisten für Mäßigung, während die Anhänger der USPD zum Sprung über die in der Weimarer Verfassung gezogenen Grenzen ansetzten; die Christlichen Gewerkschaften wandten sich scharf gegen die Renaissance von Revolutionshoffnungen und gaben schon am 18. März die Parole aus: »Der radikale Terror muß überwunden werden«[45]; die Hirsch-Dunckerschen Gewerkvereine wider-

---

[44] Vgl. Winkler, Revolution, S. 312f.
[45] Zitiert nach Michael Schneider, Die Christlichen Gewerkschaften 1894–1933. Bonn 1982, S. 517.

setzten sich einer Ablösung der amtierenden Regierung, in der die ihnen nahestehende DDP das Zünglein an der Waage bildete.

Natürlich war der von den Führungsgremien der Freien Gewerkschaften am Morgen des 20. März deklarierte Abbruch des Generalstreiks nicht mit einem Knopfdruck zu bewerkstelligen. Die erregten Arbeitermassen kamen an vielen Orten nicht sofort zur Ruhe und verlangten die Erfüllung der Versprechungen. Mit kleinen Abschlagszahlungen wollten sie sich nicht zufriedengeben, zumal abrückende Putschtruppen in Berlin und anderswo blutige Zusammenstöße provozierten und damit die Zahl der Opfer noch vergrößerten. Im rheinisch-westfälischen Industriegebiet gingen die bewaffneten Arbeiter zum Angriff über. Besonders schwere Kämpfe tobten im »Wilden Westen« des Reviers, wo es der Roten Armee gelang, die Freikorps zu vertreiben. Die breite Front der Arbeiterwehren und Aktionsausschüsse, die zunächst Syndikalisten, Kommunisten, Unabhängige und Sozialdemokraten einschlossen, löste sich aber auf, als mit dem Bielefelder Abkommen vom 24. März ein Modell der Konfliktregelung gefunden schien, das die politischen und sozialen Forderungen der Streikenden zu erfüllen versprach. Der auch von den Gewerkschaften begrüßte Waffenstillstand scheiterte jedoch an der Kompromißunfähigkeit der Linksradikalen und am provozierenden Verhalten des regionalen Reichswehrbefehlshabers Watter. Er nutzte dann Anfang April mit Rückendeckung der Reichsregierung entschlossen die Gelegenheit, um den unter seinem Kommando stehenden Truppen und den im März von den Arbeitern gedemütigten Freikorps freie Hand für einen grausamen Rachefeldzug zu geben[46].

Die Radikalisierung des Massenstreiks im Ruhrgebiet brachte die Gewerkschaftsführer in ein kaum zu lösendes Dilemma. Sie hatten mit ihrem Aufruf zum Generalstreik die von der Reaktion bedrohte Republik retten und deren sozialen Ausbau vorantreiben wollen. Aber sie dachten in keinem Augenblick daran, als Speerspitze für ein Sowjetdeutschland zu fungieren, das die Kommunisten auf ihre Fahnen geschrieben hatten. Die Allianz der Kapp-Gegner reichte aus, um den Siegeszug der Demokratiefeinde von rechts aufzuhalten, nicht jedoch, um gemeinsam die Verantwortung für die Festigung der Republik zu

---

[46] Vgl. zum Verlauf des Ruhrkriegs die Untersuchungen von Lucas und Eliasberg.

übernehmen. Dieses Ziel verfehlte man, weil die programmatischen Vorstellungen der einzelnen Parteien zu heterogen waren.

Das wurde vor allem deutlich, als es darum ging, die Regierungsfrage zu lösen. Bereits am letzten Putschtag hatte Legien der USPD-Führung die Bildung einer »Arbeiterregierung« vorgeschlagen, wobei er von Anfang an in der Schwebe ließ, ob er sich darunter eine Minderheitsregierung aus SPD und USPD oder eine um den Arbeitnehmerflügel von Zentrum und DDP erweiterte sozialistisch-bürgerliche Koalition vorstellte. Sein Vorstoß scheiterte aber sofort am Widerstand der USPD-Führung, die ihm bedeutete, mit sozialdemokratischen »Arbeitermördern« und gewerkschaftlichen »Verrätern« kein Bündnis eingehen zu wollen. Fünf Tage später, am 22. März, stand das Thema Regierungsneubildung wieder zur Diskussion. Jetzt führte der aus Stuttgart nach Berlin zurückgekehrte Reichskanzler die Gespräche. Bei ihm stieß eine Koalition mit der USPD ebensowenig auf Gegenliebe wie bei den bürgerlichen Mittelparteien und der Führung der SPD. Zwar signalisierte die USPD nun ihre Bereitschaft zum Regierungseintritt, aber der umworbene sozialdemokratische Partner sah für sich eine sicherere Zukunft in der noch bestehenden Weimarer Koalitionsehe mit Zentrum und DDP. Die Freien Gewerkschaften, die noch zwei Tage vorher auf ihre Mitwirkung bei der Kabinettsbildung gepocht hatten, unterwarfen sich den parlamentarischen Spielregeln und verzichteten auf ein politisches Mandat.

Dieser Rückzug Legiens, der als möglicher neuer Kanzler in diesen Tagen häufiger im Gespräch war, macht deutlich, daß der wortgewaltige Gewerkschaftsführer über keine realisierbare politische Alternative zum Neuaufguß des alten Kabinetts verfügte. Für eine sozialstaatliche Festigung oder gar eine sozialistische Umgestaltung der Weimarer Republik fehlten die parlamentarische Mehrheit und gleichgesinnte Bündnispartner. Eine zwischen Radikalismus und Realismus pendelnde USPD und eine Mehrheitssozialdemokratie, die auf eine Fortsetzung der Weimarer Koalition hinarbeitete, konnten nicht zusammenfinden. Gegen eine Erweiterung des bestehenden Kabinetts nach links wehrten sich Zentrum und DDP, die sich nicht in die Rolle des Mehrheitsbeschaffers für den demokratischen Sozialismus drängen lassen wollten. Eine Kanzlerschaft aus revolutionärem Recht war für Legien aber auch undenkbar. Er lehnte die Diktatur des Proletariats entschieden ab, weil diese über seinen Reformhorizont hinausging und die eben unter seiner Regie verteidigte Republik dem Untergang preisgegeben hätte. Letztlich war auch für Legien die Fortsetzung der bisherigen Koalition – allerdings mit personellen und sachlichen Konsequenzen aus den Märzereignissen – der einzig gangbare Weg. Ob er das Stichwort »Arbeiterregierung« nur deshalb ins Spiel brachte, um dem über die republikanische Ordnung hinausdrängenden Radikalismus den Wind aus den Segeln zu nehmen und um gleichzeitig die reformlahme Regierungskoalition unter Druck zu setzen, ist in diesem Zusammenhang nicht von ausschlaggebender Bedeutung[47].

Die am 27. März 1920 zustande gekommene Neuauflage der Weimarer Koalition brachte jedenfalls alles andere als einen »Ruck nach links«. Der sozialdemokratische Kanzler Bauer wurde durch seinen Parteifreund Hermann Müller abgelöst, der so farblos wie sein Vorgänger war. An der Spitze des Reichswehrministeriums stand zwar nun nicht mehr Noske; aber sein Nachfolger, der bisherige Wiederaufbauminister Geßler, war zum demokratischen Kontrolleur der bewaffneten Macht auch nicht besser qualifiziert: Die Republik war ihm – wie er Ebert anvertraute – »keine Herzenssache«. »Ich bin«, so bekannte er, »höchstens Vernunftrepublikaner.«[48] Die Preisgabe des ungeliebten Reichswehrministeriums durch die SPD stellte die folgenschwerste Personalentscheidung dieses Kabinettsumbaus dar. Alles andere war mehr kosmetischer Natur. Hinter den neuen Namen stand das alte Programm. Das waren aber nicht die gewerkschaftlichen Märzforderungen, die dann während des Ruhrkriegs im April mehr und mehr in Vergessenheit gerieten.

Eine Bestrafung der Putschisten für den von ihnen begangenen Hochverrat blieb ebenfalls aus. Lüttwitz konnte trotz eines gegen ihn erlassenen Haftbefehls die Jahre bis zu seiner Amnestierung teils in Deutschland, teils im Ausland verbringen; die Flucht Kapps nach Schweden – zum Flughafen Tempelhof fuhr er in offener Droschke – organisierten Offiziere der Berliner Sicherheitspolizei; Oberst Bauer zog sich in das republikferne Bayern zurück; Ehrhardt erhielt von Seeckt Schutz vor Verhaftung zugesichert, und Ludendorff blieb, auch auf Fürsprache des neuen Chefs der Reichswehr hin, straffrei. Von den übrigen

[47] Zur Regierungsumbildung siehe Potthoff, Gewerkschaften, S. 275 ff.; Miller, Bürde, S. 386 ff.
[48] Zitiert nach Winkler, Revolution, S. 321.

37

Hauptbeteiligten wurde nur Jagow zu fünf Jahren Festungshaft verurteilt. Während der Haft, aus der er nach drei Jahren entlassen wurde, erhielt er häufiger Urlaub, um seine pommerschen Freunde zu besuchen. Alle anderen Mitangeklagten verließen mit Freisprüchen das Gericht. In Preußen wurden drei Oberpräsidenten, drei Regierungspräsidenten und 88 Landräte ihrer Ämter enthoben oder versetzt. Daß rund ein Fünftel der Landräte ihren Hut nehmen oder wenigstens den Dienstsessel wechseln mußte, wirft ein bezeichnendes Licht auf die Stärke der Reaktion in diesem ehemaligen Kernland der Hohenzollernmonarchie, aber auch auf die nachrevolutionäre Personalpolitik des sozialdemokratischen Innenministers Heine. Er mußte nach dem Putsch zusammen mit seinen sozialdemokratischen Kabinettskollegen Hirsch und Südekum den Platz in der preußischen Regierung für die drei Sozialdemokraten Braun, Severing und Lüdemann räumen. Mit der Säuberung der Reichswehr befaßte sich ein Untersuchungsausschuß des Reichstags. Als er im September 1920 seine Arbeit einstellte, waren insgesamt 172 Offiziere verabschiedet worden, unter ihnen zwölf Generäle. Nach Seeckts Auffassung untergrub dieser Ausschuß die Disziplin der Truppe und griff in die Autonomie der Heeresleitung ein. Es gelang dem im März ernannten Reichswehrchef, Ebert zu dieser Ansicht zu bekehren, so daß dem Ausschuß das Recht entzogen wurde, Offiziere zu entlassen[49].

Mittlerweile waren auch die Gewerkschaften zur Tagesordnung zurückgekehrt und hatten sich wieder auf ihre ökonomischen und sozialen Aufgabenfelder konzentriert. Der Sieg über den Kapp-Lüttwitz-Putsch war für sie zu einem Pyrrhussieg geworden. Die Entfesselung eines politischen Massenstreiks wollte die große Mehrheit der Gewerkschaftsführer nach den Erfahrungen im März 1920 nicht mehr wagen, auch nicht 1932/33, als das Schicksal der deutschen Republik erneut auf dem Spiel stand.

---

[49] Zum juristischen Nachspiel s. Erger, Freikorps und Republik, S. 294 f.; Winkler, Revolution, S. 320 ff.; Carsten, Reichswehr und Politik, S. 104 ff.

II. Klassenkampf versus Klassenkompromiß

1. Die steckengebliebene Revolution 1918/19: Zeit der enttäuschten Hoffnungen

Der Geburtsort der Weimarer Republik war Kiel. Die hier An- fang November 1918 ausbrechenden Matrosenunruhen gaben den revolutionären Startschuß zum Sturz des kaiserlichen Ob- rigkeitsstaates, für dessen parlamentarische Reform nach der militärischen Bankrotterklärung der Obersten Heeresleitung die Mehrheitsparteien des Reichstags in den ersten Oktoberta- gen die Verantwortung übernommen hatten. Ihr Versuch, den wilhelminischen Konstitutionalismus in eine Parlamentsmonar- chie nach britischem Muster umzuformen, blieb letztlich ohne Erfolg. Der neue Kanzler, der badische Thronfolger Max von Baden, verkörperte weder für die sich im Herbst 1918 immer mehr radikalisierende Friedensbewegung in Deutschland noch für den amerikanischen Präsidenten Wilson einen überzeugen- den Neuanfang. Wilsons Weigerung, mit den Repräsentanten der monarchischen Autokratie einen Waffenstillstand abzu- schließen, und der Wunsch der kriegsmüden Bevölkerung nach einer Beendigung des Krieges um jeden Preis ließen sich mit der behutsamen Reformstrategie der Reichstagsmehrheit schwer in Einklang bringen. Die Ende Oktober 1918 vom Parlament ver- abschiedeten Verfassungsgesetze traten zu einem Zeitpunkt in Kraft, als die sofortige Abdankung des Kaisers und nicht die Umwandlung des Regierungssystems in eine parlamentarische Monarchie im Zentrum des öffentlichen Interesses stand.

Das Experiment der Oktoberreform scheiterte aber vor allem am Widerstand von Krone und Militärführung, die nicht bereit waren, sich der neuen zivilen Reichsleitung unterzuordnen. Die fluchtartige Abreise des Kaisers in das Große Hauptquartier nach Spa, mit der sich Wilhelm II. der Mitverantwortung für die Kriegsniederlage entziehen wollte, und der politisch unsin- nige Befehl der Seekriegsleitung, die Hochseeflotte gegen Eng- land auslaufen zu lassen, waren gezielte Provokationen der par- lamentarischen Mehrheit durch die alte preußisch-deutsche Mi- litärmonarchie. Der Kaiser und die Admiralität zerrissen damit »das soeben mühsam geknüpfte Band mit der Volksregierung«[1]

[1] Wolfgang Sauer, Das Scheitern der parlamentarischen Monarchie. In: Eber-

und setzten auf die Karte des Staatsstreichs. Auch wenn man
darüber spekulieren kann, wieviel Kalkül und wieviel Kopflo-
sigkeit sich hinter der Flucht des Kaisers aus Berlin und dem
von der Marineleitung angeordneten Flottenvorstoß in die
Nordsee verbargen, eines ist unumstritten: Beide Aktionen
blockierten die Oktoberreformen und erschütterten die Glaubwürdigkeit ihrer Verfechter. Deshalb konnte sich auch aus der
lokalen Rebellion der Matrosen in Kiel innerhalb weniger Tage
eine reichsweite Revolution entwickeln, die den monarchischen
Überbau im Reich und in den Einzelstaaten hinwegriß und dem
Willen »zu einer umfassenden Neugestaltung der politischen
und sozialen Ordnung zum Durchbruch« verhalf[2].

Von der Dynamik und Spontaneität der revolutionären Massenbewegung wurden nicht nur die Fürsten und Führungskräf-
te des überkommenen Systems überrascht, sondern auch die
Spitzengremien der MSPD, der USPD und der Freien Gewerkschaften. Selbst die Wortführer des Arbeiterradikalismus in den
Reihen des Spartakusbundes und der Revolutionären Obleute
in Berlin, die seit den Januarstreiks von 1918 eine Operations-
basis für kollektive Aktionen aufgebaut hatten, konnten mit
dem Tempo der Entwicklung nicht Schritt halten. Ihr auf den
11. November 1918 terminierter Aufstandsplan wurde von den
Ereignissen überholt. Die Revolution begann, ohne die Anweisungen aus den Agitationszentralen der radikalen Linken abzuwarten, und sie siegte, bevor sich die Mehrheitssozialdemokratie als Konkursverwalter des Kaiserreichs im Rahmen einer parlamentarischen Monarchie bewähren konnte. In den ersten Novembertagen bewahrheitete sich somit die Prophezeiung von
Karl Kautsky, daß die Sozialdemokratie keine »Revolutionen
machende Partei« sei. Inwieweit sie eine »revolutionäre Partei«
war, wie ihr Cheftheoretiker ein Vierteljahrhundert vorher
ebenfalls postuliert hatte[3], mußte sich nach dem Staatsumsturz
erst noch zeigen.

Die Phase der entscheidenden Weichenstellungen drängte
sich auf etwas mehr als zwei Monate zusammen, auf die Zeitspanne zwischen der Abdankung des Kaisers am 9. November

hard Kolb (Hrsg.), Vom Kaiserreich zur Weimarer Republik. Köln 1972, S. 77
bis 99, Zitat S. 84.

[2] Eberhard Kolb, Die Weimarer Republik. 2. durchges. u. erg. Aufl. München
1988, S. 6.

[3] Vgl. Karl Kautsky, Ein sozialdemokratischer Katechismus. In: Die Neue
Zeit, Jg. 12, Bd. 1 (1893/94), S. 361–369, Zitat S. 368.

1918 und der Wahl zur Verfassunggebenden Nationalversammlung am 19. Januar 1919. In diesen zehn Wochen lag die politische Macht in den Händen der sozialdemokratischen Arbeiterbewegung, die sich allerdings während des Krieges in drei unterschiedlich große und strukturell heterogene Lager aufgespalten hatte: die Mehrheitssozialdemokratische Partei Deutschlands (MSPD), die Unabhängige Sozialdemokratische Partei Deutschlands (USPD) und den Spartakusbund, der bis Ende Dezember 1918 formell noch in der USPD organisiert blieb.

Der im April 1917 mit der Gründung der USPD zum Abschluß gekommene Teilungsprozeß der Vorkriegssozialdemokratie ist als eine zwangsläufige politische Konsequenz aus ihren Richtungskämpfen seit dem Beginn des 20. Jahrhunderts gedeutet worden. Aber diese Interpretation vernachlässigt die Tatsache, daß die Bruchlinien im personellen und organisatorischen Gefüge der SPD sich nicht mit den alten ideologischen Fronten in der Partei deckten. Fragen der Theorie spielten bei der Spaltung von 1917 keine Rolle. So traten mit Karl Kautsky und Eduard Bernstein zwei Intellektuelle der USPD bei, die seit dem Revisionismusstreit der Jahrhundertwende als die Vordenker von kaum miteinander vereinbaren Programmkonzeptionen gegolten hatten. Was sie mit Hugo Haase und Georg Ledebour, Rosa Luxemburg und Karl Liebknecht im Krieg in einer von der SPD sich absplitternden Partei zusammenführte, war ihre humanitär-pazifistisch motivierte Opposition gegen den Burgfriedenskurs der sozialdemokratischen Reichstagsfraktion und ihre prinzipielle Forderung nach einer sofortigen Beendigung des Krieges durch einen Verständigungsfrieden.

Die organisatorisch nur locker verknüpfte USPD blieb bis zum Herbst 1918 ein Sammelbecken von ideologisch verschiedenen Strömungen. Ihre Mitglieder und Anhänger konzentrierten sich auf einige Großstädte (Berlin, Braunschweig, Bremen, Düsseldorf, Essen, Halle, Leipzig, Königsberg) und auf verschiedene Reichstagswahlkreise in Mitteldeutschland, im südlichen Hessen und am Niederrhein. Warum sich gerade in diesen Städten und Regionen eine starke Parteiopposition gegen die Kriegspolitik der SPD herausbildete, läßt sich allein aus der sozio-ökonomischen Perspektive nicht schlüssig erklären. Denn auf industriell ähnlich strukturierte Gebiete in Nord-, West- und Süddeutschland hatte die Parteispaltung keine vergleichbaren Auswirkungen. Die Arbeiterbevölkerung kehrte sich hier nicht von der Sozialdemokratie ab, sondern hielt ihrer alten Mutterpartei weiterhin die Treue, obwohl die Belastungen und Entbehrungen der Kriegszeit nicht kleiner waren als anderswo. Die Rechts-Links-Schablone erweist sich ebenso als untauglich, um die Differenzen zwischen MSPD und USPD zu bestimmen. In beiden Parteien fanden sich Befürworter der parlamentarischen Demokratie und überzeugte Marxisten, in beiden Parteien gab es Kräfte, die im November 1918 entschlossen waren, mit revolutionären Mitteln gegen die Monarchie vorzugehen, und in beiden Parteien setzte man auf die praktische Zusammenarbeit der gesamten Arbeiterbewegung nach dem Staatsumsturz große Hoffnungen.

Lediglich auf der äußersten Linken, in den Reihen des Spartakusbundes und der ihm nahestehenden Gruppe der Revolutionären Obleute, kristallisierte sich nach dem Untergang des Kaiserreichs ein radikalsozialistisches Konzept heraus, dessen Verfechter die Wiederherstellung der sozialdemokratischen Einheit vehement bekämpften und zugleich auch alle Brücken zur Staats- und Gesellschaftsordnung der Vergangenheit abbrechen wollten. Für die Parole »Weitertreiben der Revolution« und für das Prinzip »Alle Macht den Räten« ließen sich jedoch im November und Dezember 1918 keine Arbeitermassen gewinnen. In den Arbeiter- und Soldatenräten, die zunächst auf lokaler und dann auf regionaler Ebene als Revolutionsorgane entstanden, dominierten Funktionäre und Mitglieder der alten Sozialdemokratie, deren Sympathien einer parlamentarischen Republik und nicht einem Rätedeutschland nach bolschewistischem Vorbild galten. Ihre spontane Selbstbezeichnung als Räte signalisierte also keineswegs eine »ideologische Wahlverwandtschaft«[4] mit den sowjetrussischen Revolutionskadern, die unter der Führung Lenins im Oktober 1917 die Macht in Rußland übernommen hatten.

Aber der kompromißlose Radikalismus, mit dem die Führer des Spartakusbundes, vor allem Karl Liebknecht und Rosa Luxemburg, für die Räteherrschaft und gegen die Wahl eines Parlaments, für die sofortige Umwälzung der Wirtschaft in ein sozialistisches System und gegen eine schrittweise reformerische Umgestaltung von Staat und Gesellschaft agitierten, war psychologisch nicht folgenlos. Mit ihrer wortgewaltigen Propaganda, die ihren tatsächlichen Einfluß in den Rätegremien um

---

[4] Ulrich Kluge, Die deutsche Revolution 1918/19. Staat, Politik und Gesellschaft zwischen Weltkrieg und Kapp-Putsch. Frankfurt 1985, S. 58.

ein Vielfaches übertraf, verschreckten die Spartakusführer das Bürgertum, auch diejenigen Kreise, die am Aufbau einer Republik loyal mitarbeiten wollten, und sie stärkten ungewollt die Position derjenigen Mehrheitssozialdemokraten, in deren Augen schon der 9. November 1918 einen zu großen Kontinuitätsbruch gebracht hatte.

Die Aufsplitterung der Arbeiterbewegung in mehrere Flügel mit unterschiedlichen Strategien und Zielen belastete von Anfang an die Partnerschaft von USPD und MSPD in den Revolutionsregierungen im Reich und in den Einzelstaaten. Beide Parteien hatten sich zwar überraschend schnell auf eine sozialistische Regierungskoalition und ein paritätisch besetztes politisches Reichskabinett, den Rat der Volksbeauftragten, geeinigt, doch in diesem sechsköpfigen Kollegialorgan gingen die Meinungen über das Vorgehen bei der angestrebten gesellschaftlichen Umgestaltung weit auseinander. Ebert, der zusammen mit Scheidemann und Landsberg die MSPD im Kabinett repräsentierte, stand für eine Politik der Legalität und Kontinuität, die möglichst ohne tiefgreifende Erschütterungen und möglichst schnell den Weg zur parlamentarischen Demokratie einschlagen wollte. Nach der Auffassung von Haase, Dittmann und Barth, den drei Vertretern der USPD im Rat der Volksbeauftragten, zog sich Ebert auf einen formalistischen Legalitätsbegriff zurück und versperrte sich der Einsicht, daß die neue Regierung auch auf einem revolutionären Rechtsfundament stand, das ihr einen größeren Handlungsspielraum eröffnete, als ihn die Mehrheitssozialdemokratie ihr einräumen wollte.

Diesen grundsätzlichen Dissens der beiden Regierungsparteien überdeckten die am 10. November 1918 von der Mehrheitssozialdemokratie akzeptierten Koalitionsbedingungen der USPD, in denen es hieß: »Die politische Gewalt liegt in den Händen der Arbeiter- und Soldatenräte, die zu einer Vollversammlung aus dem ganzen Reiche alsbald zusammenzuberufen sind. Die Frage der Konstituierenden Versammlung wird erst nach einer Konsolidierung der durch die Revolution geschaffenen Zustände aktuell und soll deshalb späteren Erörterungen vorbehalten bleiben.«[5] Die situationsbedingte Zustimmung der MSPD zu diesen Forderungen bedeutete aber nicht, daß die Partei ihr republikanisches Verfassungsziel aufgab. Unter dem

[5] Abgedruckt in: Die Regierung der Volksbeauftragten 1918/19. Erster Teil. Eingel. von Erich Matthias. Bearb. von Susanne Miller unter Mitwirkung von Heinrich Potthoff. Düsseldorf 1969, S. 30 f.

Druck der revolutionären Massenbewegung hatte sich die Führung der Mehrheitssozialdemokratie der Lage angepaßt, um weder die Kontrolle über die weitere politische Entwicklung noch den Kontakt mit der eigenen Anhängerschaft zu verlieren. Sie trat am 9. und 10. November 1918 die Flucht nach vorne an und stellte sich nach einem taktisch virtuos durchgeführten Wendemanöver an die Spitze der revolutionären Bewegung; gleichzeitig vertraute sie aber weiterhin auf die Durchsetzungsfähigkeit ihres parlamentarischen Konzepts und hoffte darauf, den Koalitionspartner entweder für eine Strategie der repräsentativen Austrocknung der Räteherrschaft gewinnen zu können oder ihn nach dem Abklingen der Revolutionswirren überspielen zu können.

Namentlich Ebert, dem im Revolutionskabinett schon bald die Rolle eines Primus inter pares zufiel, war bestrebt, die Koalitionszugeständnisse an die Unabhängigen durch ein Arrangement mit den Funktionseliten des Kaiserreichs auszubalancieren. Seine Kontaktaufnahme mit der Obersten Heeresleitung in Spa und die Integration der Staatssekretäre und Spitzenbeamten der alten Regierung als Fachminister und »technische Gehilfen« in den neuen Regierungsapparat zielten auf die Konservierung administrativer Kompetenzen, aber auch auf die Herstellung eines Machtgleichgewichts zwischen den revolutionären Kräften und dem in Militär und Bürokratie gebündelten Ordnungspotential. Etatistisches Denken, Vertrauen auf die staatsloyale Sachlichkeit der Beamten und Offiziere sowie Mißtrauen gegen die Demokratisierungsexperimente der Rätebewegung waren die Wurzeln dieses Handelns, das sich als folgenschwer erweisen sollte.

Man muß das Votum der mehrheitssozialdemokratischen Führung für Kontinuität und Ordnung und für eine Eindämmung der rätedemokratischen Spontaneität aber auch vor dem Hintergrund des akuten Problemdrucks bewerten, der in der Übergangsperiode zwischen Krieg und Frieden auf der Revolutionsregierung in Berlin lastete: Das Westheer war gemäß den Waffenstillstandsbedingungen innerhalb von drei Wochen über die Reichsgrenzen zurückzuführen; acht Millionen Soldaten warteten auf ihre Demobilisierung und ihre Wiedereingliederung in das Arbeitsleben; die Lebensmittelversorgung der Bevölkerung mußte unbedingt verbessert werden, weil ihr nach den beiden Hungerwintern 1916/17 und 1917/18 eine dritte Entbehrungsperiode physisch und psychisch kaum mehr zuzumuten war, und die seit 1914 immer weiter ausgewucherte Rüstungsindustrie mußte auf Friedensproduktion umgestellt werden.

Diese vielfältigen und komplizierten Tagesaufgaben waren ohne das Expertenwissen und ohne die technisch-organisatorische Einbindung der Fachleute aus Militär, Verwaltung und Wirtschaft in die Verantwortung nicht zu lösen. Allerdings bleibt auch im Rückblick die Frage strittig, ob die sozialdemokratische Führung gut beraten war, als sie auf ihrer Prioritätenliste der Funktionsfähigkeit der administrativen und ökonomischen Infrastruktur den absoluten Vorrang vor strukturellen Reformen gab und ihr Hauptaugenmerk auf die Überwindung der materiellen Krisensituation konzentrierte. Mit der Vertagung von Demokratisierungsmaßnahmen in Wirtschaft und Gesellschaft schmälerte die SPD-Spitze von vornherein die Chancen für eine soziale Neuordnung und strapazierte die Parteiloyalität ihrer Anhängerschichten, ohne deren aktives Engagement die Republik jedoch nicht gefestigt werden konnte. Langfristig mußte diese Politik der Halbherzigkeit und der Unentschlossenheit den gegenrevolutionären Kräften, deren Machtpositionen im November 1918 erschüttert, aber nicht vernichtet worden waren, wieder Auftrieb geben. Das bedeutete aber auch, daß die SPD in Gefahr geriet, ihr Hauptziel – die dauerhafte Parlamentarisierung des deutschen Obrigkeitsstaates – zu verfehlen.

Die Geschichte der Revolution ist als »eine Geschichte ihrer fortschreitenden Zurücknahme«[6] charakterisiert worden. Dieses Urteil trifft zu, wenn man den politischen, ökonomischen und sozialen Zielkatalog der Rätebewegung mit den Ergebnissen vergleicht. Nimmt man das reformerische Konzept der Revolutionsregierung als Maßstab, so muß man allerdings anerkennen, daß ihre in den ersten Umsturzmonaten mit Gesetzeskraft erlassenen Verordnungen vor allem auf dem Gebiet der Sozialpolitik Meilensteine setzten. Der Rat der Volksbeauftragten schlug hier sofort einen evolutionären Weg ein, dessen Richtung sowohl von tagespolitischen Bedürfnissen wie auch von dem Bestreben bestimmt wurde, die Arbeitsmarktbeziehungen grundlegend umzugestalten. Schon die ersten Kundgebungen der Revolutionsregierung definierten wichtige Struk-

[6] Reinhard Rürup, Probleme der Revolution in Deutschland 1918/19. Wiesbaden 1968, S. 50.

turmerkmale eines sozialstaatlichen Programms, das in seinen Kerngedanken an alte Forderungen der sozialdemokratischen Arbeiterbewegung anknüpfte und die Grundlinien der weiteren Entwicklung vorzeichnete.

Ein Aufruf vom 12. November 1918 kündigte die Einführung des Achtstundentages ab Anfang 1919 an, beseitigte die Einschränkungen der Koalitionsfreiheit für Beamte und Staatsarbeiter, verfügte die Aufhebung der Gesindeordnungen. Damit waren die im Kaiserreich gegen die gewerkschaftliche und soziale Emanzipation von bestimmten Berufs- und Bevölkerungsgruppen errichteten Barrieren eingerissen. Einen Tag später, am 13. November, folgte eine Verordnung zur Erwerbslosenfürsorge, die in der Folgezeit durch eine Reihe weiterer Erlasse ergänzt wurde. Zugeschnitten war dieses Reformwerk zunächst auf die Beseitigung der Massenarbeitslosigkeit bei Kriegsende und auf die existentielle Sicherung der heimkehrenden Soldaten. Aber es hatte eine zukunftweisende Bedeutung, weil es das Prinzip der Arbeitslosenunterstützung aus öffentlichen Mitteln festschrieb und damit der 1927 eingeführten staatlichen Arbeitslosenversicherung den Weg bereitete. In die gleiche Richtung wies eine Anfang Dezember 1918 vom Demobilmachungsamt erlassene Anordnung über Arbeitsnachweise, die den Staat verpflichtete, die Vermittlung von Arbeitslosen zu organisieren und somit die Verantwortung für die Ordnung des Arbeitsmarktes zu übernehmen.

Weitreichende Konsequenzen hatten die Überleitungsmaßnahmen der Revolutionsregierung, die das Verhältnis von Arbeit und Kapital betrafen. Im Dezember 1918 und Januar 1919 definierte die Regierung auf dem Verordnungsweg arbeitsrechtliche Normen, über die man in Deutschland zwar schon in der Vorkriegs- und Kriegszeit diskutiert hatte, deren gesetzliche Verankerung aber immer wieder am Widerstand der Unternehmer gescheitert war. Die Aufhebung des Hilfsdienstgesetzes als kriegsbedingte Regelung des Schlichtungswesens und der Arbeiterausschüsse gab den Anstoß für eine umfassende Neuordnung der Arbeitsbeziehungen. Eine im Dezember erlassene Verordnung schrieb die Unabdingbarkeit und Allgemeinverbindlichkeit von Tarifverträgen fest, schuf paritätisch besetzte Schlichtungsausschüsse der Arbeitsmarktparteien mit einem unparteiischen Vorsitzenden, dem dann im Januar 1919 durch zwei Demobilmachungsverordnungen das Recht des Schiedsspruchs eingeräumt wurde. Der zweite Teil der sozialpolitisch grundlegenden Dezemberverordnung legte das Fundament für eine Betriebsverfassung, weil er die obligatorische Bildung von Arbeiterausschüssen für Betriebe mit mindestens zwanzig Beschäftigten vorschrieb[7].

Damit waren zentrale Forderungen der Gewerkschaften erfüllt, die diese sich schon im November 1918 bei direkten Verhandlungen mit den Arbeitgebern hatten garantieren lassen. Die Führer aller drei Richtungsgewerkschaften waren vom Massenaufstand gegen die Monarchie überrascht worden. Sie spielten weder beim Staatsumsturz noch im Prozeß der Regierungsbildung zwischen MSPD und USPD eine Rolle auf der politischen Bühne. Diese ungewöhnliche Abstinenz bei der Republikgründung spiegelte die reservierte Haltung der gewerkschaftlichen Führungsgremien gegenüber den Novemberereignissen wider, aber auch ihren unübersehbaren Autoritätsverlust bei den aus der Apathie herausgerissenen Arbeitern. Dennoch korrigierten die Spitzenfunktionäre der Gewerkschaften ihren Kurs nicht, der seit dem Sommer 1917 auf eine unmittelbare Verständigung mit dem Unternehmerlager zugelaufen war. Beide Seiten suchten bei ihrer zunächst tastenden Kontaktaufnahme nach Mitteln und Wegen, wie das Zwangskorsett der staatsdirigistischen Kriegswirtschaft gelockert werden konnte.

Die gemeinsame Basis, auf der sich im Spätherbst 1918 Gewerkschaftsführer und Arbeitgeber fanden, war ein antirevolutionärer Konsens. Angesichts des dramatischen Legitimitätsverlusts der letzten kaiserlichen Regierung waren zu diesem Zeitpunkt auch die Schwerindustriellen an Rhein und Ruhr, die bisher jedes Zusammengehen mit den Gewerkschaften weit von sich gewiesen hatten, an einer Allianz von Arbeit und Kapital interessiert. Aus ihrer Sicht sollte diese Allianz »die deutsche Wirtschaft vor der staatlichen Bürokratie, dem Reichstag und besonders auch vor der Revolution schützen«[8]. Die Ereignisse der ersten Novembertage machten ein Arrangement mit den Gewerkschaften unumgänglich. Vor die Alternative gestellt, der gewerkschaftlichen Arbeiterbewegung eine Reihe von Zugeständnissen einräumen zu müssen, um die eigenen politischen

---

[7] Die wichtigsten sozialpolitischen Erlasse sind abgedruckt bei: Gerhard A. Ritter, Susanne Miller (Hrsg.), Die deutsche Revolution 1918/19. Dokumente. Frankfurt 1983, S. 231 ff. Vgl. auch Ludwig Preller, Sozialpolitik in der Weimarer Republik. Düsseldorf 1978 (Nachdruck), S. 226 ff.

[8] Gerald D. Feldman/Irmgard Steinisch, Industrie und Gewerkschaften 1918–1924. Die überforderte Zentralarbeitsgemeinschaft. Stuttgart 1985, S. 22.

und wirtschaftlichen Interessen grundsätzlich wahren zu können, oder aber Gefahr zu laufen, daß die Industrie verstaatlicht würde, entschieden sich die Kapitalvertreter für das kleinere »Übel«, ein Abkommen mit den Gewerkschaften als »Revolutionsversicherung« einzugehen. Die Motive des unternehmerischen Sinneswandels blieben den Gewerkschaftsführern selbstverständlich nicht verborgen. Ihre eigenen Überlegungen, trotz des revolutionären Machtzuwachses für die Arbeiterbewegung das Kooperationsangebot der Kriegszeit nicht aufzukündigen, waren wirtschaftlicher und politischer Natur. Die Demobilmachung des Millionenheeres, die Umstellung der Kriegs- auf Friedensproduktion und die Bekämpfung von Hunger und Arbeitslosigkeit sah man als ökonomische und soziale Aufgaben an, die ohne die Mithilfe der Unternehmer nicht zu lösen waren, wenn man »russische Zustände« vermeiden wollte. Nachdem die Gewerkschaften während des Krieges mit der staatlichen Wirtschaftslenkung keine guten Erfahrungen gemacht hatten und ihre anfängliche Begeisterung für diese Art »Kriegssozialismus« schnell abgekühlt war, wollten sie nun durch das Bündnis mit den Arbeitgebern auch die Autonomie der Arbeitsbeziehungen verteidigen.

Hinzu kam das tiefverwurzelte Mißtrauen der Gewerkschaftsführer gegen spontane Aktionen der Arbeiterschaft. Sie steuerten auch deshalb auf eine vertragsmäßig geregelte Zusammenarbeit mit den Unternehmern zu, um die eigene Position wieder zu stabilisieren, um innergewerkschaftliche Oppositionsbewegungen einzudämmen und um antigewerkschaftliche Kräfte in der Umsturzbewegung abzublocken. Eine Vereinbarung mit der Arbeitgeberseite, die ihren Status als gleichberechtigte Partner auf dem Arbeitsmarkt absicherte, schien den Gewerkschaftsvorständen in der ungewissen Situation nach dem Staatsumsturz eine bessere Garantie für die Zukunft zu sein als das Bündnis mit den von der Revolution mobilisierten Massen. Deren direktdemokratische Organisationsmodelle fügten sich außerdem nicht in das traditionelle zentralistische Gefüge der Gewerkschaften ein und widersprachen dem von den Gewerkschaftsführern kultivierten Disziplinbegriff.

Das nach dem 9. November innerhalb von fünf Tagen unterschriftsreif ausgehandelte Abkommen zwischen Gewerkschaften und Arbeitgebern bezog sich auf wirtschaftliche und soziale Fragen, die beide Vertragspartner gemeinsam regeln wollten; es definierte die Möglichkeiten und Grenzen einer Zusammenarbeit mit dem Staat, und es enthielt organisatorische Richtlinien, die eine Kooperation von Kapital und Arbeit auf Dauer sicherstellen sollten. Aus gewerkschaftlicher Sicht erfüllte die vereinbarte »Zentralarbeitsgemeinschaft« wichtige Forderungen, für die man seit Jahrzehnten gekämpft hatte: die Anerkennung der Gewerkschaften als legitime Vertretung der Arbeiterschaft, der die volle Koalitionsfreiheit garantiert wurde; die Einführung kollektiver Arbeitsverträge sowie die Einrichtung paritätischer Arbeitsnachweise und Schlichtungsausschüsse; die Gründung von Arbeiterausschüssen in Betrieben mit mehr als fünfzig Beschäftigten und die Ausschaltung der wirtschaftsfriedlichen Werkvereine, deren weitere Finanzierung und Unterstützung die Arbeitgeber aufgeben wollten; ferner wurde den aus dem Heeresdienst heimkehrenden Arbeitern der Anspruch auf ihren alten Arbeitsplatz bestätigt.

Von größter sozialpolitischer Bedeutung war für die Gewerkschaften jedoch der Punkt des Abkommens, der die regelmäßige Arbeitszeit in allen Betrieben auf acht Stunden festsetzte und dekretierte: »Verdienstschmälerungen aus Anlaß dieser Verkürzung der Arbeitszeit dürfen nicht stattfinden.«[9] Der Achtstundentag hatte für die Gewerkschaften einen hohen Symbolwert und stellte in den Augen der Arbeiterschaft die wichtigste soziale Errungenschaft der Revolution dar. Allerdings handelte es sich in diesem Fall nur um ein unternehmerisches Zugeständnis auf Zeit, dessen Widerruf vorprogrammiert war, weil sich die Unterhändler der Gewerkschaften darauf eingelassen hatten, den Arbeitgebern zu konzedieren, daß der Achtstundentag nur dann in Deutschland Bestand haben könne, wenn diesem Beispiel international gefolgt würde. Damit stand den Unternehmern in der Arbeitszeitfrage ein Fluchtweg offen, den sie konsequent beschritten, sobald sich der revolutionäre Massendruck abzuschwächen begann.

Das am 15. November 1918 unterzeichnete Abkommen über die »Zentralarbeitsgemeinschaft der industriellen und gewerblichen Arbeitgeber und Arbeitnehmer Deutschlands« (ZAG) präjudizierte wesentliche Teile der Weimarer Sozialordnung. Die Demobilmachungsverordnungen der Revolutionsregierung griffen darauf zurück und erweiterten es in einzelnen Punkten. Beide Vertragspartner feierten das Abkommen als einen Erfolg.

[9] Das Abkommen ist abgedruckt bei Klaus Schönhoven (Hrsg.), Die Gewerkschaften in Weltkrieg und Revolution 1914–1919. Köln 1985, S. 534f.

Klang in den Stellungnahmen der Unternehmer Erleichterung an, daß die Gewerkschaften ihnen für einen erstaunlich niedrigen Preis die Fortexistenz des Privatkapitalismus garantiert hatten, so betonten die Gewerkschaftsführer den erzielten Durchbruch zur Sozialpartnerschaft. In diesen Jubel stimmten auch die erst in der Schlußphase der Verhandlungen beteiligten Vertreter der christlichen und liberalen Gewerkschaften ein, da sie in der Zentralarbeitsgemeinschaft eine Bestätigung ihres Vereinbarungskurses sahen.

Die Doppelfunktion des Abkommens – den sozialpolitischen Zugeständnissen der Arbeitgeber stand die gewerkschaftliche Respektierung der bestehenden Eigentumsordnung gegenüber – erklärt die Befriedigung der Vertragsparteien. Beide glaubten, für die Durchsetzung ihrer spezifischen Interessen eine optimale Ausgangslage geschaffen zu haben. Neigte man in den Gewerkschaften dazu, die materielle Substanz des Abkommens zu überschätzen, weil man in ihm einen entscheidenden Schritt zur Überwindung des Klassenkampfes sah, so verstanden die Unternehmer die Zentralarbeitsgemeinschaft als defensives Zweckbündnis, als eine von der Revolution diktierte Notgemeinschaft auf Zeit, die man nach der Zwangslage der Novembertage wieder aufkündigen wollte. In den Anfangsjahren der Republik wurde die auf den reformerischen Optimismus der Gewerkschaftsführer und den realpolitischen Pragmatismus der Unternehmer begründete Zentralarbeitsgemeinschaft zu einem Fehlschlag. Ihr Scheitern, das 1924 besiegelt wurde, trug dazu bei, daß der Reformismus bei vielen Arbeitern an Plausibilität verlor.

Die Allianz von Gewerkschaften und Großindustrie, deren Fundament die gemeinsame Ablehnung einer staatlichen Bevormundung und die gemeinsame Furcht vor einem Sieg des Bolschewismus bildete, war auch ein Bündnis gegen die Sozialisierung der Wirtschaft. Das ZAG-Abkommen lief faktisch auf die »pauschale Besitzgarantie für das Unternehmertum« hinaus[10]. Eine ökonomische Neuordnung stand nämlich auch aus gewerkschaftlicher Sicht nicht auf der Tagesordnung. Alle drei Richtungsgewerkschaften vertraten übereinstimmend die Auffassung, daß die Probleme der Demobilmachung und der Daseinsvorsorge ohne unternehmerischen Sachverstand nicht zu

[10] So Heinrich August Winkler, Die Sozialdemokratie und die Revolution von 1918/19. Ein Rückblick nach sechzig Jahren. Berlin, Bonn 1979, S. 43.

lösen seien. Das Zentralorgan der Freien Gewerkschaften komprimierte diesen Konsens drei Wochen nach dem Staatsumsturz in der knappen Feststellung, man könne keine Zeit »mit sozialistischen Experimenten verlieren, während die Bevölkerung nach Arbeit und Brot ruft«[11].

Diese Absage an eine der zentralen Forderungen der sozialdemokratischen Programmatik deckte sich mit dem Votum der regierenden Mehrheitssozialdemokraten: Sie standen Vergesellschaftungsplänen ebenfalls skeptisch gegenüber und wollten den wirtschaftlichen Wiederaufbau nicht durch überstürzte Enteignungsmaßnahmen gefährden. Die Einberufung einer Sozialisierungskommission, zu deren Mitgliedern neben Partei- und Gewerkschaftsvertretern auch bürgerliche Sozialpolitiker und Nationalökonomen zählten, hatte letztlich die Funktion, die auf schnelle Sozialisierungsschritte drängenden politischen Kräfte zu beruhigen und über die Frage der Nationalisierung von Produktionszweigen nicht die Straße, sondern »Fachleute« entscheiden zu lassen. Die fleißige Gutachtertätigkeit der Kommission im Winter 1918/19 brachte jedoch weder den Ruf nach Sozialisierung zum Verstummen, noch konnte sie die angestaute Aktionsbereitschaft der Arbeitermassen kanalisieren. Als kurz vor Weihnachten 1918 Hamborner Bergleute in den Streik traten und von den Volksbeauftragten eine Entscheidung über die sofortige Sozialisierung des Kohlebergbaus verlangten, lösten sie in der Industriearbeiterschaft eine Lawine von spontanen Protestbewegungen aus. Im Ruhrgebiet und in Mitteldeutschland polarisierte sich nun das sozialdemokratische Lager. Es entstand ein proletarischer Syndikalismus, der seiner Enttäuschung über die Verschleppung der Sozialisierung und über den zögerlichen Reformismus der Mehrheitssozialdemokratie in militanten Arbeitskämpfen Luft verschaffte.

Am Jahresende 1918 war das revolutionäre Regierungsbündnis zwischen MSPD und USPD bereits zerbrochen. Die im November geschlossene Notehe hatte den Belastungen der Ausnahmesituation nicht standgehalten, weil beide Partner sich über tagespolitische Fragen entzweiten und zugleich ihre programmatischen Differenzen über Grundprobleme der Demokratisierung und Parlamentarisierung immer stärker in den

---

[11] Correspondenzblatt der Generalkommission der Gewerkschaften Deutschlands, Nr. 48 vom 30. 11. 1918.

Vordergrund traten. Während die Führer der Mehrheitssozialdemokratie das politische Primat der erst noch zu wählenden
Nationalversammlung nicht antasten und keine präjudizieren-
den Entscheidungen treffen wollten, drängte vor allem der linke
Flügel der USPD auf eine rasche Verwirklichung seiner radikal-
sozialistischen Postulate. Seine offenkundige Sympathie für ein
Rätesystem nach russischem Vorbild teilten die gemäßigten
USPD-Führer allerdings nicht. Die strikte Weigerung der
mehrheitssozialdemokratischen Volksbeauftragten, schon in
der Zeit des Interregnums soziale Fundamente für die Republik
zu legen, und der wachsende Druck der enttäuschten eigenen
Basis engten aber den taktischen Bewegungsspielraum der Repräsentanten eines moderaten Kurses in der USPD immer mehr
ein. Sie gerieten schließlich zwischen die Mühlsteine der miteinander rivalisierenden Konzepte und zogen sich aus der Regierungsverantwortung zurück, um wenigstens das Auseinander-
brechen der USPD zu verhindern.

Die politische Resignation der unabhängigen Reformer erfolgte zu einem Zeitpunkt, als die Machtfrage noch ungeklärt
war. Mit ihrem Rückzug in Raten, der am 28. Dezember 1918
in der Demission der drei Volksbeauftragten der USPD gipfelte, trugen sie entscheidend zum Zerfall der demokratischen
Rätebewegung bei, in der sich in der ersten Revolutionsphase
hauptsächlich das regierungstreue Reformpotential gesammelt
hatte. Die im November 1918 überall im Reichsgebiet entstandenen Arbeiter- und Soldatenräte hatten sich nämlich in
ihrer überwältigenden Mehrheit innerhalb des politischen und
programmatischen Spektrums der alten Vorkriegssozialdemokratie bewegt und nicht als Vorkämpfer einer »Diktatur des
Proletariats« und einer Bolschewisierung Deutschlands verstanden. Ihre Neuordnungsvorstellungen zielten auf eine Parlamentarisierung des Regierungssystems und auf eine Demokratisierung der überkommenen Herrschaftsstrukturen in
Verwaltung, Heer und Wirtschaft ab. So beschloß der Reichsrätekongreß, der Mitte Dezember 1918 in Berlin tagte, die
Nationalversammlung zum frühestmöglichen Termin wählen
zu lassen. Dieser freiwilligen Abdankung als Revolutionsparlament stimmten zwei Drittel der Delegierten zu, die damit
auch ein eindeutiges Bekenntnis zur repräsentativen Demokratie formulierten. Zugleich erteilte der Rätekongreß allerdings
der Regierung auch den Auftrag, die kaiserliche Heeresverf-
fassung zu demokratisieren und mit der Sozialisierung der

Großindustrie, insbesondere des Bergbaus, unverzüglich zu beginnen[12].

Doch die Führungsgremien der Mehrheitssozialdemokratie und der Freien Gewerkschaften um Ebert und Legien griffen dieses Kooperationsangebot ihrer eigenen Anhängerschichten nicht auf, um es in eine populäre Reformpolitik umzusetzen. Sicherlich spielte dabei ihre Angst vor einer unkontrollierbaren Dynamik der revolutionären Massenbewegung eine entscheidende Rolle. Sie dachten in den traditionellen Kategorien der deutschen Arbeiterbewegung, in der die Organisationsdisziplin der Mitglieder und die Autorität der Leitungsinstanzen immer einen hohen Stellenwert besessen hatten. Hinzu kam die subjektive Überzeugung der Spitzenfunktionäre, die allerdings vom objektiven Befund nicht untermauert wird, daß die Räte nichts anderes seien als eine deutsche Version der russischen Bolschewiki. Da man aber Wirtschaftschaos, Hungersnot und Bürgerkrieg um jeden Preis vermeiden wollte, setzte man in den Vorständen von MSPD und Freien Gewerkschaften alles daran, die spontane Volksbewegung zu domestizieren, und distanzierte sich von den über den eigenen Parlamentarisierungshorizont hinausreichenden Forderungen der Räte.

Diese aus sozialdemokratischem Ordnungsdenken, konstitutioneller Prinzipientreue und antibolschewistischen Affekten gespeiste Haltung der MSPD- und Gewerkschaftsführung hatte gravierende politische Folgen. Sie schwächte nicht nur die massenmobilisierende Schwungkraft der Rätebewegung und blockierte ihren Reformeifer; sie erschütterte auch die Loyalität der Räte zur Revolutionsregierung und beraubte diese eines basisdemokratischen Rückhalts, den sie als Gegengewicht zu den wieder erstarkenden Kräften der Restauration dringend benötigte. Inwieweit die mehrheitssozialdemokratischen Volksbeauftragten die Konsequenzen ihrer rätefeindlichen Haltung überblickten, ob sie sich bewußt in die Abhängigkeit der alten Machteliten in Heer und Verwaltung hineinmanövrierten, wie stark die Angst vor »russischen Zuständen« ihre Tatkraft lähmte und warum sie selbst vor vorsichtigen Umgestaltungsschritten in Wirtschaft und Gesellschaft zurückscheuten, läßt sich auch im Rückblick nicht einfach beantworten. Erklärungen, die auf den »Verrat« oder das persönliche Versagen der mehrheits-

---

[12] Vgl. die grundlegende Untersuchung von Eberhard Kolb, Die Arbeiterräte in der deutschen Innenpolitik 1918–1919. Düsseldorf 1962, S. 197 ff.

sozialdemokratischen Führer abzielen, werden den komplexen Handlungsbedingungen der Übergangszeit nicht gerecht. Im Spannungsfeld zwischen materieller Existenzsicherung und politisch-sozialer Neuordnung gab es keine einfachen Wege, die zu Parlamentarisierung, Demokratisierung und Sozialisierung führten. Festzustellen bleibt aber auch, daß die politische Resignation der unabhängigen Volksbeauftragten und die reformerische Risikoscheu der mehrheitssozialdemokratischen Volksbeauftragten eine fatale Wechselwirkung hatten: Ein Teil der Revolutionsbewegung radikalisierte sich und attackierte die Rumpfregierung der MSPD, die sich daraufhin in die Obhut der Obersten Heeresleitung flüchtete und dieser seit der Jahreswende 1918/19 das Gesetz des Handelns bei der Niederwerfung von Unruhen überließ.

Die auf dem Rätekongreß sich anbahnende und durch die Berliner Weihnachtsunruhen bis zum Koalitionsbruch zugespitzte Regierungskrise rief auch den Spartakusbund auf den Plan. Er hatte bis dahin vergeblich versucht, als linksradikale Kadergruppe in der USPD größeren Einfluß zu gewinnen. Rosa Luxemburg und Karl Liebknecht hatten zwar seit dem Staatsumsturz eine wortgewaltige Propagandatätigkeit entfaltet, aber ihr rätesozialistisches Maximalprogramm fand weder in der USPD noch bei den Revolutionären Obleuten in den Großbetrieben der Reichshauptstadt die erhoffte Resonanz. Überhaupt konnte die radikale Linke, zu der eine Reihe von mitgliederschwachen lokalen Splittergruppen zählte, in der demokratischen Revolutionsbewegung nicht richtig Fuß fassen. Auf dem Reichsrätekongreß waren der Spartakusbund und die Internationalen Kommunisten Deutschlands, die in Bremen und in Hamburg ihre stärksten Stützpunkte besaßen, nur mit je zehn Delegierten vertreten, während die große Masse der 489 Rätevertreter im Lager der MSPD stand. Weder in diesem Revolutionsparlament, für das sie kein Mandat erhalten hatte, noch in der am 15. Dezember 1918 tagenden Generalversammlung der Berliner USPD vermochte sich Rosa Luxemburg mit ihrer Forderung »Alle Macht den Räten« durchzusetzen. Ihre Resolution, die den sofortigen Austritt der USPD aus der Regierung verlangte, die Einberufung der Nationalversammlung ablehnte und für die Übertragung der ganzen politischen Macht auf die Arbeiter- und Soldatenräte eintrat, wurde von den Berliner Unabhängigen mit einer klaren Zweidrittelmehrheit verworfen.

Diese Abstimmungsniederlage und die Weigerung der

USPD-Führung, einen Parteitag zur Klärung der Streitfragen einzuberufen, bestärkten im Spartakusbund diejenigen Kräfte, die auf eine Trennung von den Unabhängigen hindrängten. Zu ihnen gehörte auch Karl Liebknecht, der – im Unterschied zu Rosa Luxemburg – für die möglichst schnelle Gründung einer eigenen Partei eintrat. Als die Internationalen Kommunisten Deutschlands die Zusammenfassung »aller kommunistischen Elemente« forderten[13] und eine Kommission zur Vorbereitung der Vereinigung mit dem Spartakusbund einsetzten, war eine Entscheidung nicht mehr länger zu vertagen, zumal sich auch der als Vertreter der sowjetischen Führung illegal in Berlin anwesende Karl Radek für die Parteibildung aussprach. Am 29. Dezember 1918 stimmten die nach Berlin einberufenen Delegierten einer Reichskonferenz des Spartakusbundes gegen drei Stimmen der Parteigründung zu. Bei der Namenswahl entschied sich die Zentrale des Spartakusbundes mit knapper Mehrheit für die Bezeichnung »Kommunistische Partei Deutschlands«. Rosa Luxemburg drang mit ihrem Vorschlag »Sozialistische Partei« nicht durch, mit dem sie einen Brückenschlag zu den sozialistischen Parteien Westeuropas hatte versuchen wollen.

Der eigentliche Gründungsparteitag der KPD begann nach dieser Vorkonferenz des Spartakusbundes am 30. Dezember 1918 und dauerte bis zum 1. Januar 1919. An ihm nahmen 83 Delegierte des Spartakusbundes und 29 Delegierte der Internationalen Kommunisten Deutschlands teil. Hinzu kamen noch die elf Mitglieder der Spartakuszentrale, drei Vertreter des Roten Soldatenbundes und ein Delegierter der Freien Sozialistischen Jugend, so daß die Gesamtzahl der Gründungsmitglieder 127 betrug. Aus den für drei Viertel der Delegierten ermittelten biographischen Daten geht hervor, daß qualifizierte Facharbeiter aus der Metallbranche und dem graphischen Gewerbe zusammen mit den Vertretern intellektueller Berufe ein starkes Kontingent stellten. Etwa die Hälfte der Delegierten war vorher in der SPD organisiert gewesen; mehr als ein Drittel gehörte den Altersjahrgängen der unter 35jährigen an. Soweit die überlieferten Daten Rückschlüsse auf das Sozialprofil der KPD zulassen, kann man feststellen: »Die Arbeiter und Intellektuellen überwogen, die Partei hatte vor allem junge Anhänger, sie war

---

[13] Dokumente und Materialien zur Geschichte der deutschen Arbeiterbewegung. Reihe II, Bd. 2, Berlin 1957, S. 609 ff.

in der Tradition der Sozialdemokratie verwurzelt, daneben gab es aber auch ›politischen Flugsand‹, d.h. durch die Revolution radikalisierte Elemente, die später wieder aus der Arbeiterbewegung verschwanden.«[14]

Von Anfang an liefen in der KPD zwei Strömungen des Arbeiterradikalismus zusammen: eine traditionelle Richtung, die regional in den städtischen Zentren der frühen Arbeiterbewegung (Bremen, Hamburg, Berlin) und in noch handwerklich geprägten Arbeiterberufen verankert war, und eine syndikalistisch-anarchistische Richtung, die ihre Anhänger hauptsächlich in den Großbetrieben des Bergbaus, der Eisenindustrie und der Chemie in Mitteldeutschland oder im Ruhrgebiet rekrutierte. Neben sozialdemokratisch oder freigewerkschaftlich sozialisierten Intellektuellen und Facharbeitern gehörten der Partei ungelernte Massenarbeiter an, die vor dem Krieg keine feste Organisationsbindung in der Arbeiterbewegung gefunden hatten und dann während des Krieges unter dem Druck von wachsender Ausbeutung und Entbehrung immer weiter nach links getrieben worden waren. Ihr putschistischer Aktionismus und prinzipieller Antiparlamentarismus ließen sich mit der von Rosa Luxemburg verfochtenen, am Marxismus orientierten Revolutionsstrategie nicht vereinbaren. Sie fand zwar mit ihrer Programmrede, die die Dialektik von spontanen politischen Kämpfen und einem langfristig angelegten Konzept der revolutionären Machteroberung betonte, die Zustimmung der Delegierten des Gründungsparteitags, aber die Stimmung der Versammlung wurde vom »Geist eines fanatischen Utopismus beherrscht«[15].

Die ideologische Uneinheitlichkeit der kommunistischen Linken dokumentierte vor allem die Debatte über die Streitfrage, ob sich die neugegründete Partei an den Wahlen zur Nationalversammlung beteiligen sollte. Während sich die gesamte Spartakuszentrale, angeführt von Paul Levi und Rosa Luxemburg, für die Teilnahme an den Wahlen aussprach, votierten die Sprecher der syndikalistisch-utopischen Richtung gegen den Parlamentarismus. Der Wahlboykott, den der Gründungsparteitag der KPD mit 62 gegen 23 Stimmen beschloß, bedeutete letztlich, daß sich die Partei den Weg zur Macht nicht mit dem

[14] So Hermann Weber in seiner Einleitung zu: Der Gründungsparteitag der KPD. Protokoll und Materialien. Frankfurt, Wien 1969, S. 37. Vgl. auch Winkler, Revolution, S. 114 ff.
[15] So Arthur Rosenberg, Geschichte der deutschen Republik. Frankfurt 1955 (Neuausgabe), S. 51.

Stimmzettel, sondern mit dem Maschinengewehr freikämpfen wollte. So jedenfalls interpretierte Rosa Luxemburg die Abstimmungsalternative. Dennoch beugte sie sich der Mehrheitsentscheidung und machte sich und Karl Liebknecht »zu Gefangenen einer Strömung«, die beide »aus guten Gründen für einen Ausdruck unpolitischen Abenteurertums hielten«[16].

Hatten die programmatischen Grundsatzbeschlüsse des Gründungsparteitags der KPD die alte Arbeiterbewegung ideologisch endgültig entzweit, so rissen der Januaraufstand von Teilen der Berliner Arbeiterschaft und seine Niederwerfung durch Regierungstruppen tiefe politische Gräben auf, die später nie mehr zugeschüttet werden konnten. Als eine für den 5. Januar 1919 von der USPD, den Revolutionären Obleuten und der KPD-Zentrale gemeinsam einberufene Protestdemonstration gegen die mehrheitssozialdemokratischen Regierungen im Reich und in Preußen der Kontrolle ihrer Veranstalter entglitt und sich zu einer militanten Umsturzbewegung ausweitete, kam es zu einer schicksalhaften Frontbildung in der Arbeiterbewegung. Jetzt standen sich nicht mehr zwei Flügel gegenüber, die mit politischen Argumenten stritten, sondern zwei feindliche Lager, die mit Waffengewalt eine Entscheidung suchten. Auch wenn der Aufstand von der KPD-Führung nicht planmäßig in Szene gesetzt worden war und sie selbst von der Eskalation der Ereignisse überrascht wurde, so ist ihr doch nicht der Vorwurf zu ersparen, daß sie die ideologische Initialzündung für dieses »Weitertreiben der Revolution« gegeben hatte.

Die tagelangen Kämpfe in der Reichshauptstadt, die mit dem blutigen Triumph der Regierungssoldaten über die aufständischen Arbeiter endeten, sind als die »Marneschlacht der Revolution«[17] charakterisiert worden. Nach den grauenhaften Exzessen dieses Häuser- und Straßenkampfes, der in einem Rachefeldzug der Freikorps gegen die Linke gipfelte, und nach der bestialischen Ermordung von Rosa Luxemburg und Karl Liebknecht am 15. Januar herrschte zwar wieder »Ordnung« in Berlin, wie Rosa Luxemburg in ihrem letzten Artikel geschrieben hatte. Doch die aufgrund der Kräftekonstellation unvermeidli-

[16] Heinrich August Winkler, Von der Revolution zur Stabilisierung. Arbeiter und Arbeiterbewegung in der Weimarer Republik 1918 bis 1924. Berlin, Bonn 1984, S. 119.

[17] Diesen Vergleich prägte Rudolf Hilferding in einem im Dezember 1919 veröffentlichten Rückblick auf die Revolution. Vgl. ausführlich zum Verlauf des Januaraufstandes Susanne Miller, Die Bürde der Macht. Die deutsche Sozialdemokratie 1918–1920. Düsseldorf 1978, S. 225 ff.; Kolb, Arbeiterräte, S. 217 ff.

che Niederlage der Aufständischen war nicht die »Bürgschaft eines künftigen Endsieges«[18]. Diese Hoffnung der sozialistischen Theoretikerin hatte keinen Wirklichkeitsbezug. Als Sieger des Januaraufstandes behauptete sich die Gegenrevolution, die sich hinter den von Noske kommandierten Freikorps sammelte. Der Verlierer war die gesamte Arbeiterbewegung, und zwar Reformisten, Unabhängige und Radikale gleichermaßen. Für die von der KPD propagierte »Zweite Revolution« gab es fortan überhaupt keine Erfolgsaussichten mehr. Ein Mittelweg zwischen linkem Radikalismus und parlamentarisch eingehegtem Reformismus war kaum noch gangbar, weil sich die MSPD im Frühjahr 1919, von bürgerkriegsähnlichen Unruhen im Ruhrgebiet, in Mitteldeutschland und in Bayern herausgefordert, in immer größere Abhängigkeit von konterrevolutionären Kräften begab. Deren Nahziel war die Niederwerfung der radikalen Klassenkampfbewegung; ihr Fernziel aber hieß Restauration des Obrigkeitsstaates.

Seit der Zäsur des Berliner Januaraufstandes veränderte sich der Charakter der in der ersten Phase fast unblutig verlaufenen Revolution. Im Frühjahr 1919 prägte eine wachsende Bereitschaft zur Gewaltanwendung die deutsche Innenpolitik. Nach dem Scheitern der politischen Einheitsfront von MSPD und USPD setzte in der Arbeiterbewegung ein rasch voranschreitender Erosionsprozeß ein, der auch die Rätegremien erfaßte. Hatten bis Ende Dezember 1918 republikanisch orientierte Arbeiter- und Soldatenräte diese basisdemokratische Volksbewegung dominiert, so wurden die Räte nun mehr und mehr zu Stoßtrupps des Radikalismus. Die Anhänger der MSPD zogen sich nämlich enttäuscht und resigniert aus den Räten zurück, als der proletarische Bruderzwist zu einem Bürgerkrieg eskalierte. Sie wollten weder die Militarisierung der politischen Auseinandersetzungen billigen, noch konnten sie sich mit dem antirevolutionären Ordnungskurs ihrer eigenen Parteiführung identifizieren. Je rigoroser die Regierung gegen potentielle oder tatsächliche Unruhezentren mit Waffengewalt vorging, desto stärker schlug der zunächst sozial motivierte Arbeiterprotest in eine politische Aufstandsbewegung um, die sich vom mehrheitssozialdemokratischen Legalismus keinen Fortschritt mehr erwartete.

[18] Dieser am 14. Januar 1919 in der Roten Fahne erschienene Artikel ist wieder abgedruckt in: Rosa Luxemburg, Gesammelte Werke. Bd. 4, Berlin 1974, S. 533 ff., Zitat S. 537.

58

Dramatisch sichtbar wurde dieser Vertrauensschwund der Arbeitermassen in die Politik der MSPD während der Streikbewegungen, die Anfang 1919 die Industriezentren am Niederrhein, im Ruhrgebiet, in Mitteldeutschland und in Oberschlesien zeitweise lahmlegten. An der Ruhr befanden sich Mitte Januar über 80 000 Arbeiter im Ausstand; sechs Wochen später waren es 180 000 Bergarbeiter, die hier die Arbeit verweigerten. Gleichzeitig kam es in Mitteldeutschland zu einem Generalstreik, an dem sich drei Viertel der Arbeiter beteiligten. Ihren Höhepunkt erreichte die Streikwelle im Ruhrgebiet in der ersten Aprilhälfte, als 73 Prozent der Zechenbelegschaften – insgesamt 307 000 Bergleute – nicht zur Arbeit erschienen. Als sich die Lage Anfang Mai wieder normalisiert hatte, schätzten die Arbeitgeber den Förderverlust des vorangegangenen Monats auf über drei Millionen Tonnen Kohle[19]. Die wirtschaftlichen und sozialen Folgen dieser Arbeitsniederlegungen waren gravierend. Von der Kohlenverknappung waren andere Industriezweige betroffen, weil sie aufgrund des Energiemangels ihre Produktion drosseln oder einstellen mußten. Dies wiederum führte zu einem Anstieg der Arbeitslosenzahl weit über die Millionengrenze und zu einer Verschärfung der Nahrungsmittelkrise, die im Frühjahr 1919 schlimmer als im Hungerwinter 1917/18 war.

Die Massenstreiks erfaßten mit Berlin, Braunschweig, Magdeburg, Stuttgart und Mannheim auch Großstädte außerhalb der unruhigen Industrierreviere. Überall standen sie unter wirtschaftlichen und politischen Vorzeichen. In ihnen vermischten sich soziale Komponenten mit der Enttäuschung über den Fehlschlag der Revolution als Demokratisierungs- und Sozialisierungsbewegung. Kennzeichnend für den politischen Charakter des kollektiven Arbeiterprotests war die Forderung nach der sofortigen Sozialisierung des Kohlenbergbaus, von der im Ruhrgebiet eine massenmobilisierende Wirkung ausging. Als der Essener Arbeiter- und Soldatenrat am 9. Januar 1919 die Sozialisierung des Bergbaus proklamierte und mit der Besetzung der Kontore des Kohlensyndikats die Sache selbst in die Hand nahm, wurde er von einer breiten Zustimmung in der Arbeiterschaft getragen, die über die gewerkschaftlichen und

---

[19] Vgl. zu den Streiks Winkler, Revolution, S. 154 ff. sowie die Aufsätze von Hans Mommsen, Jürgen Tampke und Klaus Tenfelde in: Glück auf, Kameraden! Die Bergarbeiter und ihre Organisationen in Deutschland. Hrsg. von Hans Mommsen und Ulrich Borsdorf, Köln 1979.

parteipolitischen Trennlinien hinwegschritt. In der dann berufenen Neunerkommission waren alle drei sozialistischen Parteien paritätisch vertreten. Gemeinsam mit den Richtungsgewerkschaften der Bergarbeiter bereiteten sie die Wahl eines wirtschaftlichen Rätesystems vor. Auch bei den Verhandlungen mit der Reichsregierung in Berlin und in Weimar traten die Delegierten des rheinisch-westfälischen Industriegebiets geschlossen auf. Ihre basissozialistische Einheitsfront zerbrach erst im Februar 1919, als die Regierungsvertreter den syndikalistisch akzentuierten Sozialisierungsplänen der Neunerkommission eine Absage erteilten. Daraufhin zogen sich die Mehrheitssozialdemokraten aus der Delegiertenkonferenz der Arbeiter- und Soldatenräte im Ruhrgebiet zurück und erklärten auch ihren Austritt aus der Neunerkommission. Jetzt war die Chance endgültig verspielt, kraft revolutionären Rechts die private Verfügungsgewalt in den Montanbetrieben zu beschneiden. Der anschließende Generalstreik war ohne die Rückendeckung der sozialdemokratischen Arbeiterbewegung zum Scheitern verurteilt.

In der mitteldeutschen Protestbewegung dominierte von Anfang an die linke USPD als politische Kraft. Sie forderte einen demokratischen Räteaufbau und wollte vor allem über die Institution der Betriebsräte den Arbeitern ein Mitbestimmungsrecht an Produktionsentscheidungen sowie bei Lohnfragen und Entlassungen sichern. Für dieses Konzept eines wirtschaftlichen Rätesystems, das die Unternehmermacht im Betrieb einschränken sollte, legten in Sachsen, Thüringen und Anhalt die Belegschaften der Kohlen- und Kalibergwerke, der Chemie- und Elektroindustrie die Arbeit nieder. Die Breite des Ausstandes, an dem sich Ende Februar 75 Prozent der Arbeiter beteiligten, dokumentierte die Popularität der auf die Verwirklichung der Betriebsdemokratie abzielenden Parolen der USPD. Die Reichsregierung reagierte militärisch – bei der Besetzung Halles durch Truppen gab es 29 Tote auf seiten der Bevölkerung – und politisch: In zwei Anfang März publizierten Aufrufen verkündete das Kabinett Scheidemann, also die nach der Nationalversammlungswahl gebildete Koalitionsregierung aus MSPD, Zentrum und DDP, es werde entscheidende Schritte zur Demokratisierung der Wirtschaft einleiten. Zugesagt wurde die gesetzliche Einführung von Betriebsräten und die Sozialisierung der Kohlen- und Kalisyndikate.

Mit abwiegelnden Absichtserklärungen ließ sich der aufgeflammte Arbeiterradikalismus jedoch nicht mehr ersticken. Die schon in der Kriegszeit angestaute soziale Erbitterung über innerbetriebliche Mißstände, über zu lange Arbeitszeiten und zu niedrige Löhne, über unzureichende Wohnverhältnisse und die schlechte Ernährungssituation verschmolz mit der in der Sozialisierungsforderung gebündelten politischen Hoffnung auf eine bessere Gesellschaft. Die radikalisierende Breitenwirkung von sozialer Erbitterung und politischer Hoffnung konnte durch Appelle an Ruhe und Ordnung sowie durch Versprechungen nicht mehr eingedämmt werden. Im Frühjahr 1919 befand sich das Deutsche Reich in einem Ausnahmezustand, in dem gewaltsame Demonstrationen, Massenstreiks und Straßenschlachten zwischen Arbeitern und Regierungstruppen an der Tagesordnung waren. Getragen wurden diese immer wieder spontan ausbrechenden Unruhen von einem heterogenen Protestpotential, das sich jeder klaren politischen Führung entzog. Weder die durch innerparteiliche Flügelkämpfe gelähmte USPD noch die organisatorisch ungefestigte und programmatisch unausgegorene KPD vermochten es, die Streikbewegungen zu koordinieren und ihnen eine einheitliche Stoßrichtung zu geben. Deshalb verpuffte die revolutionäre Energie der Massen auch dort wirkungslos, wo sie nicht durch die staatlichen Ordnungskräfte ausgeschaltet wurde.

Die in den Frühjahrskämpfen konturierte Landkarte des politischen und sozialen Massenprotests wies im Ruhrgebiet, in Mitteldeutschland und in Berlin drei Verdichtungszonen auf, die auch später immer wieder als Unruhegebiete in Erscheinung traten. Im »Wilden Westen« des Ruhrreviers, im Umfeld der Städte Duisburg, Mülheim, Hamborn und Essen, im Industriegebiet von Halle und Merseburg sowie in der Reichshauptstadt lagen die Hochburgen des Syndikalismus und des Kommunismus. Vor allem im westlichen Ruhrgebiet hatte die Arbeitermilitanz eine lange Tradition, die bis vor die Jahrhundertwende zurückreichte. Spontanes Belegschaftshandeln, syndikalistische Aktionsformen und gewerkschaftliche Indifferenz waren im Milieu der ungelernten Massenarbeiter zu Hause. Jugendlichkeit und Anpassungsprobleme an die ungewohnte Fabrikarbeit, geringe Seßhaftigkeit und häufige Arbeitsplatzwechsel bildeten weitere Gründe, weshalb sie gemäßigt-reformistische Zielvorstellungen skeptisch beurteilten. In den Großbetrieben Mitteldeutschlands und Berlins entstanden schon bei den Kriegsstreiks von 1917 und 1918 Zentren des Massenprotests. Deren

Führungskader orientierten sich politisch an der USPD oder gründeten eigene parteiunabhängige Arbeiterausschüsse. Die Revolutionären Obleute in Berlin rekrutierten ihre Sprecher aus der Garde der betrieblichen Vertrauensleute und verkörperten somit einen Traditionsstrang in der deutschen Arbeiterbewegung, der sich dem disziplinierenden Einfluß von Gewerkschaftsvorständen und Parteihierarchien entzog. Insgesamt gibt es also keinen einfachen Nenner für die strukturelle, personelle und politische Vielfalt des Arbeiterradikalismus. Seine Massenresonanz hatte historische Wurzeln, seine Handlungsmuster orientierten sich an den klassischen Formen des sozialen Protests, seine Selbstbestimmungsansprüche waren in das Gefüge der zentralistisch ausgerichteten Gewerkschaften schwer zu integrieren.

Die bürgerkriegsähnlichen Auseinandersetzungen nach der Jahreswende 1918/19 mündeten nicht in einer »zweiten Revolution«, wie es sich die KPD erhofft hatte. Dennoch kam es in einigen Städten zur Bildung von Räterepubliken. Diese kurzlebigen Herrschaftsgebilde von radikalen Arbeiter- und Soldatenräten – nur in Bremen und in München brachten sie es auf eine Dauer von drei Wochen – führten eine insulare Sonderexistenz. In ihrem raschen Zerfall dokumentierte sich »der Dilettantismus der deutschen Linksradikalen in allen Fragen der Machteroberung und Machtbehauptung«[20], aber auch die kompromißlose Entschlossenheit der regierenden MSPD und der mit ihr verbündeten militärischen Kräfte, dem Putschismus mit eiserner Faust entgegenzutreten. Auf die lokale Zwangsherrschaft der kommunistischen Linken reagierte man mit einer staatlichen Gewaltpolitik, bei der das Nachdenken über die Verhältnismäßigkeit der Mittel ausgeklammert blieb. Die prinzipielle Entscheidung, alle Aufstände systematisch mit Waffengewalt zu zerschlagen, ließ keinen Spielraum für eine differenzierte politische Bewertung der Vorgänge und für die Suche nach unblutigen Lösungen. Namentlich Noske, der am 6. Januar 1919 seine Ernennung zum Oberbefehlshaber mit der Feststellung: »Meinetwegen. Einer muß der Bluthund werden, ich scheue die Verantwortung nicht!«[21] kommentiert hatte, tat in der Folgezeit alles, um diesem Image gerecht zu werden. Seine von der

[20] So Kolb, Arbeiterräte, S. 327.
[21] Diese Formulierung findet sich in den Memoiren Noskes: Gustav Noske, Von Kiel bis Kapp. Zur Geschichte der deutschen Revolution. Berlin 1920, S. 68.

Reichsregierung zumindest stillschweigend gebilligte Militärpolitik als Volksbeauftragter und als Wehrminister gipfelte bei den Berliner Märzunruhen in einem Schießbefehl, der jeden mit der Waffe in der Hand Angetroffenen mit dem Tod bedrohte, und trug bei der Niederwerfung der Räterepubliken in Bremen und München maßgeblich dazu bei, daß der weiße Terror mehr Opfer als der rote forderte[22].

Bremen war bereits während des Ersten Weltkrieges eine Hochburg der Linksradikalen gewesen. Sie besaßen denn auch im lokalen Arbeiterrat in den ersten Monaten der Revolution ein starkes Gewicht und setzten, gestützt auf ein in den Großbetrieben verankertes Vertrauensmännersystem, den Senat immer wieder durch Massenversammlungen und Demonstrationen unter Druck. Konkrete Aufstandspläne der Kommunisten entstanden jedoch erst im Zusammenhang mit den Berliner Januarereignissen, die man als Startsignal zur bolschewistischen Revolution deutete. Die am 10. Januar 1919 in Bremen inszenierte Proklamation einer Räterepublik erfolgte jedoch ohne jede Vorbereitung und war von vornherein zur Erfolglosigkeit verdammt. Der Aufbau eines lokalen kommunistischen Machtzentrums scheiterte schon an der Konzeptions- und Disziplinlosigkeit der Bremer Linksradikalen, deren Putschtaktik nur von einem kleinen Teil der Arbeiterschaft gebilligt wurde. Die Mobilisierung von Truppen, die Noske am 25. Januar anordnete, war eigentlich überflüssig, weil die Bremer Räterepublik sich auf dem besten Wege befand, an ihren eigenen Unzulänglichkeiten zugrunde zu gehen. Erst die Drohung mit militärischer Gewalt löste in der Hamburger und Bremer Arbeiterschaft eine Solidarisierung mit den Aufständischen aus. Der Appell lokaler Gremien von USPD, MSPD und Gewerkschaften, Blutvergießen zu vermeiden, stieß bei Noske jedoch auf taube Ohren. Sein Feldzug gegen Bremen endete am 4. Februar mit der Besetzung der Stadt durch ein Freikorps. Diese Strafexpedition kostete die Regierungssoldaten 26 Tote und 51 Verwundete. Die Bremer Kombattanten hatten fast 300 Mann »an Toten, Verletzten und Gefangenen« zu beklagen[23].

Die unmittelbare Vorgeschichte der Münchener Räterepublik begann mit der Ermordung von Ministerpräsident Eisner am

[22] Vgl. dazu ausführlich Wolfgang Wette, Gustav Noske. Eine politische Biographie. Düsseldorf 1987, S. 263–461.
[23] Ebenda, S. 407.

21. Februar 1919. Bis zu seinem gewaltsamen Tod hatte dieser USPD-Politiker die innenpolitische Entwicklung des Landes geprägt. Sein Versuch, den Räten eine besondere Rolle bei der Festigung der Republik zuzuweisen, war durch die Landtagswahlen im Januar 1919 nicht bestätigt worden. Nach der katastrophalen Wahlniederlage der USPD entstand jedoch in Bayern ein Machtvakuum: weder die MSPD noch die hinter der Bayerischen Volkspartei sich sammelnden Kräfte der Gegenrevolution waren stark genug, allein das Regierungsruder zu übernehmen. Der Mord an Eisner ließ die Lage völlig unübersichtlich werden. Im sich anschließenden Interregnum blockierten sich die parlamentarischen Kräfte wechselseitig, während der extremen Linken die Massen zuliefen. Die Kompromißunfähigkeit von MSPD und USPD, die Radikalisierung der Arbeiterschaft und die Militarisierung weiter Teile der bayerischen Gesellschaft bildeten den Hintergrund für die Errichtung der Räteherrschaft. Das erste anarchistisch eingefärbte Experiment, die »Räterepublik Bayern«, hatte eine Lebensdauer von nur sechs Tagen. Ihr folgte am 13. April 1919 die von der KPD proklamierte zweite Räterepublik. Die Stabilisierung ihrer Herrschaft gelang den Kommunisten aber in München ebensowenig wie in Bremen. Schon vor dem Heranrücken der Regierungstruppen begann der Prozeß der Selbstauflösung, weil die Rätemachthaber sich in internen Auseinandersetzungen zerrieben und über kein tragfähiges praktisches Programm verfügten. Die »Befreiung« Bayerns und die Eroberung Münchens durch die von überall her zusammengezogenen Truppen und Freiwilligenverbände entwickelte sich zu einem Rachefeldzug der Konterrevolution, der alle Greueltaten der Linksradikalen verblassen ließ: »Sechshundert Tote allein in München verbieten es, den Einsatz gegen die Räterepublik Bayern als verfassungsmäßigen Akt zu verteidigen.«[24]

Mit dem Einzug der Sieger in die bayerische Landeshauptstadt endete Anfang Mai 1919 die zweite Phase der Revolution. Ihre politische Bilanz war aus der Sicht der gesamten Arbeiterbewegung deprimierend. Die Massenstreiks waren als soziale und als politische Bewegung ohne nennenswerte Erfolge geblieben, wenn man den erhofften Durchbruch zur Demokratisierung und Sozialisierung als Maßstab nimmt. Im Ruhrgebiet und in Mitteldeutschland, in Berlin, Bremen und München hatte die

[24] Kluge, Die deutsche Revolution, S. 135.

radikale Linke schwere Niederlagen erlitten. Und auch nirgendwo anders konnte sie sich politisch behaupten. Der KPD fehlte es in ihrer Aufbauphase an einer stabilen Organisation, einem strategischen Konzept und an überzeugenden Führungspersönlichkeiten. Ob Rosa Luxemburg und Karl Liebknecht in der Lage gewesen wären, diese junge Partei aus dem Ghetto des Utopismus und Putschismus herauszuholen, muß man mit Blick auf den Gründungsparteitag und die Berliner Januarunruhen bezweifeln. Die USPD wurde nach ihrem Regierungsaustritt zwar zum Sammelbecken aller Unzufriedenen, aber der Anfang 1919 einsetzende Massenzulauf von Mitgliedern verschärfte das programmatische Dilemma dieser Partei noch mehr. Die Integration eines aufbegehrenden jugendlichen Protestpotentials, das von revolutionärem Tatendrang beflügelt war, erwies sich für die gemäßigten Parteiführer als eine unlösbare Aufgabe. Mit dem Rückzug aus der Verantwortung entschied sich die USPD für eine Politik der Abstinenz, in der sie ihre Unabhängigkeit nur um den Preis der Machtlosigkeit bewahren konnte. Die MSPD besaß eine strategische Generallinie, an der ihre Führung kompromißlos festhielt. Ihr Königsweg lief seit dem Staatsumsturz auf die parlamentarische Republik zu. An dem einmal eingeschlagenen konstitutionellen Kurs nahm man keine Korrektur vor, auch nicht, als man erkennen mußte, daß die eigenen Anhänger auf die Vertagung substantieller Reformen bis nach der Nationalversammlungswahl mit wachsender Enttäuschung und Erbitterung reagierten. Letztlich verspielte die MSPD-Führung selbst die Chancen, die sich ihr im November 1918 für die Gründung einer sozialen Demokratie in Deutschland eröffnet hatten. Ihr vorrangiges Ziel, die parlamentarische Republik, erreichte sie zwar; doch der Weg dorthin führte durch einen Bürgerkrieg, in dem die Einheit der Arbeiterbewegung auf der Strecke blieb und eine nie mehr zu versöhnende Feindschaft zwischen den Lagern des Reformismus und des Radikalismus entstand.

Seit Februar 1919 tagte in der ehemaligen Residenzstadt Weimar, weitgehend abgeschirmt von den Unruhen im Reich, die Verfassunggebende Nationalversammlung. Die Wahlen zu dieser Konstituante hatten am 19. Januar 1919 mit einem Sieg der MSPD geendet, der aber einer Niederlage gleichkam, wenn man die hochgesteckten Erwartungen der Partei in Rechnung stellt: Mit 37,9 Prozent der Stimmen und 163 Mandaten lag die MSPD weit in Führung vor den Parteien des politischen Katholizismus

(Zentrum und BVP), denen knapp ein Fünftel der Stimmen (19,7 Prozent) zu 91 Parlamentssitzen verholfen hatte. An dritter Stelle folgten die Linksliberalen (DDP) mit einem Stimmanteil von 18,5 Prozent und 75 Mandaten. Die USPD landete weit abgeschlagen auf dem fünften Platz (7,6 Prozent und 22 Mandate), deutlich hinter der offen antirepublikanisch eingestellten Deutschnationalen Volkspartei, die es auf 10,3 Prozent der Stimmen und 44 Sitze gebracht hatte. Dieses Wahlergebnis spiegelte die »unterschwellige ›Kontinuität‹ vom Kaiserreich zur Republik, die während der Revolutionsmonate nicht mehr deutlich in Erscheinung trat, die Grundlagen der Verfassung aber gleichwohl wesentlich bestimmte«[25].

Nach Lage der Dinge war weder eine mehrheitssozialdemokratische Alleinregierung noch eine – zu diesem Zeitpunkt politisch ohnehin undenkbare – Koalition von MSPD und USPD möglich. Fortgesetzt werden konnte allerdings die Zusammenarbeit der vorrevolutionären Reichstagsmehrheit aus MSPD, Zentrum und DDP, die schon im Interfraktionellen Ausschuß des letzten kaiserlichen Parlaments und dann in der Oktoberregierung Max von Badens begonnen hatte. Die von diesen drei Parteien gebildete »Weimarer Koalition« verfügte in der Nationalversammlung über eine Dreiviertelmehrheit. Damit war der Prozeß der Verfassungsgebung parlamentarisch problemlos zu bewältigen, sofern die drei Partner zu einem Konsens fanden. Die Kräftekonstellation lief also auf einen Kompromiß zwischen sozialdemokratischen, katholischen und liberalen Prinzipien hinaus bzw. auf das Ausklammern aller Entscheidungen, die eine der drei Parteien nicht mittragen wollte.

Schon vor dem Zusammentritt der Nationalversammlung waren seit November 1918 unter der Federführung liberaler Staatsrechtler die Grundstrukturen eines republikanischen Institutionengefüges entworfen worden: Das parlamentarische System, der bundesstaatliche Reichsaufbau und eine starke Präsidialgewalt sollten das tragende Fundament des Verfassungsbaus bilden. Mit diesen normativen Festlegungen hatte man der Rätedemokratie, dem Einheitsstaat und der reinen Parlamentsherrschaft eine Absage erteilt. Auch das soziale Profil der entstehenden Republik war durch die Demobilmachungsverordnungen der Volksbeauftragten und durch das korporativistische

---

[25] So Reinhard Rürup, Entstehung und Grundlagen der Weimarer Verfassung. In: Kolb (Hrsg.), Kaiserreich, S. 218–243, Zitat S. 229.

ZAG-Abkommen zwischen Arbeit und Kapital bereits vorgezeichnet. Die verfassungsrechtliche Zusammenfügung der einzelnen Bauelemente oblag der Nationalversammlung. Ihre Beratungen fanden im Frühjahr und Frühsommer 1919 fast unter Ausschluß der Öffentlichkeit statt. Deren Interesse konzentrierte sich innenpolitisch auf die Unruhen überall im Reichsgebiet und außenpolitisch auf die gleichzeitig in Versailles stattfindenden Friedensverhandlungen.

Die Arbeit der Weimarer Verfassungsväter ist weder von der Rechtswissenschaft noch von der Geschichtswissenschaft mit viel Beifall bedacht worden. Man hat ihr Werk als »Verfassung ohne Entscheidung« (O. Kirchheimer) und als »Produkt einer gescheiterten Revolution« (R. Rürup) bezeichnet; man kritisierte die »Diktaturgewalt« des Reichspräsidenten als »Deformalisierung des Ausnahmerechts« (G. Anschütz) und sah in seiner plebiszitären Privilegierung den Versuch, Deutschland einen »Ersatzkaiser« zu schaffen; man betonte die »historischen Vorbelastungen des deutschen Parlamentarismus« und beklagte, die Schöpfer der Verfassung hätten unter dem »Alptraum« eines »Parlamentsabsolutismus« gelitten (E. Fraenkel). Im Kontrast dazu steht das Urteil zeitgenössischer Parlamentarier, die am Verfassungswerk mitarbeiteten. Sowohl in den Reihen des Linksliberalismus, der die Inhalte der Verfassung maßgeblich formte und ihr auch den Namen »Weimarer Verfassung« gab, wie auch im Lager der Mehrheitssozialdemokratie überwog der Stolz über das Erreichte und das Gefühl, eine epochale Tat vollbracht zu haben. Diese euphorische Hochschätzung formulierte der mehrheitssozialdemokratische Reichsinnenminister David bei der abschließenden Lesung in der Nationalversammlung, als er feststellte: »Nirgends in der Welt ist die Demokratie konsequenter durchgeführt als in dieser Verfassung.«[26] Und selbst in der USPD, deren Fraktion sich bei der namentlichen Schlußabstimmung gegen die Verfassung aussprach, gab es Politiker, die meinten, es komme jetzt darauf an, »die Verfassung im demokratisch-sozialistischen Sinne, das heißt: durch die Tat, durch die Gesetzgebung zu interpretieren«[27].

Der Kompromißcharakter der Weimarer Verfassung bot Anknüpfungspunkte in zwei Richtungen: Chancen für den Auf-

[26] Zitiert nach Heinrich Potthoff, Das Weimarer Verfassungswerk und die deutsche Linke. In: Archiv für Sozialgeschichte, Jg. 12 (1972), S. 433–483, Zitat S. 467.
[27] So Heinrich Ströbel, zitiert nach Rürup, Entstehung, S. 239.

bau einer stabilen sozialen Demokratie, aber auch Möglichkeiten für eine Aushöhlung der demokratischen Substanz. Im Sommer 1919 ließ es sich noch keineswegs klar vorhersagen, welche Entwicklungstendenz sich schließlich in der politischen Realität durchsetzen würde. Zum Scheitern der Republik als parlamentarischer Sozialstaat kam es erst unter dem wirtschaftlichen Krisendruck in den späten zwanziger und frühen dreißiger Jahren. Die pluralistische Offenheit des Verfassungswerks läßt sich vor allem in seinem breit aufgefächerten Grundrechtsteil nachweisen. Dieser war zwar zu einer »merkwürdigen Mischung aus Rechtssätzen, Merksprüchen und politischen Forderungen« ausgeufert und reihte sozialistische, liberale, konfessionelle und konservative Normen aneinander[28]. Aber dieser Katalog verbaute nichts und machte auch die Verwirklichung von Reformzielen der Arbeiterbewegung möglich. Die Weimarer Verfassung besiegelte einen »Verständigungsfrieden zwischen Kapitalismus und Sozialismus«, wie ihn der Liberale Friedrich Naumann gefordert hatte[29]. Sie basierte auf einem Klassenkompromiß und versuchte in ihren wirtschafts- und sozialpolitischen Rahmenbestimmungen einen Interessenausgleich zwischen den verschiedenen gesellschaftlichen Gruppen anzubahnen.

Der Grundrechtsteil der Verfassung skizzierte das Profil des angestrebten Sozialstaats. Erstmals in der deutschen Geschichte erhielt das Sozialstaatsprinzip Verfassungsrang. Reformimpulse des Kaiserreichs wurden aufgegriffen und weitergeführt. Die Spannweite der Normen reichte von der Freiheit und gleichzeitigen Gemeinwohlbindung des Eigentums (Art. 153) bis zur prinzipiell möglich gemachten Sozialisierung (Art. 156). Die Mitbestimmung durch Betriebs- und Wirtschaftsräte (Art. 165), der Schutz der Arbeitskraft (Art. 157) und die Ankündigung einer staatlichen Arbeitslosenversicherung (Art. 163) waren sozialpolitische Zielvorgaben mit großer Zukunftsbedeutung. Ob für die angestrebte Kooperation von Kapital und Arbeit in einer parteipolitisch stark zerklüfteten, ideologisch verhärteten und vordemokratisch geprägten Gesellschaft überhaupt die erforderlichen Voraussetzungen bestanden, wird man rückblickend wohl viel negativer beurteilen müssen, als es optimistisch in die Zukunft blickende Zeitgenossen taten. Daß aber in Weimar ein

[28] Ebenda, S. 237.
[29] Zitiert nach Dieter Langewiesche, Liberalismus in Deutschland. Frankfurt 1988, S. 259.

wagemutiges sozialpolitisches Verfassungsprojekt zur Abstimmung stand, kann man nicht bezweifeln.

Doch schon bei der Verabschiedung der Verfassung demonstrierte auch ein Teil des Regierungslagers seine Unzufriedenheit mit diesem Kompromißwerk: Unter den 82 Abgeordneten, die der Abstimmung fernblieben, waren 65 Mitglieder der Regierungsparteien. Mehr als ein Viertel der MSPD-Fraktion, insgesamt 43 Abgeordnete, waren nicht anwesend. In dieser hohen Zahl von Fehlenden spiegelt sich wider, wie tief bis in die Reihen der sozialdemokratischen Parlamentarier hinein die Enttäuschung über die Politik der eigenen Partei in den vorangegangenen Monaten reichte. Die durch den Staatsumsturz im November 1918 ermöglichte grundlegende Neuordnung Deutschlands war als Republikgründung 1918/19 erfolgreich verlaufen, aber ihre beiden anderen Ziele – die Demokratisierung der Gesellschaft und die Sozialisierung der Wirtschaft – hatte die revolutionäre Volksbewegung nicht erreicht. Die Verwirklichung des Erfurter Programms, das die deutsche Sozialdemokratie 1891 verabschiedet hatte und das für sie am Ende des Kaiserreichs immer noch Gültigkeit besaß, war nur zum Teil geglückt. Aus programmatischer Sicht hielten sich nach der staatlichen Umbruchphase 1918/19 Erfolg und Mißerfolg die Waage. Diesem zwiespältigen Ergebnis der Revolution entsprach das politische Verhalten der Anhänger der Arbeiterbewegung: Ein Teil von ihnen kämpfte in der Folgezeit für die Fortführung der steckengebliebenen Revolution, der andere Teil setzte weiter auf die Karte der Reform und hoffte, die Weimarer Republik schrittweise zu einem demokratisch-sozialistischen Staat umgestalten zu können.

2. In den Nachkriegskrisen der Republik 1919–23: Jahre der Niederlagen und Lagerbildung

Zwischen Sommer 1919 und Herbst 1923 steckte die Weimarer Republik in einer Dauerkrise. Genügend Zeit zur Festigung fand sie in diesen vier turbulenten Jahren nicht, in denen auch die anderen Staaten, die am Ersten Weltkrieg beteiligt gewesen waren, vor einer Fülle von schwer lösbaren Wiederaufbauproblemen standen. Überall in Europa waren die ersten Friedensjahre gekennzeichnet durch politische, ökonomische und soziale Gegensätze. Diese erschwerten eine Stabilisierung der inneren Verhältnisse und eine Normalisierung der internationalen Beziehungen. Im Deutschen Reich verlief die Entwicklung jedoch besonders spannungsgeladen, weil die niederschmetternde Niederlage und der als »schmachvolles Diktat« empfundene Versailler Friedensvertrag ein emotionales Klima geschaffen hatten, das außenpolitisch eine Verständigung mit den Siegermächten blockierte und gemeinsame gesamteuropäische Rekonstruktionsanstrengungen immer wieder zum Scheitern verurteilte. Innenpolitisch wurde der Kampf gegen den »Schandfrieden« und gegen die republikanischen »Erfüllungspolitiker« zur einigenden Parole der nationalen Rechten. Ihre publizistischen Attacken, politischen Attentate und bewaffneten Umsturzversuche richteten sich gegen die verhaßte Republik. Sie war in ihren Augen die Wurzel allen Übels. Die Dolchstoßlüge stempelte die Demokratiegründung als Akt des Hochverrats ab und entfremdete breite, für rechtsradikale Propaganda und nationalistisches Pathos anfällige Bevölkerungsgruppen schon früh dem Weimarer Staat.

Die politische Linke, vor allem die Mehrheitssozialdemokratie, versäumte es, der hemmungslosen Agitation von rechts offensiv zu antworten. Der im Ersten Weltkrieg unter dem Vorzeichen des Burgfriedens entstandene sozialdemokratische Nationalismus hatte fatale Folgewirkungen. Dem Versailler Vertrag stimmte die MSPD-Fraktion in der Nationalversammlung zwar zu, weil sie keinen anderen staatspolitisch verantwortbaren Ausweg sah, aber die Partei lehnte die Bedingungen dieses »Gewaltfriedens« ebenso entschieden ab wie das nationale Lager. Sie versperrte sich nicht nur einer rationalen Diskussion der Kriegsschuldfrage und leistete damit der Kriegsunschuldlegende der Rechten Vorschub, ihre Scheu vor nationaler Selbstkritik isolierte sie auch im Kreis der europäischen sozialistischen Parteien und verbaute die Aussicht auf mehr internationale Solidarität mit dem republikanischen Deutschland[1]. Vor allem aber hatte es die Parteiführung aus fehlgeleitetem Patriotismus versäumt, die kaiserlichen Bankrotteure am Ende des Krieges zum Offenbarungseid vor der Öffentlichkeit zu zwingen. Dadurch ermöglichten die MSPD-Politiker ungewollt ihre spätere Stigmatisierung als »Novemberverbrecher«.

---

[1] Vgl. dazu ausführlich Heinrich August Winkler, Von der Revolution zur Stabilisierung. Arbeiter und Arbeiterbewegung in der Weimarer Republik 1918 bis 1924. Berlin, Bonn 1984, S. 206 ff.

Die USPD scherte aus der nationalen Einheitsfront gegen Versailles aus und forderte, an ihre pazifistische Tradition anknüpfend, eine neue »Völkermoral« und die »rücksichtslose Entlarvung aller Schuldigen« in Deutschland, um eine »baldige Milderung der unerträglichen Härten des Friedensvertrages« zu erreichen[2]. Von dieser Position führte weder ein direkter Weg zur MSPD, da diese sich der Anerkennung einer besonderen deutschen Schuld verschloß, noch zur KPD, für die eine Annahme der Friedensbedingungen »ebenso katastrophal wie ihre Ablehnung« war[3]. Auf Versailles gaben die drei Arbeiterparteien drei verschiedene Antworten, deren Bandbreite von weltrevolutionärer Indifferenz bis zu vaterländischer Befangenheit reichte.

Außer der Last der Friedensbedingungen lag auf der jungen Republik noch die Last der Inflation, die ebenfalls ein Erbe des Kaiserreichs war. Eigentlich hätte man in Deutschland sofort nach Kriegsende die Währung rigoros sanieren müssen, um die seit 1914 immens angewachsene Staatsverschuldung abzubauen. Reichsregierung und Reichsbank entschieden sich aber gegen eine deflatorische Finanzpolitik, weil diese die wirtschaftlichen und sozialen Folgeprobleme des verlorenen Krieges dramatisch verschärft hätte. Hinzu kam ein außenpolitisches Kalkül: Solange die Inflation andauerte, war es für die alliierte Siegerkoalition unmöglich, die deutsche Zahlungs- und Leistungsfähigkeit genau zu berechnen. Der Kampf um die Reparationen eskalierte schließlich 1923 in der französisch-belgischen Ruhrbesetzung, während gleichzeitig die deutsche Währung in der Hyperinflation ihren Geldwert völlig einbüßte. Die politischen und sozialen Begleiterscheinungen und Konsequenzen dieser sich immer schneller beschleunigenden finanziellen Zerrüttung waren ein weiterer Faktor, der die frühe Republik zu einem Unruheherd werden ließ.

Die Frage nach dem Zusammenhang von wirtschaftlichen Krisen, sozialer Unzufriedenheit und politischen Aufständen verlangt eine differenzierte Beantwortung. Über die materielle Situation der Arbeiterschaft in der Inflationsperiode, über Löhne, Preise, Ernährungslage, Beschäftigungsverhältnisse und Arbeitslosigkeit liegen mittlerweile eine Reihe von allerdings wi-

[2] So der USPD-Politiker Heinrich Ströbel, zitiert nach Susanne Miller, Die Bürde der Macht. Die deutsche Sozialdemokratie 1918–1920. Düsseldorf 1978, S. 286.
[3] So die Leitsätze der KPD-Zentrale vom 19. Mai 1919, ebenda S. 285.

dersprüchlichen Untersuchungen vor, die allgemein gültige Trendaussagen schwermachen[4]. Unbestritten ist, daß die deutsche Wirtschaft im ersten Friedensjahr unter erheblichen Umstellungsproblemen litt, als die aufgeblähte Rüstungsindustrie abgebaut werden mußte und gleichzeitig Millionen von entlassenen Soldaten wieder in den Produktionsprozeß einzugliedern waren. Ab 1920 erlebte die deutsche Wirtschaft jedoch einen kräftigen Aufschwung, der im internationalen Vergleich einen antizyklischen Charakter hatte. Während die westlichen Industriestaaten eine schwere Rekonstruktionskrise mit Massenarbeitslosigkeit und schrumpfenden Produktionsvolumen durchlitten, heizte in Deutschland die Inflationskonjunktur bis 1922 die Wirtschaft an. Ab Sommer 1922 zeichnete sich jedoch ein tiefer Einbruch ab, den die einsetzende Hyperinflation und seit Anfang 1923 der Ruhrkampf bis an die Grenze des ökonomischen Zusammenbruchs verschärften.

Diese Entwicklung hinterließ auch auf dem Arbeitsmarkt ihre Spuren. Einem Anstieg der Arbeitslosigkeit im Winter 1918/19 schloß sich ab Mitte 1919 eine Entspannung der Arbeitsmarktlage an, ohne daß man von einer generell guten Beschäftigungssituation in den ersten Nachkriegsjahren sprechen könnte. Die weitgehend unkoordinierte Unterbringung der Kriegsteilnehmer führte zu einer hohen Fluktuation der Arbeitskräfte, zu Dequalifikation und zu Kurzarbeit, mit der man die vorhandene Arbeit strecken wollte. Auch schon die Demobilmachungsverordnungen hatten aus arbeitsmarktpolitischen Gründen eine Verkürzung der Arbeitszeit vorgeschrieben. Dies bedeutete für viele Arbeitnehmer Rettung aus Arbeitslosigkeit bzw. vermehrte Freizeit, aber auch erhebliche Lohneinbußen. Der inflationsbelebte Aufschwung bewahrte Deutschland allerdings vor dem weltwirtschaftlichen Konjunkturbruch und bescherte dem Land 1921/22 fast eine Phase der Vollbeschäftigung, in der die Arbeitslosenquote zeitweise sogar das Niveau des letzten Vorkriegsjahrfünfts unterschritt: Mit Jahresdurchschnittswerten von 1,8 (1921) und 1,1 (1922) Prozent schnitt man international

---

[4] Vgl. vor allem die einzelnen Beiträge in den von Gerald D. Feldman, Carl-Ludwig Holtfrerich, Gerhard A. Ritter und Peter-Christian Witt hrsg. Sammelbänden: Die deutsche Inflation. Eine Zwischenbilanz. Berlin, New York 1982; Die Erfahrung der Inflation im internationalen Vergleich. Berlin, New York 1984; Die Anpassung an die Inflation. Berlin, New York 1986; siehe ferner Werner Abelshauser (Hrsg.), Die Weimarer Republik als Wohlfahrtsstaat. Zum Verhältnis von Wirtschafts- und Sozialpolitik in der Industriegesellschaft. Stuttgart 1987.

gesehen hervorragend ab, denn in den USA oder in Großbritannien waren die Vergleichswerte zweistellig. Ab Anfang 1923 folgte dann der Umschlag auf dem deutschen Arbeitsmarkt. Die Arbeitslosenzahlen schnellten sprunghaft nach oben und erreichten im Dezember 1923 mit 28,2 Prozent einen bis dahin unbekannten Höhepunkt[5].

Aussagen über die soziale Lage der Arbeiterschaft in der Inflationsperiode sind wegen der bruchstückhaften Überlieferung der Indikatoren besonders problematisch. Behauptungen, wonach sich die Lebensverhältnisse während und nach dem Krieg von Jahr zu Jahr verschlechtert hätten, verfehlen allerdings die Wirklichkeit. Von einer kontinuierlich fortschreitenden Verelendung kann ebensowenig die Rede sein wie von einer kontinuierlich fortschreitenden Verbesserung. Geprägt wurde die Kriegs- und Nachkriegszeit vielmehr von extremen Schwankungen der Reallohnentwicklung. Sie wirkten sich jedoch in den einzelnen Wirtschaftssektoren unterschiedlich stark aus. Im Reichsdurchschnitt war der absolute Tiefstand der Reallöhne im Kriegsjahr 1917 erreicht, der relative Höchststand 1920/21 mit einem Niveau von 70 bis 100 Prozent der Vorkriegslöhne. Dann beherrschten heftige Ausschläge das Bild, weil die Konjunkturen in den verschiedenen Branchen wechselhaft und uneinheitlich waren. Der plötzliche Verfall der inflationären Scheinblüte 1922/23 mündete für viele Arbeiter in der Katastrophe, in der Hunger und Entbehrung ihr Alltagsleben bestimmten.

Die sozialen Kosten der Inflation waren sehr ungleichmäßig verteilt – auch innerhalb der Arbeiterschaft. Regionale und berufliche Differenzierungen im Lohngefüge, Teuerungswellen, die Stadt und Land unterschiedlich heftig erfaßten, besondere Versorgungsprobleme in den Ballungsgebieten, die Wohnungsknappheit, die sozial schwache Familien zum Zusammenrücken zwang, weil sie die steigenden Mieten nicht mehr aufbringen konnten, sowie Krankheit und Arbeitslosigkeit beeinflußten das Haushaltsbudget von Arbeiterfamilien und ihre Existenzmöglichkeiten. Nach den jahrelangen Entbehrungen der Kriegszeit bestand zweifellos ein großer Nachholbedarf an Nahrungsmitteln und an allen Gütern des täglichen Lebens,

[5] Für 1921 und 1922 bezieht sich die Prozentzahl auf die abhängigen Erwerbspersonen, für Dezember 1923 auf die Gewerkschaftsmitglieder. Vgl. Dietmar Petzina, Werner Abelshauser, Anselm Faust, Sozialgeschichtliches Arbeitsbuch III. Materialien zur Statistik des Deutschen Reiches. München 1978, S. 119.

von der Kleidung bis zur Wohnungseinrichtung. Auch wenn bis in das Jahr 1923 hinein die Familieneinkommen ausreichten, um die wichtigsten Grundnahrungsmittel zu beschaffen, so traten doch immer wieder Engpässe auf, die subjektiv als besonders drückend empfunden wurden, weil man sich vom Frieden und von der Republik eine deutlich spürbare Verbesserung der Lebenslage erhofft hatte. Die noch nicht verkrafteten Mangelerscheinungen der Kriegszeit, die in den Krankenstatistiken der Nachkriegsjahre zu Buche schlugen und sich vor allem bei Säuglingen, Kleinkindern und Schülern körperlich und seelisch ausprägten, verstärkten bei den einkommensschwachen Bevölkerungsschichten das Gefühl, auch weiterhin in Elend und Not leben zu müssen. Zwischen der statistischen Armutsgrenze und den individuellen Schätzungen der Zeitgenossen bestand eine breite Kluft, die sich im nachhinein durch quantifizierende Analysen nicht schließen läßt[6].

Wie stark sich die materielle Unzufriedenheit auf die Bereitschaft auswirkte, durch Demonstrationen, Streiks oder Unruhen zu protestieren, kann ebenfalls nicht exakt gemessen werden. Lebensmittelkrawalle und organisierte Felddiebstähle, Hamsterei und Schleichhandel, wachsender Alkoholkonsum und die von den Polizeibehörden besorgt registrierte »Inflationskriminalität« waren Ausdrucksformen einer sozialpsychologischen Krisensituation, deren explosive Bestandteile sich auch in kollektiven politischen Aktionen entladen konnten. Der Arbeiterradikalismus in den ersten Nachkriegsjahren hatte also einen sozialen Hintergrund, ein Potential an allgemeiner Unruhe, das in politische Aufstandsbewegungen umschlagen konnte, und von den Arbeiterparteien und Gewerkschaften nur schwer zu kanalisieren war. Wenn eine gegenrevolutionäre Provokation von rechts als Auslösefaktor von Konflikten hinzukam, wie es vielfach der Fall war[7], dann stand die Republik am Rande eines Bürgerkriegs.

Nach dem Abebben der Massenstreiks und der Zerschlagung der Münchener Räterepublik im Frühjahr 1919 mußte die gesamte radikale Linke in Deutschland, insbesondere die KPD-

[6] Vgl. dazu Merith Niehuss, Lebensweise und Familie in der Inflationszeit. In: Die Anpassung an die Inflation, S. 237–277; siehe im gleichen Band auch die Beiträge von Gunther Mai und Robert Scholz.
[7] Vgl. Hans-Ulrich Ludewig, Arbeiterbewegung und Aufstand. Eine Untersuchung zum Verhalten der Arbeiterparteien in den Aufstandsbewegungen der frühen Weimarer Republik 1920–1923, Husum 1978.

Führung, ihre Strategie überdenken. Von keinem der regionalen und lokalen Unruhezentren war die Initialzündung für einen reichsweiten »Generalaufstand« ausgegangen, wie sich Paul Levi noch im März 1919 in einem Schreiben an Lenin erhofft hatte[8]. Im Gegenteil. Seit der Niederlage in München herrschte Aktionsstille an der politischen Aufstandsfront. Über Teile des Reichsgebiets, darunter das Ruhrgebiet und die Reichshauptstadt, war vom Mai bis Dezember 1919 der Belagerungszustand verhängt, der die KPD in die Illegalität zwang. Ihr Ziel, handlungsfähig zu bleiben, erwies sich unter diesen repressiven Rahmenbedingungen als schwierig. Als unlösbar erwies sich aber die Aufgabe, mehrheitsfähig in der deutschen Arbeiterbewegung zu werden. Die angestrebte Zusammenfassung aller revolutionären Kräfte in ihrer Partei gelang den Kommunisten nicht. Ein Jahr nach der Gründung befand sich die KPD in einer sektenhaften Ghettosituation.

Der Weg in die Bedeutungslosigkeit war durch eine Reihe von subjektiven Fehlern und organisatorischen Mängeln vorgezeichnet. Vor allem jedoch scheiterte die Partei immer wieder an ihrer Unfähigkeit, sich programmatisch und politisch auf die nachrevolutionären Gegebenheiten einzustellen. Es bedurfte eines langen Lernprozesses, bis man akzeptiert hatte, daß in Deutschland die »Diktatur des Proletariats« nicht auf der Tagesordnung stand und daß die Vorstellung, die Arbeiterklasse sei ein einheitliches revolutionäres Subjekt, »von einem abstrakten, idealtypischen Konstrukt« ausging[9]. Weltanschauliche Differenzen und berufliche Binnenstrukturen, unterschiedliche lokale Traditionen und politische Erfahrungen ließen sich in der Theorie, nicht aber in der Realität nivellieren. Dies galt auch innerhalb des Lagers des linken Radikalismus, in dem die KPD mit Syndikalisten, Anarchisten und verschiedenen rätesozialistischen Sondergruppen konkurrieren mußte. Die Parteigeschichte der KPD in der frühen Weimarer Republik ist deshalb eine Geschichte von Fraktionsbildungen und Spaltungen, von gelungenen und mißlungenen Integrationsversuchen, bis dann die Vereinigung mit der linken USPD im Dezember 1920 ihr den Durchbruch zur Massenpartei ermöglichte.

---

[8] Dieses Schreiben zitiert Sigrid Koch-Baumgarten in ihrer Einleitung zur Neuauflage von Ossip K. Flechtheim, Die KPD in der Weimarer Republik. Hamburg 1986, S. 21.
[9] Ebenda, S. 19.

Die verwirrenden Einzelheiten dieser Entwicklung können nur knapp beleuchtet werden[10]. Nach dem Doppelmord an Rosa Luxemburg und Karl Liebknecht, nach dem Tod Franz Mehrings Ende Januar 1919 und nach der Ermordung von Leo Jogiches Anfang März 1919 stand die Partei ohne einen von allen Flügeln anerkannten theoretischen Führer da, der ihr den notwendigen ideologischen Klärungsprozeß hätte erleichtern können. Paul Levi übernahm zwar im Frühjahr die Leitung der Parteizentrale, aber dieser brillante Analytiker und Redner faszinierte mehr die Intellektuellen als die einfachen Parteimitglieder. Seine strategische Marschroute steuerte auf eine strikte Trennung von putschistischen Kräften zu. Er lehnte den bewaffneten Kampf kleiner Minderheiten als aussichtslos ab; zugleich wollte er die KPD zu einer straff zentralisierten Partei umformen, verlangte in der Parlamentsfrage eine Korrektur des negativen Beschlusses des Gründungsparteitages und vertrat in der innerparteilich ebenso umstrittenen Gewerkschaftsfrage ein klares Bekenntnis zur Losung »Hinein in die Gewerkschaften«. Jede dieser Forderungen stieß an der Basis der Partei und bei intellektuellen Verfechtern von antizentralistischen, antiparlamentarischen und antigewerkschaftlichen Organisations- und Politikvorstellungen auf Widerstand.

Die auf illegalen Reichskonferenzen im Sommer 1919 noch erzielten Kompromisse erwiesen sich als wenig haltbar, als im Oktober 1919 der zweite Parteitag der KPD in Heidelberg zusammentrat. Diese ebenfalls illegal durchgeführte Konferenz endete mit dem Bruch zwischen der KPD-Zentrale und der linkskommunistischen Opposition, deren Hochburgen in Hamburg und Bremen lagen. Der Parteitag verabschiedete mit knappen Mehrheiten ›Leitsätze über Kommunistische Grundsätze und Taktik‹, ›Leitsätze über den Parlamentarismus‹ und ›Leitsätze über die Gewerkschaftsfrage‹. Der Tenor dieser Programmdokumente deckte sich mit den Vorstellungen Levis, der in Heidelberg in vielerlei Hinsicht zum »Testamentsvollstrecker« Rosa Luxemburgs wurde[11]. Man erteilte dem Putschismus und Antiparlamentarismus ebenso eine Absage wie der Parole »Heraus aus den Gewerkschaften«, die auf dem Gründungsparteitag noch viel Zustimmung gefunden hatte. Grundsätzlich

[10] Vgl. dazu ausführlich Hans Manfred Bock, Syndikalismus und Linkskommunismus von 1918–1923. Meisenheim am Glan 1969; ders., Geschichte des »linken Radikalismus« in Deutschland. Ein Versuch. Frankfurt 1976.
[11] Winkler, Revolution, S. 249.

wollte die KPD jetzt auf kein politisches Mittel mehr verzichten. Das Arsenal der Kampfwaffen sollte vom Massenstreik und Aufstand über die Beteiligung an Wahlen und parlamentarischen Aktionen bis hin zur Mitarbeit von Kommunisten im »gewerkschaftlichen Heerhaufen« als »Gärstoff« reichen[12]. Insgesamt präsentierten sich die Leitsätze als eine widersprüchliche Thesensammlung, in der sich einerseits die im Oktober 1919 in der KPD verbreitete revolutionäre Ernüchterung widerspiegelte, andererseits aber auch der ungebrochene Wille der Partei, jede Chance zu einer außerparlamentarischen Machteroberung zu nutzen.

Diesem im Vergleich zu vorher moderateren Kurs wollten sich die linkskommunistischen Oppositionsgruppen nicht anschließen. Sie akzeptierten weder den Führungsanspruch der KPD-Zentrale noch ihre eigene programmatische Entmündigung durch den Heidelberger Parteitag. Bis zum Jahreswechsel 1919/20 kämpften beide Richtungen um die Vorherrschaft in der Partei. Allerdings traten zwischen den Zentren der Opposition in Bremen, Hamburg und Dresden interne Meinungsdifferenzen auf, die eine Zusammenfassung dieser mitgliederstärksten KPD-Bezirke verhinderten. Die schwelende Parteikrise beendete schließlich der dritte Parteitag der KPD im Februar 1920 mit einem harten Schnitt. Er schloß die mehrheitlich oppositionellen Parteibezirke Nord (Vorort Hamburg), Nordwest (Vorort Bremen), Niedersachsen (Vorort Hannover), Groß-Berlin und Ostsachsen (Vorort Dresden) aus der Partei aus. Die Folge war eine Spaltung der kommunistischen Bewegung in zwei Parteien, weil die Ausgeschlossenen Anfang April 1920 noch unter dem Eindruck der revolutionären Unentschlossenheit der KPD während des Kapp-Putsches eine eigene Partei gründeten: die »Kommunistische Arbeiterpartei Deutschlands« (KAPD). Ihr Programm griff rätedemokratische Postulate auf, forderte die sofortige Beseitigung der bürgerlichen Demokratie durch die Diktatur der Arbeiterklasse, verwarf die Beteiligung am Parlamentarismus und erklärte die Zertrümmerung der bestehenden Gewerkschaften zum Ziel. Die KAPD wurde zum Sammelbecken der ultralinken Kommunisten. Sie repräsentierte eine Form des Arbeiterradikalismus, den man als utopisch und voluntaristisch, als aktionistisch und maximalistisch charakterisieren kann.

[12] Zitiert nach dem Bericht über den 2. Parteitag der Kommunistischen Partei Deutschlands (Spartakusbund) vom 20. bis 24. Oktober 1919, o. O., o. J., S. 65.

Welche der beiden rivalisierenden kommunistischen Parteien schließlich die Oberhand gewinnen würde, war im Frühjahr 1920 noch nicht abzusehen. Trotz erheblicher Schwierigkeiten, die ihr zuströmenden unzufriedenen kommunistischen Arbeiter unter einem organisatorischen Dach zu sammeln, gelang es der KAPD bis Sommer 1920, rund 40 000 Mitglieder zu gewinnen, wobei neben Berlin vor allem Norddeutschland, Rheinland-Westfalen und Mitteldeutschland als regionale Zentren herausragten. Allerdings scheiterte die Partei dann bei dem Versuch, die verschiedenen rätekommunistischen Konzeptionen auf einen gemeinsamen Nenner zu bringen und zerfiel ab Herbst 1920 in lokale Splittergruppen[13]. Für die KPD bedeutete die von ihr selbst herbeigeführte Trennung von der linken Opposition einen empfindlichen Aderlaß. Sie verlor Anfang 1920 die Hälfte ihrer etwa 100 000 Mitglieder und wurde erst durch die »Blutzufuhr« aus den Reihen der USPD im Dezember 1920 vor dem Dahinsiechen gerettet.

Die Entwicklung beider kommunistischer Parteien wie überhaupt die Geschichte des Linksradikalismus in den Jahren 1919 und 1920 verdeutlichen, wie komplex die sozialen und politischen Binnenstrukturen in den regionalen Verdichtungszonen dieser Richtung waren. Die Durchsetzung eines homogenen Parteikonzepts und die programmatische Profilierung scheiterten nicht nur am ideologischen Grabenkrieg zwischen den intellektuellen Repräsentanten der verschiedenen Flügel, sondern auch an der heterogenen sozialen Zusammensetzung der linksradikalen Bewegung. Zu ihr gehörten idealistisch eingestellte Pazifisten aus dem akademischen Milieu und der Künstlerboheme, ein alter Stamm von revolutionären Parteiarbeitern, die schon in der Vorkriegssozialdemokratie in Opposition zur Parteimehrheit gestanden hatten, sowie viele jugendliche Arbeiter, die als Soldaten oder Rüstungsarbeiter nach links getrieben worden waren und ihre spontane Rebellion gegen Krieg und Kapitalismus nun in der KPD oder der KAPD fortsetzten. Eine geschlossene Bewegung war aus diesen verschiedenen Segmenten des Linksradikalismus nur schwer zu formen.

Vor ähnlichen Problemen wie die KPD stand auch die USPD. Sie durchlief während des Jahres 1919 einen Radikalisierungsprozeß, in dem sie zur Massenpartei wurde und sich gleichzeitig immer weiter vom sozialdemokratischen Reformismus entfern-

---

[13] Vgl. Bock, Syndikalismus, S. 225 ff.

te[14]. Die erste Etappe auf dem Weg nach links war mit dem Berliner Parteitag im März 1919 erreicht. Hier prallten programmatisch zwei Konzepte aufeinander, die unvereinbar waren und eigentlich schon zu diesem Zeitpunkt zur Spaltung der Partei hätten führen müssen. Haase, der Vertreter des ehemaligen Regierungsflügels, legte einen Entwurf für ein Aktionsprogramm vor, der die Prinzipien der parlamentarischen Demokratie und der Rätedemokratie miteinander zu verzahnen suchte. Er forderte den Ausbau des Rätesystems und seine Verankerung in der Verfassung, wollte aber weder die »Diktatur des Proletariats« durchsetzen noch die Wahl der Legislative bestimmten Bevölkerungsgruppen vorbehalten. Für seinen Kontrahenten Däumig gab es nur eine Entscheidung in der Programmdebatte. Sie hieß: »Alle Macht den Räten«. Er erteilte der bürgerlich-liberalen Demokratie eine klare Absage und versprach sich von einer plebiszitären Ergänzung des Parlamentarismus durch Räteorgane nichts.

Der Parteitag endete mit einem programmatischen Scheinkompromiß, der beide Positionen zusammenklammerte, aber so widersprüchlich war, daß er keine politische Belastungsprobe vertrug. In der von den Delegierten formulierten Kundgebung hieß es, die USPD sei die »Bannerträgerin des klassenbewußten Proletariats in seinem revolutionären Befreiungskampf«. Sie erstrebe »die Diktatur des Proletariats, des Vertreters der großen Volksmehrheit, als notwendige Vorbedingung für die Verwirklichung des Sozialismus«. Um dieses Ziel zu erreichen, bediene man sich »aller politischen und wirtschaftlichen Kampfmittel, einschließlich der Parlamente«[15]. Dieses Revolutionsprogramm baute nur noch verbal eine Brücke zwischen den verschiedenen Flügeln der USPD, um die Parteieinheit zu retten. Die Entwicklung der folgenden Monate zeigte, daß die Polarisierung zwischen Gemäßigten und Radikalen durch solche Formelkompromisse nicht mehr aufgehalten werden konnte. Die Partei rückte immer weiter nach links, weil sich auch das Gravitationszentrum ihrer Mitglieder immer weiter in diese Richtung verschob.

Seit den für sie enttäuschend ausgegangenen Wahlen zur Nationalversammlung erlebte die USPD einen Massenzustrom an Mitgliedern und Wählern, der in der Geschichte der deutschen

---

[14] Vgl. zum folgenden Winkler, Revolution, S. 250 ff.; Miller, Bürde, S. 321 ff.
[15] Zitiert nach Miller, Bürde, S. 324.

79

Arbeiterbewegung beispiellos dasteht. Allein zwischen März 1919 und Dezember 1919 stieg die Mitgliederzahl von 300 000 auf 750 000. Gleichzeitig begann der Siegeszug der USPD bei Kommunal- und Kreiswahlen: In Berlin überflügelte sie schon bei den Stadtverordnetenwahlen Ende Februar 1919 die MSPD knapp; bei den Kreiswahlen in München im Juni 1919 erhielt sie 32 Prozent gegenüber 18,8 Prozent für die MSPD. Dies waren nur Vorzeichen einer Entwicklung, die 1920 ihren Höhepunkt erreichte, als auf Reichs- und Länderebene neu gewählt wurde und die USPD vielerorts zur stärksten Arbeiterpartei wurde[16]. Die aus der Wahlgeschichte der USPD bislang aufbereiteten Daten zeigen, daß die Partei ihre traditionellen Hochburgen in Mitteldeutschland (Leipzig, Merseburg, Thüringen) 1920 ausbaute und gleichzeitig in anderen industriellen Konzentrationsgebieten (Groß-Berlin, Ruhrgebiet) zum Teil enorme Gewinne – hauptsächlich auf Kosten der MSPD – erzielte. Die Verluste der MSPD bei den Reichstagswahlen im Juni 1920 schwankten hier zwischen 44 und 60 Prozent, während die USPD im Vergleich zu den Nationalversammlungswahlen bis über 80 Prozent hinzugewann. Geradezu astronomisch waren die USPD-Gewinne 1920 in den Wahlkreisen Württemberg, Franken, Oberbayern, Westfalen-Süd, Weser-Ems, Dresden-Bautzen und Pommern. Legt man die Ausgangszahlen von 1919 zugrunde, so waren dreistellige Zuwachsquoten die Regel. Auffällig ist dabei, daß sich die USPD sowohl in Bezirken mit alter sozialdemokratischer Tradition als auch in Industriestädten und ihrem unmittelbaren ländlichen Umfeld besonders erfolgreich erwies. Diese Ergebnisse deuten einerseits auf eine starke Abwanderung von enttäuschten MSPD-Wählern zur USPD hin, die allerdings nicht in allen Wahlkreisen so umfangreich war, andererseits auf die Mobilisierung der während der Revolution erst politisierten Massen zugunsten einer radikalen Alternative zum sozialdemokratischen Reformismus.

Wie die KPD war auch die USPD eine Partei der jungen Arbeiter, die erst im Krieg in eine für sie noch ungewohnte industrielle Umwelt verpflanzt worden waren bzw. von der Front desillusioniert und zur Gewaltanwendung disponiert

---

[16] Vgl. dazu Jürgen Falter, Thomas Lindenberger, Siegfried Schumann, Wahlen und Abstimmungen in der Weimarer Republik. Materialien zum Wahlverhalten 1919–1933. München 1986, S. 61 ff.; Hartfried Krause, USPD. Zur Geschichte der Unabhängigen Sozialdemokratischen Partei Deutschlands. Frankfurt 1975, S. 172 ff.

heimgekommen waren. Ein soziales Porträt der USPD-Gefolg-
schaft läßt sich nur grob konturieren[17]. Kerngruppen der Partei
bestanden in der mitteldeutschen Chemieindustrie, dem Braun-
kohlen-, Kalisalz- und Erzbergbau, also in Betrieben, die in
vormals ländlichen Räumen während des Krieges aus dem Boden gestampft worden waren und die ihre Belegschaften aus
unterschiedlichen sozialen Schichten rekrutierten. Zur USPD
tendierten aber auch die hochqualifizierten Metallarbeiter, deren Industrieverband seit Oktober 1919 eine Domäne der Unabhängigen war, sowie die Beschäftigten der Textilindustrie,
Eisenbahn- und Bergarbeiter, Schuhmacher und Kürschner.
Der Radikalisierungsprozeß erfaßte also Arbeiter aus Hoch-
lohn- und Niedriglohngruppen, aus modernen und alten Indu-
striezweigen, ferner Handwerksarbeiter und Landarbeiter, die
einen, weil das Fabriksystem ihre Berufsqualifikation entwertet
hatte, die anderen, weil erst die Revolution ihnen zur politischen Mündigkeit verholfen hatte. Gemeinsames Kennzeichen
aller dieser Arbeitergruppen war ihre Militanz, eine während
der Kriegs- und unmittelbaren Nachkriegszeit entstandene Bereitschaft zur direkten Aktion und zu Kampfformen, die sich
gegen sozial-integrative Modelle der Interessenvertretung
wandten und Kompromisse mit der bürgerlichen Demokratie
ablehnten.

Dieses in die USPD einströmende Protestpotential unterstützte bei den innerparteilichen Richtungskämpfen den linken
Flügel. Das zeigte sich bereits im Sommer und Herbst 1919, als
der Streit über den Anschluß an die Kommunistische Internationale die Parteieinheit zwischen Gemäßigten und Radikalen
unterminierte. Für die in Moskau im März 1919 gegründete
Dritte Internationale stellte die Weltrevolution ein erreichbares
Nahziel dar. Ihr bolschewistischer Antiparlamentarismus deckte sich mit den im USPD-Programm formulierten Vorstellungen über die »Diktatur des Proletariats«, nicht jedoch mit den
dort ebenfalls verankerten demokratischen Postulaten. Auf einer Reichskonferenz der USPD im September 1919 stand erstmals das Thema Dritte Internationale auf der Tagesordnung,

---

[17] Vgl. Hartfried Krause, Kontinuität und Wandel. Zur Geschichte der Unab-
hängigen Sozialdemokratischen Partei Deutschlands. Glashütten 1976, S. 27 ff.;
Günther Högl, Gewerkschaften und USPD von 1916–1922. Ein Beitrag zur
Geschichte der deutschen Arbeiterbewegung unter besonderer Berücksichtigung
des Deutschen Metallarbeiter-, Textilarbeiter- und Schuhmacherverbandes. Phil.
Diss. München 1982, S. 229 ff.

das »die Bruchlinie zwischen freiheitlichen und autoritären Sozialisten«[18] markierte, an der im Herbst 1920 die USPD auseinanderbrach. Schon bei dieser Reichskonferenz, erst recht aber auf dem USPD-Parteitag Anfang Dezember 1919 in Leipzig war der Linksruck der Partei unübersehbar. Die Balance zwischen den Flügeln geriet aus dem Lot, obwohl sich die Parteiführung nochmals um einen Kompromiß bemühte.

Das in Leipzig verabschiedete Programm war eine Plattform für den Radikalismus, denn es machte an die parlamentarische Demokratie keinerlei Konzessionen mehr und bezeichnete die »Aktion der Masse« als das »vornehmste Kampfmittel«[19]. Das Bekenntnis zur Rätediktatur untermauerte auch die Resolution zur Frage des Internationalismus: Der zweiten – sozialdemokratischen – Internationale kündigte man endgültig die Gefolgschaft auf; den Anschluß an die Kommunistische Internationale wollte man nach Konsultationen mit den sozialrevolutionären Parteien anderer Länder vornehmen. Damit war prinzipiell der Weg nach Moskau gebahnt, den die USPD ein Jahr später beschritt. Auch die Vorstandswahlen endeten mit einem Sieg der Parteilinken. An die Stelle von Haase, der Anfang November 1919 den Folgen eines Attentats erlegen war, rückte sein Widersacher Däumig. Gleichberechtigter Vorsitzender wurde Arthur Crispien, der den gemäßigten Flügel repräsentierte. Von den fünf weiteren Vorstandsmitgliedern gehörten jedoch drei dem radikalen Flügel an, dessen Übergewicht in der Führungsspitze der USPD somit gesichert war. Mit diesem Parteitag brach die USPD die letzten programmatischen Brücken zur MSPD ab. Die Spaltung der deutschen Arbeiterbewegung in ein revolutionäres und ein reformistisches Lager vertiefte sich, weil die USPD nun ihre Scharnierfunktion zwischen Sozialdemokratie und Kommunismus nicht mehr wahrnahm. Der »dritte Weg« zwischen den Fronten erwies sich programmatisch als zu schmal und mündete in der praktischen Politik in der Polarisierung.

Die während des Weltkriegs wachsende Parteiverdrossenheit und die Parteispaltung von 1917 hatten für die Mehrheitssozialdemokratie einen empfindlichen Aderlaß bedeutet. Aber schon ein halbes Jahr nach Kriegsende lag ihre Mitgliederzahl wie zuletzt im März 1914 wieder über der Millionengrenze. Der

[18] So Winkler, Revolution, S. 254.
[19] Zitiert nach Miller, Bürde, S. 328.

Zustrom neuer Mitglieder glich den Abstrom alter Mitglieder numerisch aus, doch die »Novembersozialisten« erwiesen sich in der Folgezeit oft als politischer Flugsand, der sich kaum oder überhaupt nicht in der Partei festigte. Dagegen hatte man in Traditionsgebieten der Vorkriegssozialdemokratie (Berlin, Mitteldeutschland, Nordwestdeutschland, Niederrhein) viele Mitglieder an die Unabhängigen verloren, in lokalen Extremfällen bis zu vier Fünftel. Ob sich die soziale Zusammensetzung der Partei 1918/19 grundlegend veränderte, läßt sich nicht feststellen, weil entsprechende Daten nicht überliefert sind. Der Anstieg der Mitgliederzahlen in ländlichen Regionen – Ostpreußen und Pommern verzeichneten prozentual den größten Zuwachs – erlaubt nur die Schlußfolgerung, daß die MSPD nach dem Krieg offensichtlich viele Landarbeiter als Neugenossen hinzugewann[20].

Wie die MSPD programmatisch den Wechsel von der kaiserlichen Oppositionspartei zur republikanischen Staatspartei vollziehen sollte, stand eigentlich auf dem Weimarer Parteitag Anfang Juni 1919 zur Debatte. Seine Tagesordnung nahm sich aber »merkwürdig dürftig«[21] aus. Weder über die Sozialisierungsproblematik noch über die gerade stattfindenden Verfassungsberatungen lagen Referate vor. Den breitesten Raum nahmen Organisationsfragen und die Rechenschaftsberichte der Führungsgremien ein, obwohl von der Parteibasis zahlreiche Anträge eingegangen waren, die sich mit dem Thema Sozialisierung und der Forderung beschäftigten, die Spaltung der Arbeiterbewegung wieder zu überwinden. Die Kritik der Delegierten konzentrierte sich dann jedoch auf die Militärpolitik Noskes und auf die ausgebliebene Demokratisierung der preußischen Verwaltung, deren oberster Dienstherr der mehrheitssozialdemokratische Minister Heine war. Am Ende der Beratungen konnten sich alle Minister der MSPD der Loyalität einer großen Mehrheit der Delegierten gewiß sein: Eine Resolution bescheinigte den Kabinettsmitgliedern der Partei, daß ihre »Fehlgriffe und Unterlassungen« nicht »dem Mangel an Einsicht, an Tatkraft oder an gutem Willen« entsprungen seien; die Gründe seien vielmehr in den schwierigen Verhältnissen zu suchen, »die zu bezwingen bisher nicht gelungen ist«[22].

[20] Vgl. ebenda, S. 311 ff.
[21] Ebenda, S. 299.
[22] Abgedruckt ebenda, S. 305.

Dies war eine Generalabsolution mit Vorbehalt, weil man zugleich erwartete, die eigene Regierung werde nun »ohne Zaudern und Schwanken« die Verwirklichung der Parteiziele in Angriff nehmen. Dazu gehörte vor allem die Sozialisierung, die der amtierende Reichswirtschaftsminister Wissell in einem pathetischen Diskussionsbeitrag als die große Zukunftsaufgabe beschwor. Sein Konzept der Gemeinwirtschaft stieß allerdings bei seinen Kabinettskollegen David und Robert Schmidt schon auf dem Parteitag auf scharfe Kritik. Sie wußten aber ebensowenig wie Wissell, wie angesichts des Widerstands der Unternehmer und ohne parlamentarische Mehrheit der Weg zur »Vollsozialisierung« erfolgreich beschritten werden sollte. Man einigte sich schließlich auf Grundsätze über ein wirtschaftliches Rätesystem, das im Artikel 165 der Weimarer Verfassung verankert wurde. Auch der bereits vorliegende Regierungsentwurf über ein Betriebsrätegesetz wurde prinzipiell gebilligt. Seine Verabschiedung im Januar 1920 war aber von schweren Unruhen überschattet, die 42 Menschen das Leben kosteten[23].

Auf ihrem Weimarer Parteitag blieb der MSPD zwar eine Zerreißprobe erspart, unverkennbar war aber auch, daß sich die Partei politisch und programmatisch in einer Identitätskrise befand. Der notwendige Klärungsprozeß wurde allerdings stillschweigend vertagt. Die Mehrheit der Delegierten wollte den Kabinettsmitgliedern aus den eigenen Reihen nicht in den Rücken fallen, zumal zu diesem Zeitpunkt weder der Friedensvertrag noch die neue Verfassung parlamentarisch verabschiedet waren. Die spürbaren Animositäten zwischen einzelnen Ministern und die Konzeptionslosigkeit der Führungsgremien verhießen jedoch für die Zukunft nichts Gutes. Der Abschied von der jahrzehntelangen Oppositionsrolle fiel der Partei sehr schwer, nicht zuletzt deshalb, weil die Last der Regierungsverantwortung sich als eine kaum zu tragende Bürde erwies. Links sah sich die MSPD mit einer wachsenden Opposition aus den ehemals eigenen Reihen konfrontiert, in deren Augen die Republik von Anfang an ein Mißerfolg war; rechts sammelte sich die reaktionäre Fronde der Demokratiefeinde mit dem erklärten Ziel, das Weimarer Experiment so schnell wie möglich und um jeden Preis zum Scheitern zu bringen. Unter diesem Doppeldruck zerfaserte 1919/20 die Koalitionsregierung der Mitte, der es nicht gelang, die Mehrheit von Bürgertum und Arbeiter-

[23] Vgl. dazu Winkler, Revolution, S. 283 ff.

schaft dauerhaft an sich zu binden. Enttäuschung, Erschöpfung und Resignation bei den Regierenden, Erbitterung, Kampfentschlossenheit und Radikalität bei ihren Gegnern ließen die Weimarer Republik bereits 1920 in eine existenzgefährdende Krise geraten.

Der Kapp-Lüttwitz-Putsch im März 1920[24] endete zwar mit einem Abwehrerfolg der Republik über die Konterrevolution, aber dies war für die Demokratie ein teuer erkaufter halber Sieg, wie zweieinhalb Monate später die Ergebnisse der Reichstagswahlen zeigten. Namentlich die MSPD mußte eine deprimierende Wahlniederlage einstecken. Im Vergleich zum Januar 1919 wurde ihre Stimmenzahl fast halbiert, weil große Teile ihrer Wähler und Mitglieder die Politik der Partei nach der Niederwerfung des Putsches nicht billigen konnten. Der Rachefeldzug der Militärs gegen die Aufständischen im Ruhrgebiet Anfang April 1920, vor allem aber die politische Rückendeckung der Reichswehr durch das Reichskabinett stießen in weiten Teilen der Arbeiterschaft auf Ablehnung und Empörung. Die Quittung für ihre Kapitulation vor den Generälen und für ihre immer mehr versandende Reformkraft in der Regierung erhielt die MSPD am 6. Juni 1920: Sie büßte 16,3 Prozent ihrer Stimmen ein und kam nur noch auf einen Anteil von 21,6 Prozent; fast sechs Millionen Wähler hatten sich von der MSPD abgewandt. Da auch die DDP schwere Verluste hinnehmen mußte, waren die Juniwahlen 1920 ein Debakel für die Demokratie. Die Weimarer Koalition verlor ihre Mehrheit, und die Republik geriet in eine parlamentarische Dauerkrise.

Die Einheit der alten sozialdemokratischen Arbeiterbewegung verkörperten im Sommer 1920 nur noch die Freien Gewerkschaften, die sich auf ihrem ersten Nachkriegskongreß Anfang Juli 1919 in Nürnberg eine neue Satzung und einen neuen Namen – »Allgemeiner Deutscher Gewerkschaftsbund« (ADGB) – gegeben hatten. Allerdings zeigte auch die gewerkschaftliche Einheit Risse. Außer mit den alten richtungsgewerkschaftlichen Konkurrenten im Umfeld des Liberalismus und politischen Katholizismus mußte sich der ADGB 1919/20 auch mit syndikalistischen Bewegungen auseinandersetzen. Sie wuchsen vor allem in den großindustriell geprägten Betrieben des Bergbaus, der Chemie-, Eisen-, Stahl- und Textilindustrie zu einer ernsthaften Herausforderung bereits bestehender Ver-

---

[24] Vgl. ausführlich Kap. I.

bände heran. Mit rund 250000 Mitgliedern überrundeten die verschiedenen Arbeiterunionen, die zum Teil der KPD, zum Teil anarcho-syndikalistischen Traditionen nahestanden, 1920 sogar die Hirsch-Dunckerschen Gewerkvereine auf Reichsebene. Doch ihre Blütezeit beschränkte sich auf die krisengeschüttelten Anfangsjahre der Republik, als die Unionsidee bei Betriebsratswahlen auf beachtliche Resonanz stieß. Mit der Stabilisierung der Republik in der Zeit nach 1923/24 zerfiel die syndikalistische Bewegung wieder, deren basisdemokratische Radikalität nun auch in den Großbetrieben an Attraktivität verlor[25].

Im ADGB selbst herrschte in den ersten Nachkriegsjahren alles andere als politische Windstille. Der im Krieg und während der Revolutionsmonate angesammelte innergewerkschaftliche Zündstoff entlud sich erstmals auf dem Nürnberger Gründungskongreß des ADGB, wo sich eine starke Opposition gegen die »Politik der Instanzen« formierte[26]. Sie hatte im Metallarbeiterverband ihren stärksten Rückhalt, war aber auch durch Delegierte der Textilarbeiter, Schuhmacher, Eisenbahner und Bergarbeiter vertreten. Trotz aller Flügelbildungen bei den Vorstandswahlen und den Entscheidungen über die Zentralarbeitsgemeinschaft, den Betriebsräteaufbau und die Sozialisierung konnten aber vorhandene Spaltungstendenzen überbrückt werden. Noch einmal bewährten sich der gewerkschaftliche Disziplinbegriff und der gemeinsame Wille von Mehrheit und Minderheit, die Gewerkschaftseinheit zu erhalten. Man verzichtete in einem Beschluß ostentativ auf die enge Bindung an die MSPD und erklärte die gewerkschaftliche Neutralität im Richtungsstreit der Parteien. Damit wollte man verhindern, daß die politischen Auseinandersetzungen auf die Gewerkschaftsverbände übergriffen. Diese Neutralitätsklausel, die alle Mitglieder des ADGB verpflichtete, innerhalb der Verbände keine parteipolitische Lagerbildung zu versuchen, sollte sich in der Folgezeit als eine scharfe disziplinarische Waffe erweisen, die vor allem gegen kommunistische Gruppen in den Verbänden eingesetzt wurde.

Die nachrevolutionäre Normalität, die mit der Gründung des ADGB und der Verabschiedung der Weimarer Verfassung in

[25] Vgl. Bock, Syndikalismus, S. 122 ff.
[26] Vgl. zur Gewerkschaftsentwicklung nach 1918 Klaus Schönhoven, Die deutschen Gewerkschaften. Frankfurt 1987, S. 119 ff.; Heinrich Potthoff, Freie Gewerkschaften 1918–1933. Der Allgemeine Deutsche Gewerkschaftsbund in der Weimarer Republik. Düsseldorf 1987.

den Gewerkschaften einzukehren schien, ging jedoch bereits im Herbst 1919 wieder zu Ende. Im Oktober 1919 verließ der Metallarbeiterverband die ZAG und kündigte so dem Konzept des Korporatismus seine Gefolgschaft auf. Dadurch war der Lebensnerv der Sozialpartnerschaft schwer getroffen, zumal sich dem Beispiel der Metallarbeiter in den nächsten Jahren sieben weitere Verbände des ADGB anschlossen. Einen Monat später, im November 1919, endete nach sechsmonatigen Auseinandersetzungen ein Tarifkonflikt in der Berliner Metallindustrie mit einem für die Arbeitnehmer völlig unbefriedigenden Schiedsspruch. Die Unternehmer schlugen in den Verteilungskämpfen nun wieder eine härtere Gangart an, zielten eindeutig auf eine Revision des Novemberabkommens von 1918 ab. Die Tage des revolutionsbedingten guten Einvernehmens von Kapital und Arbeit waren abgelaufen, weil die Arbeitgeber zentrale Zugeständnisse, namentlich den Achtstundentag, jetzt wieder aufkündigen wollten. In den Gewerkschaftszentralen mußte man sich langsam mit dem Gedanken vertraut machen, daß manche Hoffnungen der Revolutionsmonate trügerisch gewesen waren und manche unmittelbar nach dem Staatsumsturz verpaßte Chancen nicht mehr wiederkamen.

Diese Lektion lernten die Gewerkschaften vor allem während und nach dem Kapp-Lüttwitz-Putsch, der drastisch offenbarte, wie fließend die Grenzen zwischen gewerkschaftlicher Macht und gewerkschaftlicher Ohnmacht waren. Die Massenmobilisierung der Gewerkschaftsanhänger reichte aus, um den Siegeszug der Reaktion aufzuhalten und um die Weimarer Demokratie zu verteidigen. Eine sozialstaatliche Festigung der Republik oder gar ihre sozialistische Umgestaltung konnten die Gewerkschaften im Frühjahr 1920 nicht mehr durchsetzen, weil ihnen in der politischen Arbeiterbewegung gleichgesinnte Bündnispartner fehlten. Ihre Position war sogar zu schwach, um die Regierungsverantwortung zu übernehmen, denn auch ein Kanzler Legien wäre bei den bestehenden Kräftekonstellationen gezwungen gewesen, gegen kommunistische Aufstandsversuche einzuschreiten, die weit über den gewerkschaftlichen Reformhorizont hinausdrängten. Der »Gewerkschaftsstaat«, von dem während der Putschtage in der bürgerlichen Presse so viel geschrieben wurde, stand also auf sehr wackeligen Beinen. Er war mehr Gespenst als Realität, vor allem auch deshalb, weil nach dem Fehlschlag vom Frühjahr 1920 innerhalb der Gewerkschaften kaum noch Neigung vorhanden war, einen akti-

ven Part im Parlament zu übernehmen. Man kehrte zur vorrevolutionären Gewohnheit zurück und versuchte über die Kanä-
le zur Ministerialbürokratie die in Weimar postulierte Sozial-
staatlichkeit der Republik auszubauen.

Im Sommer 1920 war der Gipfel der gewerkschaftlichen
Machtentfaltung bereits überschritten, und es begann der Abstieg, der sich in den nächsten Jahren zu einer rasanten Talfahrt
beschleunigte. Ihr Tempo ist an der Mitgliederentwicklung ablesbar. In den anderthalb Jahren zwischen Staatsumsturz und
Kapp-Putsch hatten die freigewerkschaftlichen Verbände 6,6
Millionen Erwerbstätige hinzugewonnen, nachdem sie vor dem
Ersten Weltkrieg fast 25 Jahre gebraucht hatten, um 1914 den
Stand von 2,5 Millionen Mitgliedern zu erreichen. Dieser Boom
hielt jedoch nicht an. Bereits 1921 mußte man Einbußen verzeichnen, die sich nach einem kurzen Zwischenhoch Anfang
1922 im letzten Quartal dieses Jahres zu regional und sektoral
schweren Verlusten ausweiteten. In den Jahren 1923 und 1924
setzte als Begleit- und Folgeerscheinung der Hyperinflation ein
Massenexodus aus den Gewerkschaften ein: Ende 1924 hatten
die Verbände des ADGB vier Millionen Mitglieder weniger als
Ende 1920, was eine Halbierung der Mitgliedschaft bedeutete.
Etwas günstiger schnitten die Christlichen Gewerkschaften ab
mit einer Einbuße von 44,6 Prozent nach diesen vier Jahren und
die liberale Richtung, deren Mitgliederrückgang sich im gleichen Zeitraum auf 34,8 Prozent belief. Insgesamt hatten die drei
Dachverbände bis Ende 1924 von ihren 9,3 Millionen Mitgliedern des Jahres 1920 fast die Hälfte, nämlich 4,6 Millionen
Mitglieder wieder verloren[27].

Dieser dramatische Mitgliederrückgang innerhalb einer so
kurzen Zeitspanne wirkte sich nicht nur auf die Stabilität der
Verbände und das Selbstbewußtsein der Gewerkschaftsführer
verheerend aus, er war auch ein Gradmesser für den Prestige-
verlust der Gewerkschaftsbewegung in der Arbeiterschaft und
für ihre wachsende Machtlosigkeit als Gegenspieler der Unternehmer auf dem Arbeitsmarkt. Je länger die Inflation andauerte, desto mehr gerieten die Gewerkschaften in die Defensive
und desto weiter verschob sich das Kräfteverhältnis zugunsten
der Kapitalseite. Die inflationäre Konjunkturbelebung war zunächst von einem unausgesprochenen »Bündnis der Produzen-

[27] Vgl. ebenda, S. 42 ff.

ten gegen die Konsumenten«[28] geprägt gewesen: Die Geldentwertung erlaubte hohe Lohnzugeständnisse, deren Folgekosten auf die Verbraucher abgewälzt wurden; die Gewerkschaften fanden sich mit dieser Ankurbelung des Lohn-Preis-Karussells notgedrungen ab, weil die Zahl der Beschäftigten anstieg und der inflationäre Mechanismus auch Einkommensverschiebungen zugunsten der Arbeiterschaft auslöste und sich ihre Verteilungsposition im Vergleich zu den Beamten und Angestellten relativ verbesserte. Der Inflationskonsens zwischen Arbeit und Kapital zerbrach aber, als den Gewerkschaften klar wurde, daß sie sich auf einen aussichtslosen Wettlauf eingelassen hatten, um Kaufkraftverluste durch Lohnerhöhungen auszugleichen. Dieser Zeitpunkt war spätestens Ende 1922 erreicht, als in wöchentlichen Tarifrunden die Löhne an die Preise angepaßt werden mußten.

Die Mitgliederflucht aus den Gewerkschaften wurde aber nicht nur von der Hyperinflation ausgelöst. Zum Legitimitätsverlust der Verbände in den frühen zwanziger Jahren trug auch maßgebend bei, daß Streiks häufig mit Niederlagen endeten oder durch Schlichtungsentscheidungen beigelegt wurden, die weit hinter den Vorstellungen der Lohnabhängigen zurückblieben. Sozialpolitische Reformen waren seit dem Rückzug der MSPD aus der Regierungsverantwortung im Sommer 1920 nicht mehr durchzusetzen, weil die Flügelparteien der bürgerlichen Minderheitskabinette sich gegenseitig blockierten. So scheiterten die Vorlagen zum Schlichtungs-, Arbeitsgerichts- und Arbeitstarifgesetz; gesetzlich ungeregelt blieb auch die Arbeitslosenversicherung, und nur das 1922 verabschiedete Arbeitsnachweisgesetz, das eine Neuordnung der Stellenvermittlung einleitete, stand schließlich auf der sozialpolitischen Habenseite[29]. In der Wirtschafts- und Steuerpolitik blieben die gewerkschaftlichen Forderungen nach einer Sachwertbesteuerung, die den inflationsbegünstigten Haus- und Produktionsbesitz stärker für die Aufbringung der Reparationen heranziehen sollte, ebenso unberücksichtigt wie die Vorstöße der Gewerk-

[28] So Michael Ruck, Von der Arbeitsgemeinschaft zum Zwangstarif. Die Freien Gewerkschaften im sozialen und politischen Kräftefeld der frühen Weimarer Republik. In: Klaus Schönhoven, Erich Matthias (Hrsg.), Solidarität und Menschenwürde. Etappen der deutschen Gewerkschaftsgeschichte von den Anfängen bis zur Gegenwart. Bonn 1984, S. 133–152, Zitat S. 140.
[29] Vgl. Ludwig Preller, Sozialpolitik in der Weimarer Republik. Düsseldorf 1978 (Nachdruck), S. 255 ff.

schaften zur Bekämpfung der Arbeitslosigkeit, zur Stärkung der Massenkaufkraft, zur Gewinnabschöpfung oder zur Förderung des sozialen Wohnungsbaus. Das politische Klima war den Gewerkschaften ungünstig, während die Unternehmer wieder stark genug waren, um die Rückeroberung des Terrains in Angriff zu nehmen, das sie 1918/19 hatten preisgeben müssen. Ihr Hauptaugenmerk galt dabei der Arbeitszeitfrage und damit dem Achtstundentag, dessen symbolische Bedeutung als Errungenschaft der Revolution die Gewerkschaften immer wieder betont hatten.

Der Konflikt um die Arbeitszeit war ein Grundsatzstreit, bei dem es für beide Seiten nicht nur um ökonomische oder soziale Fragen ging. Die Unternehmer wollten ein Prinzip revidieren, dessen Preisgabe für die Gewerkschaften gleichbedeutend war mit ihrer Kapitulation vor dem Kapital[30]. Die Auseinandersetzungen begannen bereits 1919 in der Montanindustrie, die als Schlüsselsektor der Schwerindustrie und als reparationspolitisches Streitobjekt einen besonderen nationalen Stellenwert besaß. Da die Siegermächte auf einer Erfüllung der deutschen Lieferungen bestanden, was – so die Arbeitgeber – nur durch Mehrarbeit möglich war, gerieten die Gewerkschaften volkswirtschaftlich und außenpolitisch in eine Zwangslage, aus der sie sich im Februar 1920 durch die Zustimmung zu einem Überschichtenabkommen zu befreien suchten. Die nun mögliche Verlängerung der Arbeitszeit über die erst im Frühjahr 1919 nach langen Streiks festgelegte siebenstündige Schichtzeit hinaus konnten die Unternehmer als einen wichtigen Teilerfolg in ihrem Kampf gegen den Achtstundentag verbuchen. Die Gewerkschaften wurden dagegen von der syndikalistischen Opposition attackiert, die den Unmut der Bergarbeiter über die Konzessionsbereitschaft der anderen Verbände organisatorisch auffing und in wilden Streiks mobilisierte[31].

Die Verteidigung des Achtstundentags wurde für die Gewerkschaften immer schwieriger, weil auch seine internationale Einführung auf sich warten ließ. Diese hatte man aber selbst in den Verhandlungen über die ZAG im November 1918 zur Vor-

---

[30] Vgl. dazu Michael Ruck (Bearb.), Die Gewerkschaften in den Anfangsjahren der Republik 1919–1933. Köln 1985.
[31] Vgl. Gerald D. Feldman, Arbeitskonflikte im Ruhrbergbau 1919–1922. Zur Politik von Zechenverband und Gewerkschaften in der Überschichtenfrage. In: Vierteljahrshefte für Zeitgeschichte (VfZ) 28 (1980), S. 168–223; Winkler, Revolution, S. 393 ff.; Ruck, Gewerkschaften, S. 201 ff.

bedingung für seine Beibehaltung in Deutschland gemacht. Als im Frühjahr 1922 in der süddeutschen Metallindustrie ein erbitterter Arbeitskampf ausbrach, in dem die Unternehmer eine Erhöhung der Arbeitszeit von 46 auf 48 Stunden erreichen wollten, standen die Gewerkschaften – auch in der öffentlichen Meinung – auf verlorenem Posten. Nach mehrwöchigen Streiks, vergeblichen Schlichtungsversuchen des Staates und Flächenaussperrungen der Unternehmer endete dieser Konflikt in Bayern, Baden und Württemberg mit einem Sieg der Arbeitgeber, die im Mai 1922 in einer Modellschlichtung de facto die 48-Stunden-Woche durchsetzten. Damit war zwar, nimmt man eine sechstägige Arbeitswoche als Maß, der Achtstundentag noch nicht gefallen, aber die Metallindustriellen hatten bewiesen, daß sie den Willen und auch die Kraft besaßen, eine »Umkehrung der seit der Revolution bestehenden Machtverhältnisse und politischen Prioritäten« zu erzwingen: »Dem reinen Wirtschaftsdenken war der Vorrang gegenüber sozialen Überlegungen« eingeräumt worden[32].

Diesen Konfrontationskurs gegen die Gewerkschaften untermauerte wenige Monate nach dem süddeutschen Metallarbeiterkonflikt der Unternehmer Hugo Stinnes. Ausgerechnet am 9. November 1922 – genau vier Jahre nach dem Staatsumsturz – forderte er eine Verlängerung der täglichen Arbeitszeit auf zehn Stunden und ein Streikverbot für lebenswichtige Betriebe, dessen Nichtbeachtung strafrechtlich verfolgt werden sollte[33]. Stinnes, Mitunterzeichner des ZAG-Abkommens vom November 1918, preschte mit dieser Rede weit vor, weiter als es seine Kollegen im Reichsverband der Deutschen Industrie für ratsam hielten. Doch er setzte ein unübersehbares Signal: Die Idee der Sozialpartnerschaft war für die Schwerindustrie, deren politische und wirtschaftliche Kompaßnadel zurück ins Kaiserreich verwies, anachronistisch geworden. Welche Konsequenzen diese Rückkehr zur vordemokratischen Herr-im-Haus-Politik für die ohnehin schon geschwächten Gewerkschaften haben sollte, zeigte sich im Krisenjahr 1923.

In den Jahren zwischen 1920 und 1922 kam auch die politische Lagerbildung in der Arbeiterbewegung zum Abschluß.

[32] So Gerald D. Feldman, Irmgard Steinisch, Die Weimarer Republik zwischen Sozial- und Wirtschaftsstaat. Die Entscheidung gegen den Achtstundentag. In: Archiv für Sozialgeschichte 18 (1978), S. 353–439, Zitat S. 381.
[33] Vgl. dazu Peter Wulf, Hugo Stinnes. Wirtschaft und Politik 1918–1924. Stuttgart 1979, S. 433 ff.

Die kommunistisch-sozialdemokratische Polarisierung, die mehr als ein Jahrzehnt lang ein Kennzeichen der parteipolitischen Konstellationen in der Weimarer Republik blieb, vollzog sich in zwei Etappen. Zunächst schloß sich im Dezember 1920 die Mehrheit der USPD der KPD an; dem folgte zwei Jahre später die Rückkehr der »Rest-USPD« zur MSPD. Dieser Zerfallsprozeß der Unabhängigen brachte der KPD eine Massenbasis an Mitgliedern, was die Parteiführung darin bestärkte, an ihrem bolschewistischen Umsturzkurs festzuhalten, während die MSPD nach der Wiedervereinigung mit der gemäßigten USPD im September 1922 programmatisch auf einen Weg einschwenkte, dessen Ziel Erfurt, also der marxistische Traditionalismus war. Das intransingente Revolutionskonzept der Kommunisten und das instrumentelle Demokratieverständnis der Sozialdemokraten trugen zu einer doppelten Ghettoisierung der Linken in den frühen zwanziger Jahren bei: Die KPD manövrierte sich durch ihren Putschismus ins politische Abseits; die SPD erschwerte sich durch die Wiederbelebung der Klassenkampfdogmen der Vorkriegszeit die Zusammenarbeit mit dem Bürgertum.

Die USPD zerbrach im Herbst 1920 an ihrer ideologischen Heterogenität und an der Spaltungsstrategie der Kommunistischen Internationale, aus deren Sicht es zwischen Reformismus und Bolschewismus keine dritte Kraft geben durfte. Der seit 1919 schwelende innerparteiliche Konflikt über den Anschluß an die Komintern wurde in Moskau vorentschieden, als das Exekutivbüro der Dritten Internationale im August 1920 21 Bedingungen formulierte, die eine straffe Unterordnung aller Mitgliederparteien unter den Moskauer Zentralismus forderten.[34] Für die Mehrzahl der Delegierten, die im Oktober 1920 in Halle zu einem Sonderparteitag der USPD zusammenkamen, war ein bolschewistischer Durchbruch in Deutschland nur erreichbar, wenn man auch organisatorisch den Schulterschluß mit den russischen Klassenbrüdern vollzog. Einwände, daß Revolutionen sich nicht »durch irgendeinen Befehl von außen her«[35] weitertreiben ließen, verfingen bei den Befürwortern des Moskauer Diktats nicht. Ihre politische Perspektive war der »deutsche Oktober«, die kommunistische Vollendung der Re-

[34] Abgedruckt bei Hermann Weber (Hrsg.), Die Kommunistische Internationale. Eine Dokumentation. Hannover 1966, S. 48 ff.
[35] So Rudolf Hilferding auf dem Parteitag, zitiert nach Winkler, Revolution, S. 475.

volution von 1918/19. Für die Gegner dieses utopischen Kurses – sie unterlagen in Halle mit 156 gegen 236 Stimmen – war damit das Ende der Parteieinheit gekommen, was sie durch ihren Auszug aus dem Parteitagsplenum augenfällig demonstrierten.

Im Dezember 1920 vereinigten sich die Sieger von Halle mit der KPD, die durch diese Fusion zu ihren 70000 Mitgliedern 370000 neue Mitglieder hinzugewann. Der »Rest-USPD« blieben immerhin 340000 Mitglieder der alten Partei erhalten. Ein Fünftel der ehemaligen USPD-Mitglieder – rund 180000 Personen – kehrten beiden Parteien enttäuscht den Rücken[36]. Diese Flurbereinigung im linken Segment der Arbeiterbewegung vereinfachte die parteipolitische Situation zunächst nicht, sondern ließ sie nur noch schwieriger werden. Die fast auf ein Drittel ihres ehemaligen Mitgliederstandes geschrumpfte USPD schwankte in den folgenden Jahren nämlich zwischen einem prinzipientreuen Radikalismus, um sich gegen die KPD zu behaupten, und einer vorsichtigen Öffnung zur MSPD, um auch für gemäßigtere Wähler eine Alternative zu bleiben. Dieser Zickzackkurs machte die Partei parlamentarisch unberechenbar und politisch unglaubwürdig, auch bei ihren eigenen Mitgliedern. Eigentlich war der Weg zur Wiedervereinigung mit der MSPD schon vorgezeichnet, als man sich in Halle gegen Moskau entschieden hatte. Aber es dauerte noch zwei Jahre, bis im September 1922 der entscheidende Schritt folgte und die USPD mit rund 300000 Mitgliedern in die Partei zurückkehrte, die sie fünfeinhalb Jahre zuvor verlassen hatte.

Die KPD-Führung glaubte am Jahresende 1920, nun endlich die notwendige Massenbasis zu besitzen, um die revolutionäre Offensive gegen die Republik erfolgreich starten zu können: Mit dem Jahr 1921 begann die »Kampfzeit« der KPD, die bis zum Herbst 1923 andauerte und der Partei eine Fülle von internen Krisen und schwere Niederlagen bei ihren bewaffneten Aufstandsversuchen bescherte[37]. Unterbrochen wurde diese Phase der Konfrontation immer wieder von kommunistischen Einheitsfrontangeboten. Sie richteten sich einmal an die MSPD, ein anderes Mal an die Gewerkschaften, einmal zielten sie auf eine »Einheitsfront von unten«, um die Mitglieder des sozialdemokratischen Lagers den Führungen von MSPD und ADGB zu

[36] Vgl. ebenda, S. 482ff., 504ff.
[37] Ausführlich dazu Werner T. Angress, Die Kampfzeit der KPD 1921–1923. Düsseldorf 1973.

entfremden, ein anderes Mal proklamierte man die »Einheitsfront von oben« und bot den Vorständen der Gegenseite die Zusammenarbeit an. Hinter diesen verwirrenden taktischen Manövern verbargen sich innerkommunistische Richtungswechsel, deren Drahtzieher oft in Moskau zu finden waren. Ihre widersprüchliche Politik bezahlte die KPD mit großen Mitgliederverlusten – bis 1924 schrumpfte sie zu einer Protestpartei von 100000 Mitgliedern – und mit dem häufigen Austausch ihrer Parteiführungen. Hinzu kamen der Ausschluß von prominenten Politikern aus der Partei sowie die Gründung von allerdings nur kurzlebigen kommunistischen Konkurrenzorganisationen.

Den Auftakt zu den kommunistischen Aufstandsversuchen bildete die sogenannte »Märzaktion« von 1921, über deren Vorgeschichte es immer noch viele Unklarheiten gibt[38]. Kein Zweifel kann jedoch daran bestehen, daß innerhalb der KPD-Führung die Linke auf eine revolutionäre Offensive gegen die Republik drängte, um den im Frühjahr 1920 erlahmten und erstickten Protestbewegungen der Arbeiter neuen Auftrieb zu geben. Ihre ebenso riskante wie abenteuerliche Taktik zielte darauf ab, durch einen kommunistischen Putsch staatliche Gegenmaßnahmen zu provozieren, die wiederum als Anlaß herhalten sollten, die Arbeiter zur Abwehr der drohenden »Konterrevolution« zu mobilisieren. Realistischer denkende Parteiführer, vor allem Paul Levi, Clara Zetkin und Ernst Däumig, verwarfen dieses Konzept. Sie plädierten dafür, erst Gewerkschafter, Sozialdemokraten, Unabhängige und Unorganisierte für eine Einheitsfront zu gewinnen, bevor überhaupt an Massenaktionen zu denken sei. Entscheidend in dieser Situation war, daß die Moskauer Kominternführung in die innerparteiliche Meinungsbildung massiv eingriff und die putschistische Offensivphilosophie der ultralinken Führungsgruppe nachdrücklich unterstützte. Ob die Komintern eine revolutionäre Initiative in Deutschland nur deshalb befürwortete, weil diese auch von den innerrussischen Schwierigkeiten der Bolschewiki ablenken konnte, ist nicht zu beweisen. Jedenfalls wurden von Moskau drei Emissäre nach Berlin in Marsch gesetzt, die dort allerdings erst eintrafen, nachdem die Parteilinke schon die Zentrale erobert und einen Kurswechsel eingeleitet hatte.

---

[38] Vgl. ebenda, S. 139 ff.; Sigrid Koch-Baumgarten, Aufstand der Avantgarde. Die Märzaktion der KPD 1921. Frankfurt, New York 1986.

Die Moskauer Delegation und die KPD-Zentrale diskutierten noch den Aufstandstermin, als überraschend Polizeieinheiten in das Industriegebiet Halle-Merseburg entsandt wurden, um diesen unruhigen Bezirk zu »befrieden«. Seit dem Kapp-Lüttwitz-Putsch war es hier immer wieder zu wilden Streiks, Plünderungen und Gewalttätigkeiten gekommen, die der sozialdemokratische Oberpräsident der preußischen Provinz Sachsen nun endgültig beilegen wollte. Die Polizeiaktion in Mitteldeutschland, auch als Präventivschlag gegen einen möglichen kommunistischen Putsch gedacht, wurde zum Auslöser dieses Putsches, der eigentlich nach den Planungen der kommunistischen Zentrale erst zwei Wochen später hätte entfesselt werden sollen. Die preußische Schutzpolizei lieferte also den Anlaß für die überstürzte Vorverlegung eines kommunistischen Aufstandes, der in Moskau und Berlin aber schon beschlossene Sache war.

Die Kämpfe in Mitteldeutschland begannen am 19. März und endeten am 29. März mit der völligen Niederlage der Aufständischen. Ein Erfolg des unkoordiniert in Szene gesetzten und planlos durchgeführten Unternehmens war von vornherein ausgeschlossen. Die Hoffnungen der Kommunisten, in Mitteldeutschland einen revolutionären Flächenbrand entfachen zu können, der dann das ganze Reichsgebiet erfassen sollte, wurden bitter enttäuscht. Auf dem Höhepunkt der Märzaktion streikten in Mitteldeutschland etwa 120 000 Arbeiter, und die Zahl der bewaffneten Kämpfer betrug nie mehr als 3000. Hinzu kamen Streiks und Demonstrationen der Hamburger Werftarbeiter mit etwa 20 000 Beteiligten und halbherzige Protestbewegungen der Bergarbeiter in Rheinland-Westfalen. Insgesamt beteiligten sich im gesamten Reichsgebiet nicht mehr als 200 000 Arbeiter an dem von der KPD proklamierten Generalstreik – eine Gesamtzahl, die kleiner war als die Mitgliederzahl der KPD. Die Sinnlosigkeit der Märzaktion, die 145 Tote kostete, enthüllen diese Angaben. Sie zeigen aber auch, wie realitätsfern die Revolutionshoffnungen der KPD im Frühjahr 1921 waren.

Die Folgen der Märzaktion, die man besser als die Märzkatastrophe des Putschismus bezeichnen sollte, waren für die KPD gravierend. Der Aufstieg der Partei zu einer Massenpartei fand ein abruptes Ende. Mindestens 200 000 Mitglieder, die größtenteils erst wenige Monate früher aus der USPD in die KPD geströmt waren, verließen die Partei wieder. Zur Austrittswelle kamen innerparteiliche Querelen, Rivalitäten und Aversionen hinzu, so daß auch der Kern der kommunistischen Aktivisten erheblich abschmolz. Im Karussell der Mitgliederfluktuation und Führungswechsel konnte die KPD in der Folgezeit weder organisatorische Stabilität noch ein klares programmatisches Profil gewinnen. Die disziplinarische Maßregelung der innerparteilichen Opposition durch die gescheiterten Offensivtheoretiker – sie gipfelte im Ausschluß des ehemaligen Vorsitzenden Levi – schuf zwar die Voraussetzung für den Vormarsch ultralinker Funktionäre im Parteiapparat, aber gerade diese Gruppe hatte in der Arbeiterschaft den kleinsten Anhang. Das Fiasko der Aufstandsbewegung vom März 1921 wurde nicht zum Anstoß kommunistischer Selbstkritik. Die Parteikrise endete vielmehr mit dem Sieg derjenigen Kräfte, deren bolschewistische Selbstgerechtigkeit auch durch schwerste Niederlagen nicht zu erschüttern war. Ihre sozialrevolutionäre »Realpolitik« besaß in der Arbeiterschaft keine Massenbasis, auch nicht während der Hyperinflation von 1922/23, als die KPD trotz eines Anwachsens des Arbeiterradikalismus nicht aus ihrer politischen Randexistenz herauskam.

Im gleichen Zeitraum, in dem die KPD mit dem Feuer des Putschismus spielte oder Einheitsfrontpläne schmiedete, fand auch die MSPD nicht zu einem klaren politischen Kurs. Nach ihrer schweren Wahlniederlage im Juni 1920 hatte sich die Partei in die Opposition zurückgezogen. Vorher war eine Erweiterung der parlamentarisch in die Minderheit geratenen Weimarer Koalition nach links am Nein der USPD und an den Vorbehalten des politischen Katholizismus und des Linksliberalismus gescheitert. Die außerdem noch mögliche Mehrheitsbildung nach rechts durch die Aufnahme der DVP in die Regierung konnte die MSPD ihrem Anhang auf keinen Fall zumuten, nachdem die Stresemann-Partei beim Kapp-Putsch und im Reichstagswahlkampf ihre Distanz zur Republik überdeutlich zur Schau gestellt hatte. Das Ausscheiden der sozialdemokratischen Minister aus dem Reichskabinett nahm man in den Reihen der MSPD mit Erleichterung auf, schien die Partei doch damit vom Druck der immer schwerer gewordenen Verantwortung befreit zu sein. Aber auch in der Opposition gewann die MSPD keinen größeren Handlungsspielraum. Als Gründungspartei der Republik wurde sie auch weiterhin in die Pflicht genommen.

Das Reparationsultimatum der Siegermächte erzwang innen- und außenpolitisch ein Zusammenrücken der Demokraten, deren parlamentarische Basis ohnehin äußerst schmal war. Die

Wiederbelebung der Weimarer Koalition im Mai 1921 war die logische Folge. Doch die Regierung des Zentrumskanzlers Wirth mußte mit wechselnden Mehrheiten regieren, um sich im Reichstag über Wasser zu halten. Die Frage eines Ausbaus nach rechts oder links begleitete sie von ihrer ersten Stunde an. Entschieden werden konnte diese Frage jedoch nicht, weil die MSPD mit Blick auf ihre linke Konkurrenz keine Große Koalition mit der DVP bilden wollte und weil ihre katholisch-liberalen Partner eine Linksverlagerung des Kabinetts durch die Aufnahme der USPD ebenso kompromißlos ablehnten. Diese gegenseitige Blockade dauerte bis zum Herbst 1922 an und ließ das einmal umgebildete Minderheitskabinett Wirth zu einem krisenanfälligen Provisorium werden. Die Ablösung dieser Parteienregierung durch das Präsidialkabinett Cuno im November 1922 demonstrierte die mangelnde Integrationskraft des parlamentarischen Systems und damit auch die permanente Strukturkrise der Republik: Die Weimarer Koalition zerbrach ausgerechnet zu einem Zeitpunkt, als sie wieder über eine solide Mehrheit im Reichstag verfügte, nämlich nach der Rückkehr des größeren Teils der USPD in die MSPD. In dieser Situation drängten Zentrum und DDP auf eine Einbeziehung der DVP in die Regierungsverantwortung, um das bürgerliche Gewicht im Kabinett zu stärken, während die SPD aus innerparteilichen Rücksichten auf ihren eben angewachsenen linken Flügel sich nicht dazu in der Lage sah, diesen Schritt zur Großen Koalition zu tun, zumal er parlamentarisch jetzt auch nicht mehr zwingend war. Ihren Rückzug aus der Regierungsverantwortung vollzog die SPD im November 1922 als Arbeiterpartei; als republikanische Staatspartei mußte sie einen Rechtsruck im Reich in Kauf nehmen, weil sich ihre bürgerlichen Koalitionspartner einer politischen Öffnung nach links versperrten.

Im Krisenjahr 1923, in dem die Republik am Rand des Untergangs stand, kam es auf dem Höhepunkt der innen-, außen- und wirtschaftspolitischen Wirren dann doch zur Bildung einer Großen Koalition. Der Abbruch des passiven Widerstands im Ruhrgebiet und die Sanierung der völlig zerrütteten deutschen Währung konnten nur in einem gemeinsamen Kraftakt aller realpolitisch eingestellten Parteien vollbracht werden. Da die DVP, von dem außenpolitischen Pragmatiker Stresemann gesteuert, sich der nun erforderlichen Generalbereinigung der deutschen Position nicht versperrte, mußte die SPD mit ihr im August 1923 ein Notbündnis zur Rettung der Republik eingehen. Dies forderten auch die Spitzengremien des ADGB, die seit April 1923 den immer aussichtsloser werdenden Ruhrkampf gegen die französisch-belgische Besatzungsmacht nur noch mit halbem Herzen geführt hatten[39]. Sie trugen nämlich seit Januar die soziale Hauptlast in der »nationalen Einheitsfront« und bezahlten die Abwehrarbeit an Rhein und Ruhr mit ihrem finanziellen Ruin, schweren Mitgliedereinbußen und dem völligen Verlust ihrer Handlungsfreiheit. Gewerkschaftliche Hoffnungen auf eine Burgfriedenspolitik der Arbeitgeber in der Lohn- und Arbeitszeitfrage wurden 1923 bitter enttäuscht. Der »Geist vom August 1914«, den die Gewerkschaften nach dem Einmarsch der Franzosen in das Revier beschworen, ließ sich nicht wiederbeleben. Die Unternehmer nutzten vielmehr die Gunst der Stunde zu einem Generalangriff auf den Achtstundentag. Selbst die Christlichen Gewerkschaften, die den Kampf gegen Frankreich rückhaltlos unterstützten, mußten sich im November 1923 eingestehen, daß dieser »im Sumpfe des Mammons« versackt war[40].

Nicht nur die Gewerkschaften standen am Ende des Jahres 1923 vor einem Scherbenhaufen. Ähnliches gilt auch für die KPD und die SPD. Die Kommunisten waren doppelt gescheitert, zunächst mit ihrem nationalbolschewistischen »Schlageter-Kurs«, der sie im Sommer 1923 für eine kurze Zeit zur Zusammenarbeit mit rechtsradikalen Gruppen verleitet hatte[41], dann mit ihrer revolutionären Umsturzpolitik im Herbst 1923, als sie die dramatische Zuspitzung der Staatskrise für eine deutsche Oktoberrevolution nutzen wollten. Operationsbasen sollten die beiden Länder Thüringen und Sachsen sein, wo sich im Oktober 1923 parlamentarisch legitimierte Einheitsfrontregierungen aus SPD und KPD bildeten. Deren Ziel war es – aus dem Blickwinkel der regionalen Parteigliederungen der SPD –, die Republik gegen den aus Bayern drohenden Vorstoß der Gegenrevolution zu verteidigen; die KPD-Führung forderte die Proklamation eines Generalstreiks und sah in den »Proletari-

[39] Vgl. dazu Michael Ruck, Die Freien Gewerkschaften im Ruhrkampf 1923. Köln 1986.

[40] Zitiert nach Michael Schneider, Die Christlichen Gewerkschaften 1894–1933. Bonn 1982, S. 525.

[41] Vgl. dazu Otto Ernst Schüddekopf, Linke Leute von rechts. Die nationalrevolutionären Minderheiten und der Kommunismus in der Weimarer Republik. Stuttgart 1960; Angress, Die Kampfzeit der KPD, S. 348 ff.; ferner Michael Ruck, Bollwerk gegen Hitler? Arbeiterschaft, Arbeiterbewegung und die Anfänge des Nationalsozialismus. Köln 1988.

schen Hundertschaften« in Sachsen nicht nur eine Schutztruppe der Republik, sondern auch die bewaffnete Avantgarde für einen Aufstand.

Für die SPD, die im Reich mit der rechtslastigen DVP regierte, wurde die mitteldeutsche Einheitsfrontpolitik mit der KPD zu einem Experiment mit schlimmen Folgen. Als Reichspräsident Ebert die Reichsexekution gegen Sachsen verhängte, um dort die Rechtssicherheit wiederherzustellen, mußte die Parteiführung der SPD erkennen, daß ihre bürgerlichen Koalitionspartner in Berlin die Lage in München und Dresden mit unterschiedlicher Elle maßen: Man war zu einem scharfen Vorgehen gegen die Kommunisten entschlossen, nicht jedoch gegen die radikale Rechte, die über Bayern hinaus Sympathien in der Reichswehr genoß. Der Teilkapitulation der bürgerlichen Parteien vor dem Aufmarsch der Reaktion in Bayern und ihrer Politik der harten Hand gegen die linksradikalen Kräfte in Sachsen und Thüringen konnte die SPD nicht zustimmen, wollte sie nicht den letzten Kredit bei ihren Anhängern verspielen. Die Aufkündigung der Großen Koalition war für sie unvermeidbar, als sich Anfang November 1923 die bürgerlichen Reichsminister weigerten, gegen Bayern ebenso energisch einzuschreiten wie gegen die sächsische Landesregierung, deren Amtsenthebung bis in die Ministerien vorgerückte Reichswehreinheiten erzwungen hatten[42]. Dieses Mal hatte das Ausscheiden der SPD aus dem Reichskabinett jedoch gravierende Folgen. Die Partei konnte erst viereinhalb Jahre später, im Juni 1928, wieder Regierungsverantwortung übernehmen.

Für die KPD endete der »deutsche Oktober« im Herbst 1923 mit einem Desaster. Die auch mit Hilfe von sowjetischen Experten vorbereitete reichsweite Erhebung war zwar von der Parteizentrale in letzter Minute abgeblasen worden, als Regierungstruppen nach Mitteldeutschland einmarschierten, aber diesen Beschluß hatte der Hamburger Parteibezirk nicht befolgt. Hier brach am 23. Oktober ein lokaler Aufstand los, der jedoch nach zwei Tagen bereits niedergeschlagen war. Das Scheitern dieses isolierten Unternehmens machte endgültig deutlich, daß die Stunde der »zweiten Revolution« in Deutschland nicht mehr kommen würde, weil die Mehrheit der Arbeiterschaft die kommunistische Gewaltpolitik ablehnte. Dreimal

---

[42] Vgl. zu den einzelnen Vorgängen im Oktober 1923 Winkler, Revolution, S. 605 ff.; Angress, Die Kampfzeit der KPD, S. 413 ff.

war der Anlauf der KPD zur Macht in verheerende Niederlagen gemündet: 1919 in den Räterepubliken Bremen und München, 1921 in der mitteldeutschen Märzaktion und 1923 im Hamburger Aufstand. Die KPD, die nach dem mißglückten Oktoberputsch in der Hansestadt im ganzen Reichsgebiet verboten wurde, mußte an der Jahreswende 1923/24 eine Etappe ihrer Parteigeschichte erfolglos abschließen, die Etappe der bolschewistischen Machteroberung.

Im Herbst 1923 ging auch die Phase einer zeitweisen Annäherung von Teilen der SPD und der KPD endgültig zu Ende. Dazu war es zweimal gekommen: im März 1920 beim Generalstreik gegen den Kapp-Lüttwitz-Putsch und im Oktober 1923, als die bedrohliche Konzentration der gegenrevolutionären Kräfte in Bayern den Abschluß eines sozialdemokratisch-kommunistischen Regierungsbündnisses in Sachsen und in Thüringen auslöste. In beiden Fällen erschöpfte sich der Vorrat an Gemeinsamkeiten jedoch schnell. Die KPD sah jedesmal das Aktionsbündnis mit der Sozialdemokratie nur als eine Durchgangsstation auf ihrem Weg zur revolutionären Offensive gegen Weimar an. Da die SPD eine Beseitigung der demokratischen Ordnung weder von rechts noch von links hinnehmen wollte, waren ihrer Annäherung an die KPD Grenzen gesetzt. Die Partei schaltete sofort auf eine Politik der Konfrontation um, sobald der Kommunismus die Diktatur des Proletariats als seine Kampfparole ausgab. Dem Putschismus der radikalen Linken stellte sich die SPD dann ebenso entschlossen entgegen wie dem Putschismus der radikalen Rechten. Ihre Defensiverfolge gegen die Republikgegner von rechts und links trugen aber immer den Charakter von Pyrrhussiegen. Sie vertieften die Spaltung der Arbeiterbewegung und sie stabilisierten das bürgerliche Lager, das 1920 und 1923 gestärkt aus den Konflikten hervorging. Die Sicherung der parlamentarischen Demokratie mußte der Reformismus in einem Zweifrontenkrieg erkämpfen. Sein eigenes Ziel, der gesetzliche Ausbau der politischen und sozialen Verfassungsgarantien, blieb dabei auf der Strecke.

3. Die Phase der Konsolidierung 1924–29:
Koexistenz in der Konkurrenzdemokratie

Auf dem dritten Kongreß des Allgemeinen freien Angestell-
tenbundes, der Anfang Oktober 1928 in Hamburg tagte,
hielt der Sozialwissenschaftler Emil Lederer einen Vortrag
mit dem Titel ›Die Umschichtung des Proletariats‹. In diesem Vortrag wertete er die Ergebnisse der Volks- und Berufszählung von 1925 aus. Sein Befund lautete, die »Kern-
truppen des Proletariats«, die gewerblichen Arbeiter, seien
»eine Minderheit der Bevölkerung«; der Anteil der Arbeiter
an den Erwerbstätigen sei seit 1895 kontinuierlich von 56,8
auf 45,1 Prozent (1925) geschrumpft; vermehrt hätten sich
im gleichen Zeitraum die »kapitalistischen Zwischenschichten«, also »die Angestellten aller Grade, das technische Per-
sonal bis hinunter zu den Funktionären, welche zwischen
Arbeitern und Angestellten stehen, aber ihrem Bewußtsein
nach eher zu den Angestellten rechnen«. Lederer zog aus
seiner Analyse die Schlußfolgerung, die moderne Gesellschaft sei im Gegensatz zu den Prognosen des Kommunistischen Manifests »weit davon entfernt, sich in wenige große und homogene Klassen zu spalten«. Er betonte vielmehr
die »Verschiedenheiten der individuellen ökonomischen Situationen« und die »Tendenzen zur immer stärkeren Auf-
gliederung und Zerspaltung« des deutschen Sozialprofils.
Gleichzeitig wies Lederer aber auch darauf hin, daß zwei
Drittel der Erwerbstätigen, nämlich 21 von 32 Millionen,
zu den »Schichten der Unselbständigen« zählten, denen »das
Gesetz ihres Tuns vom Kapital her vorgeschrieben« werde.

Am Ende seiner Überlegungen ging Lederer auf die politischen Folgen des strukturellen Wandels ein und konstatierte,
die Idee des Sozialismus verändere sich »unter dem Druck dieser Tatsachen«. Er plädierte für einen reformistischen Kurs und
warnte vor drohenden Gefahren: »In dieser Evolution wird
alles darauf ankommen, ob es gelingt, in Ideologie, politischer
Haltung und Aktion der Massen, welche dasselbe Schicksal
eint, völlige Übereinstimmung und das Bewußtsein von einem
gemeinsamen Ziel zu schaffen. Nur dies böte die Sicherheit für
eine Evolution in Wirtschaft und Lebensschicksal, in der die
inneren Strukturwandlungen unserer Epoche Gestalt und Ausdruck finden. Fällt aber diese Masse auseinander, so stehen wir
im Anbeginn einer universalen Krise, in deren Spannungen die

fundamentalen Gegensätze bis in den Bürgerkrieg treiben können.«[1]

Lederers Hinweise auf unübersehbare Entwicklungstendenzen zur Dienstleistungsgesellschaft und auf mögliche politische Folgen dieses Prozesses für die Arbeiterbewegung richteten sich eindeutig an die Adresse der SPD. Sie waren ein Plädoyer für eine soziale Öffnung der Partei und für die Integration der Mittelschichten in ein klassenübergreifendes Konzept des demokratischen Sozialismus. Die Einsicht, daß die Klassenanalyse der Vorkriegssozialdemokratie, die ein stetiges Anwachsen des Proletariats und eine sich damit gleichsam automatisch einstellende Hegemonie im politischen System prognostiziert hatte, revisionsbedürftig war, gewann allerdings in den Reihen der SPD kaum an Boden. Obwohl auf den Parteitagen der zwanziger Jahre in einzelnen Diskussionsbeiträgen das marxistische Klassenschema in Frage gestellt wurde, fiel der Sozialdemokratie der Abschied vom Erfurter Determinismus sehr schwer. Das hatte eine Reihe von Gründen.

Die im Rückblick von Historikern geäußerte Kritik, die Weimarer SPD sei organisatorisch zu immobil und ideologisch zu traditionsverhaftet gewesen, argumentiert aus dem Erfahrungshorizont der Zeit nach 1945. Ob der Weg zur Volkspartei, programmatisch 1959 in Godesberg abgesteckt, bereits vor 1933 erfolgreich gangbar gewesen wäre, ist mehr als zweifelhaft. Zunächst wird man festhalten müssen, daß auf reichsweiten statistischen Erhebungen basierende soziologische Überlegungen zur Umschichtung der Erwerbsbevölkerung erst in den späten zwanziger und frühen dreißiger Jahren erstellt wurden. Dies war aber die Phase der Staatskrise der Weimarer Republik, deren Turbulenzen der Sozialdemokratie keine Zeit für klassenanalytische Grundsatzdiskussionen und ihre strategische Konkretisierung ließen. Eine Überprüfung und Teilrevision der Erfurter Aussagen war allerdings schon 1921 auf dem Görlitzer Parteitag erfolgt. Das hier verabschiedete Programm hatte die SPD als »die Partei des arbeitenden Volkes in Stadt und Land«

---

[1] Zitiert nach der Druckfassung des Vortrags, die 1929 unter dem Titel ›Die Umschichtung des Proletariats und die kapitalistischen Zwischenschichten‹ erschien. Wieder veröffentlicht in: Emil Lederer, Kapitalismus, Klassenstrukturen und Probleme der Demokratie in Deutschland. Ausgewählte Aufsätze mit einem Beitrag von Hans Speier und einer Bibliographie von Bernd Uhlmann hrsg. von Jürgen Kocka. Göttingen 1979, S. 172–185.

bezeichnet[2] und damit ein Überschreiten überkommener Klassengrenzen gefordert. Görlitz und damit der Versuch, Volkspartei zu werden, blieb jedoch Episode. Bereits ein Jahr später, im Herbst 1922, wurde das Programm Makulatur, weil mit der Rest-USPD die alte Linke und ihre Theoretiker in die Partei zurückkehrten, die jede Korrektur an den Kernaussagen des »wissenschaftlichen Sozialismus« entschieden ablehnten.

Den ideologischen Preis für die Wiedervereinigung mit der USPD mußte die SPD drei Jahre später in Heidelberg bezahlen. Das Heidelberger Programm von 1925 »wollte die Wahrheit der Theorie wiederherstellen«[3], auch wenn Hilferding auf dem Parteitag betonte, für die SPD gebe es »in noch höherem Grade als vorher den Zwang, auch jene Mittelschichten zu gewinnen, die zur Eroberung der politischen Macht notwendig sind«[4]. Diese Option für eine Erweiterung der sozialen Basis fand sich im grundsätzlichen Teil des Heidelberger Programms nicht, wo man die Linie von Erfurt nur leicht modifizierte: Die SPD bezeichnete sich wieder als Partei der Arbeiterklasse, die den proletarischen Befreiungskampf zu führen habe, und sie ging wieder davon aus, daß die Zahl der Proletarier »immer größer« und der Klassenkampf »immer erbitterter« würden[5]. Den Angestellten und Beamten schrieb man im Programmtext ebensowenig eine eigenständige Funktion zu wie den Bauern, Handwerkern oder Kleinhändlern. Die Proletarisierungsthese von Erfurt erlebte in Heidelberg ihre Wiedergeburt, und der in Görlitz vorsichtig eingeschlagene Weg einer programmatischen Öffnung der SPD für die Mittelschichten wurde verlassen.

In diesem Rückzug der Sozialdemokratie in das vertraute Klassenmilieu spiegelte sich die wachsende politische Isolierung der Partei während der Bürgerblockära ab 1924 wider, aber auch ihr Bedürfnis, sich gegen die kommunistische Herausforderung zu behaupten. Deshalb modellierte man das eigene Pro-

[2] Abgedruckt in: Dieter Dowe, Kurt Klotzbach (Hrsg.), Programmatische Dokumente der deutschen Sozialdemokratie. Berlin, Bonn 1973, S. 195–201, Zitat S. 196; vgl. Heinrich August Winkler, Von der Revolution zur Stabilisierung. Arbeiter und Arbeiterbewegung in der Weimarer Republik 1918 bis 1924. Berlin, Bonn 1984, S. 434 ff.
[3] So Heinrich August Winkler, Klassenbewegung oder Volkspartei? Zur sozialdemokratischen Programmdebatte 1920–1925. In: Geschichte und Gesellschaft 8 (1982), S. 9–54, Zitat S. 45.
[4] Sozialdemokratischer Parteitag 1925 in Heidelberg. Protokoll mit einem Bericht der Frauenkonferenz. Berlin 1925, S. 276.
[5] Zitiert nach Dowe, Klotzbach, Programmatische Dokumente, S. 205.

fil als Partei des Proletariats wieder schärfer. Konfrontiert mit empfindlichen Wahlniederlagen und Mitgliederverlusten, wollte die Parteiführung die Identität der SPD als Arbeiterpartei nicht verwischen. Dem Zusammenhalten der verunsicherten Stammwähler und der Rückgewinnung radikalisierter Arbeiter galt das Hauptaugenmerk. Folgt man dieser Lageanalyse, so barg die Preisgabe klassenpolitischer Positionen für die SPD die Gefahr in sich, ihre eigenen traditionsbewußten Anhängerschichten an die KPD zu verlieren. In diesem Fall hätte die Partei aber auch ihr Gewicht als Gegenmacht zum bürgerlichen Lager eingebüßt, dessen republikanische Standfestigkeit man – nicht ganz zu Unrecht – gering einschätzte. Reformsozialistische Forderungen waren nach der Einschätzung der SPD-Theoretiker unter den von der Partei akzeptierten Verfassungsbedingungen nur dann parlamentarisch durchzusetzen, wenn ein relatives Machtgleichgewicht mit möglichen bürgerlichen Koalitionspartnern bestand. Dies erforderte jedoch die Verteidigung und den Ausbau der hegemonialen Stellung der SPD als Arbeiterpartei, also den politischen und ideologischen Kampf gegen die bei den Reichstagswahlen im Mai 1924 stark angewachsene KPD. Das Heidelberger Programm versuchte somit, der ambivalenten Situation der SPD gerecht zu werden. Es fixierte, auch mit Blick auf die kommunistische Konkurrenz, ihr Selbstverständnis als Klassenpartei und es formulierte ihren Gestaltungsanspruch als Staatspartei, indem es das Machtpotential von Arbeiterschaft und Arbeiterbewegung fest an die Sozialdemokratie zu binden suchte. Auf der Strecke blieb die Bereitschaft zu einer programmatischen Neuorientierung als Volkspartei.

Dieser vielkritisierte sozialdemokratische Traditionalismus wird noch verständlicher, wenn man nicht nur die politischen Strategieüberlegungen der Parteiführer, sondern auch die Lebenswelt und Mentalität der Parteimitglieder analysiert. In der Weimarer Republik gehörte die Masse der Arbeiter zur Unterschicht und lebte in materiell beengten Verhältnissen. Das Niveau des Wohnens und der Haushaltmittel lag deutlich unter dem von Angestellten oder Beamten. Die Durchschnittslöhne der Arbeiter hinkten hinter dem Einkommen dieser Schichten her; ihr Sozialprestige und ihre Aufstiegschancen waren geringer; ihre Existenz blieb unter der permanenten Drohung des Arbeitsplatzverlustes unsicherer. Ende der zwanziger Jahre dominierte noch stärker als im späten Kaiserreich das »geborene

Proletariat«, das heißt, der Anteil von Arbeitern, deren Väter bereits Arbeiter gewesen waren, hatte sich von 72 Prozent (1913) auf 79 Prozent (1929) erhöht. Statusverbesserungen gab es vor allem innerhalb der bestehenden Klassengrenzen, also die schrittweise Positionsveränderung von unqualifizierten zu qualifizierten Tätigkeiten. Ein Sprung nach oben über angrenzende Sozialschichten hinweg blieb eine seltene Ausnahme. Häufiger kam es dagegen in den Krisenjahren der Republik zum sozialen Abstieg, ausgelöst durch die Massenarbeitslosigkeit, von der insbesondere junge Arbeiter betroffen waren[6]. Unter diesen Bedingungen konnte von einer Entproletarisierung und Verbürgerlichung der Arbeiterklasse keine Rede sein, auch wenn sich hie und da verfestigte Strukturen lockerten und namentlich hochqualifizierte Arbeiter ihren Kindern eine bessere Ausbildung ermöglichen konnten. Thesenartig zugespitzt läßt sich aber feststellen, daß der soziologische Immobilismus der SPD, ihr Verharren in klassenspezifischen Denk- und Organisationsmustern, ein Reflex auf den Immobilismus der Weimarer Gesellschaft war, die sich sozial kaum öffnete und die »Kragenlinie« zwischen Hand- und Kopfarbeit noch stark betonte.

Institutionell geformt und zusätzlich gefestigt wurde die Milieuorientierung der beiden Arbeiterparteien KPD und SPD durch eine Vielzahl von Vereinen im vorpolitischen Raum. Die Formel, daß man praktisch von der Wiege bis zur Bahre, von den Falken bis zur Feuerbestattung, im engmaschigen Beziehungsgeflecht der Arbeiterbewegung leben konnte, besaß gerade für die Zeit der Weimarer Republik Gültigkeit. Erst die zwanziger Jahre waren nämlich die eigentliche Blütezeit der Arbeiterkulturbewegung, die sich quantitativ und qualitativ jetzt noch viel weiter verästelte als im wilhelminischen Obrigkeitsstaat[7]. Das Engagement in Arbeitersport und Arbeiterbildung, bei den Volksbühnen und Volksbibliotheken, den Arbeitersängern, Freidenkern, Naturfreunden oder im Arbeiterradiobund stärkte das sozialistische Heimatgefühl des einzelnen

---

[6] Vgl. dazu zusammenfassend Heinrich August Winkler, Der Schein der Normalität. Arbeiter und Arbeiterbewegung in der Weimarer Republik 1924 bis 1930. Berlin, Bonn 1985, S. 13ff.

[7] Vgl. Dieter Langewiesche, Politik–Gesellschaft–Kultur. Zur Problematik von Arbeiterkultur und kulturellen Arbeiterorganisationen in Deutschland nach dem Ersten Weltkrieg. In: Archiv für Sozialgeschichte 22 (1982), S. 359–402; Hartmann Wunderer, Arbeitervereine und Arbeiterparteien. Kultur und Massenorganisationen in der Arbeiterbewegung 1890–1933. Frankfurt 1980; Winkler, Schein, S. 120ff.

und den Zusammenhalt innerhalb der eigenen Klasse. Allerdings gab es auch gegenläufige Tendenzen. Mit dem Aufkommen von neuen Massenmedien und kommerziellen Freizeitangeboten, aber auch durch die sachliche und technische Umformung von proletarischen Wohlfahrts- und Bildungseinrichtungen zu Dienstleistungsunternehmen wurde die subkulturelle Autonomie und Exklusivität des sozialistischen Vereinswesens zunehmend in Frage gestellt. Hinzu kamen die Folgen der Parteispaltung, vor allem in den späten zwanziger Jahren, als die KPD konsequent daranging, auch auf dem Terrain der Vorfeldorganisationen die Brücken zur SPD abzubrechen und eigene Einrichtungen aufzubauen.

Selbst wenn man die solidarisierende Prägekraft der Arbeiterkulturbewegung nicht zu hoch veranschlagt und die Grenzen ihrer Wirksamkeit außerhalb der großstädtischen Verdichtungszonen betont, so stabilisierte sie doch die Klassenintegration der Arbeiterbevölkerung. Das bedeutete aber auch, daß ein in der sozialdemokratischen Gegenkultur verwurzeltes Parteimitglied der SPD seine Klassendistanz zum Bürgertum unterstrich und seinen Proletarierstolz herauskehrte. Das Bedürfnis nach Identitätsbildung in einem vertrauten Milieu, das Familienleben und Freizeit einschloß und die alten Emanzipationshoffnungen der Arbeiterbewegung konservierte, überdauerte die Gründung des Weimarer »Volksstaates«, der, gemäß seiner Verfassung, eigentlich die Grenzen der Klassengesellschaft hatte überwinden wollen. Aus soziologischer Perspektive waren die Wirkungen des politischen Umbruchs von 1918/19 nicht besonders tiefgreifend. Die Revolution hatte zwar die politischen Partizipationschancen der Arbeiterbewegung grundlegend verbessert, nicht aber die Segregation der Sozialgruppen beseitigt. Nivellierungstendenzen, etwa von einer Veränderung der Lebensgewohnheiten oder dem Aufschwung der Massenkommunikation ausgehend, blieben relativ wirkungslos in einer sozial noch stark fragmentierten Gesellschaft. Entsprechend gering war deshalb auch die Resonanz auf volksparteiliche Integrationsangebote innerhalb und außerhalb der SPD.

Aus dem Prokrustesbett der Klassenpartei hätte sich die Sozialdemokratie nur dann befreien können, wenn es ihr gelungen wäre, den sogenannten »neuen Mittelstand« für sich zu gewinnen. Der Dialog zwischen der Arbeiterpartei und den Angestellten und Beamten als tragenden Gruppen dieser Schicht war jedoch doppelt belastet: durch die Proletarisierungsprognose

der sozialdemokratischen Programmatik und durch das Status-
bewußtsein des Mittelstandes. Zwar war die kollektive Identität
der vielfältig zersplitterten Dienstleistungsberufe nur schwach
entwickelt, aber ihr soziales Abgrenzungsbedürfnis gegenüber
dem Proletariat war stark. In der subjektiven Positionsbestim-
mung von Angestellten und Beamten rangierten die Arbeiter an
der Basis der Gesellschaftspyramide, auf die man selbst nicht
zurückfallen wollte. Zu den Abstiegsängsten kamen Aufstiegs-
hoffnungen hinzu, die beide Gruppen im individuellen Wettlauf nach mehr Einkommen und mehr Ansehen zu verwirklichen suchten. Den Begriff Solidarität schrieben sie klein, obwohl sie das Kriterium der Abhängigkeit mit den Arbeitern
teilten, und ein Bekenntnis zum Klassenkampf blieb für sie
undenkbar, weil die Arbeiterbewegung damit die Aufhebung
auch ihrer Privilegien durchsetzen wollte. Ihr Sonderbewußtsein und ihre widersprüchliche soziale Zwischenlage ließ die
rund fünf Millionen Angestellten und Beamten in den zwanziger Jahren zu einer politisch unsteten Schicht werden, deren
Parteitreue nirgendwo dauerhaft war.

Auch für die Gewerkschaften erwiesen sich die Angestellten
und Beamten als eine nur partiell zu integrierende Sozialgruppe.
In der Anfangsphase der Republik, nach einem von Weltkrieg
und Revolution bewirkten Linksruck, gehörte fast die Hälfte
aller organisierten Angestellten dem sozialdemokratisch orientierten »Allgemeinen freien Angestelltenbund« (AfA-Bund) an.
Doch der AfA-Bund konnte seinen Platz nicht behaupten. Er
verlor in den Jahren der Inflation und während der nachfolgen-
den Stabilisierungskrise mehr als zwei Fünftel seiner Mitglieder,
bis er 1926 vom nationalkonservativen, antisozialistisch ausgerichteten »Gesamtverband Deutscher Angestelltengewerk-
schaften« (Gedag) knapp überflügelt wurde. Diese Rechtsdrift
der Angestelltenverbände verstärkte sich in den folgenden Jahren weiter: 1930 gehörten von 1,4 Millionen organisierten Angestellten dem Gedag 40,6 Prozent, dem AfA-Bund 33,0 Prozent und dem liberalen »Gewerkschaftsbund der Angestellten«
(GDA) 26,4 Prozent an. Das republikanische Lager verkörperte
zwar eine beachtliche Phalanx, aber die Mehrheit der Angestellten war überhaupt nicht organisiert und artikulierte ihre wirtschaftliche Panikstimmung jetzt zunehmend als Wähler der
NSDAP.

Bei den Beamten war die Neigung, sich gewerkschaftlich zu
organisieren, schon in den Revolutionsmonaten sehr viel

schwächer ausgeprägt als bei den Angestellten. Dem SPD-nahen »Allgemeinen Deutschen Beamtenbund« (ADB) gehörten 1922 rund 350 000 Mitglieder an, dem parteipolitisch neutralen, aber mehrheitlich konservativen Standesverband »Deutscher Beamtenbund« (DBB) 774 000. Sechs Jahre später, 1928, hatte der DBB die Millionengrenze überschritten und circa 80 Prozent aller Beamten organisiert, während der ADB auf 166 000 Mitglieder geschrumpft war. Die Anziehungskraft der sozialdemokratischen Organisation schwand also immer mehr. Mit ihr verlor der gewerkschaftliche Gedanke einer gemeinsamen Interessenvertretung aller Arbeitnehmer an Gewicht. Eine republikanische Einheitsfront von Beamten, Angestellten und Arbeitern, wie sie in den Tagen des Kapp-Lüttwitz-Putsches kurzfristig bestanden hatte, war bereits in der mittleren Phase Weimars zur Illusion geworden. Unter dem Druck von wirtschaftlichen Krisen und sozialen Konflikten gewannen Ressentiments gegen die Arbeiterbewegung und gegen die Demokratie bei den Angestellten wie bei den Beamten mehr und mehr die Oberhand. Im organisatorischen Aufschwung von Standesverbänden manifestierte sich die antimoderne Blickrichtung dieser Sozialgruppen, aus deren Sicht die politische Rechte mehr Zukunftssicherheit zu bieten hatte als die politische Linke.

Der marxistische Traditionalismus der Sozialdemokratie erschwerte sicherlich den Abbau von antisozialistischen Vorurteilen bei Beamten und Angestellten. Aber die »Bündnisfrage« konnte nicht allein von der SPD gelöst werden, deren soziale Gestaltungschancen sich seit der Reichstagswahl von 1920 drastisch verkleinert hatten. Das diffuse Selbstverständnis des neuen Mittelstandes, seine Zwitterstellung zwischen Kapital und Arbeit und seine teils massiven Vorbehalte gegen die Republik setzten der sozialdemokratischen Sympathiewerbung Grenzen. Da die Partei ihr Profil als Arbeitnehmerpartei bewahren wollte, konnte sie weder Standesprivilegien verteidigen noch das Sonderbewußtsein von sozialen Gruppen stärken. Der sozialdemokratische Mißerfolg bei der Gewinnung von Angestellten und Beamten war also nur zum Teil selbstverschuldet. Allerdings hatte er Konsequenzen für die Wahlaussichten der Partei. Spätestens seit Mitte der zwanziger Jahre zeichnete sich ab, daß die deutsche Gesellschaft »höchstens zu einem Drittel aus klassenbewußten Proletariern bestand, während sich rund zwei Drittel durch ihr Wahlverhalten gegen den Klassenkampf, gleichviel ob sozialdemokratischer oder kommunistischer Prägung, aussprachen«[8].

Die Arbeiterbewegung war in der Weimarer Republik nicht mehrheitsfähig, auch dann nicht, wenn man die Stimmen von SPD, USPD und KPD zusammenzählt. Zwischen 1919 und 1933 überstieg der Prozentsatz der Wahlberechtigten, die der politischen Linken ihre Stimme gaben, nie die 40-Prozent-Marke. Das beste Ergebnis erzielten SPD und USPD bei den Nationalversammlungswahlen 1919 mit 37,6 Prozent. Bei den Reichstagswahlen von 1920 votierte nur noch ein Drittel der Wahlberechtigten für eine der drei Arbeiterparteien. Vier Jahre später, im Mai 1924, war ihr Anteil auf ein Viertel der Stimmbürger abgesunken. Von den Maiwahlen 1928 bis zu den Novemberwahlen 1932 stabilisierte sich diese Quote bei 30 Prozent. Im März 1933 sank sie auf 26,9 Prozent ab. Der Anteil der drei Arbeiterparteien an den abgegebenen Stimmen lag bei allen Reichstagswahlen unter 50 Prozent. Mehr als zwei Fünftel der Wähler entschieden sich lediglich 1919 (45,5 Prozent), 1920 (41,7 Prozent) und 1928 (40,5 Prozent) für die politische Linke, deren Stimmanteil ansonsten in der Zone zwischen 30 und 40 Prozent pendelte.

Diese Zahlen weisen darauf hin, daß bei reichsweiten Wahlen mindestens ein Drittel der wahlberechtigten Arbeiter nicht für eine der »klassischen« Arbeiterparteien stimmte. Dies deckt sich mit den Befunden der historischen Wahlforschung[9], die die komplexe Zusammensetzung der Wählerschaft aller Parteien betont. Die Tatsache, daß das sozialistische Lager das proletarische Wählerreservoir nicht ausschöpfen konnte, hatte soziale und politische Gründe. Bei allen Wahlen konkurrierten um die Stimmen der Arbeiter außer den drei genannten Parteien und kurzlebigen sozialistischen Splittergruppen vor allem noch die katholische Zentrumspartei, die liberale DDP und die nationalkonservative DNVP. Schließlich kam am Ende der zwanziger Jahre als Konkurrent auch noch die NSDAP hinzu, die den Begriff »Arbeiter« sogar in ihrem Firmenschild führte und in allen Bevölkerungsgruppen, einschließlich der Arbeiterschaft, Einbrüche erzielte. Sie gewann 1932 vor allem »eher bürgerlich oder nationalistisch orientierte Arbeiter, die in erster Linie für

---

[8] Ebenda, S. 173.
[9] Vgl. Jürgen Falter, Thomas Lindenberger, Siegfried Schumann, Wahlen und Abstimmungen in der Weimarer Republik. Materialien zum Wahlverhalten 1919–1933. München 1986.

Parteien des bürgerlich-protestantischen Lagers gestimmt hatten oder Nichtwähler waren, bevor sie sich der NSDAP anschlossen«[10].

Der harte Kern der Stammwähler kam bei der SPD wie bei der KPD aus der städtischen Industriearbeiterschaft und somit aus dem Traditionsmilieu der Vorkriegssozialdemokratie. Namentlich die Großstädte, in denen sich das moderne Industriesystem und mit ihm der Gegensatz von Lohnarbeit und Kapital entfaltet hatten, waren Hochburgen der Linken. Hier gaben Mietskasernen und Villenvororte der klassengesellschaftlichen Segregation einen Stein gewordenen Ausdruck; hier konzentrierten sich die Mitglieder der sozialistischen Gewerkschaften, und hier lagen die Zentren der Arbeiterbewegungskultur, deren solidaritätsstiftende Aktivitäten das Alltagsleben der Arbeiter und ihrer Familien prägten. Die ebenso selbst- wie klassenbewußte großstädtische Industriearbeiterschaft blieb während der Weimarer Republik ein festgefügter sozialistischer Wählerblock, den weder bürgerliche Parteien noch die NSDAP sprengen konnten. Lediglich in den Städten Rheinland-Westfalens stießen KPD und SPD auf einen mächtigen Konkurrenten, die katholische Zentrumspartei. Sie hatte ebenfalls bereits im Kaiserreich, gestützt und vorwärtsgetrieben durch die Christlichen Gewerkschaften, eine strukturell ähnliche Arbeitersubkultur aufgebaut. Konfessionelle Arbeitervereine, an deren Spitze lokalpolitisch engagierte Geistliche standen, schufen vor allem im Ruhrgebiet ein Milieu, in dem ein reformorientierter Sozialkatholizismus ohne klassenkämpferische Akzente heimisch war. Bei den Maiwahlen von 1928 zeigten sich im »Zentrumsturm« allerdings tiefe Risse. In den überwiegend katholischen Bergbaugebieten im nördlichen Westfalen, aber auch im Großraum Köln-Aachen verlor das Zentrum viele Arbeiterwähler an SPD und KPD. Die katholischen Arbeiter protestierten mit diesem Frontwechsel offensichtlich gegen die vorherige Beteiligung des Zentrums an einer Rechtskoalition im Reich. Ihr Wahlverhalten war aber auch eingebettet in eine für das Zentrum existenzbedrohende Entwicklung: dem Anwachsen säkularisierter Einstellungen und dem damit einhergehenden Legitimitäts-

---

[10] So Jürgen Falter, Dirk Hänisch, Die Anfälligkeit von Arbeitern gegenüber der NSDAP bei den Reichstagswahlen 1928–1933. In: Archiv für Sozialgeschichte 26 (1986), S. 179–216, Zitat S. 215. Für die frühen zwanziger Jahre vgl. Michael Ruck, Bollwerk gegen Hitler? Arbeiterschaft, Arbeiterbewegung und die Anfänge des Nationalsozialismus. Köln 1988.

schwund der im Kulturkampf groß gewordenen katholischen Partei.

Wesentlich ungünstiger als in Großstädten war es um die Wahlchancen der Arbeiterparteien in den Kleinstädten und auf dem Land bestellt[11]. Die Lebensverhältnisse der ländlich-kleinstädtischen Arbeiter unterschieden sich von denen ihrer großstädtischen Kollegen in vielerlei Hinsicht. Die Arbeiterbevölkerung machte hier einen geringeren Teil der Gesamtbevölkerung aus und sah sich der sozialen Kontrolle durch kulturell und politisch tonangebende Bauern und Besitzbürger ausgesetzt. Mit diesen Schichten war sie zudem oft emotional durch Herkunft, Heirat und Verwandtschaft verbunden oder stand zu ihnen im beruflichen Kontakt als Feierabendhandwerker und »Mondscheinbauern«. Man lebte im gleichen sozial-moralischen Umfeld, in dem schichtenübergreifende Feuerwehr-, Krieger- und Gesangsvereine die Freizeitaktivitäten trugen, und man arbeitete häufig in Klein- und Mittelbetrieben, die ein Beschäftigungsmonopol auf dem lokalen Arbeitsmarkt besaßen und von ihren Eigentümern patriarchalisch geführt wurden. Haus- und Feldbesitz verringerte die Mobilität der Arbeiter und erhöhte ihre Anpassungsbereitschaft an die kirchlich-konservativ eingefärbte Umgebung. Wer als Pendler in der Stadt mit der Arbeiterbewegung in Kontakt kam, mußte nach Feierabend die heimatliche Distanz zum Sozialismus als spannungsvollen Zwiespalt aushalten.

Obwohl – geht man vom Wohnort aus – in den zwanziger Jahren gut die Hälfte der Arbeiterschaft in Kleinstädten und Dörfern lebte, blieb hier die politische Basis des sozialistischen Lagers schmal. Die »proletarische Provinz« war die Ausnahme. Vor allem gelang es der Arbeiterbewegung nach der Revolution nicht, die Masse der circa 2,6 Millionen Landarbeiter dauerhaft an sich zu binden. Der freigewerkschaftliche Landarbeiterverband mußte nach einer kurzen Blütezeit 1918/19, in der seine Mitgliederzahl auf fast 700 000 emporschnellte, bereits wenig später einen empfindlichen Aderlaß hinnehmen. Sein Organisationsgrad, 1921 auf stolze 21 Prozent angestiegen, sackte über 6,2 Prozent (1925) auf 5 Prozent (1931) ab[12]. Damit schrumpfte

[11] Dazu zusammenfassend Josef Mooser, Arbeiterleben in Deutschland 1900–1970. Klassenlagen, Kultur und Politik. Frankfurt 1984, S. 167 ff.
[12] Vgl. Heinrich Potthoff, Freie Gewerkschaften 1918–1933. Der Allgemeine Deutsche Gewerkschaftsbund in der Weimarer Republik. Düsseldorf 1987, S. 362.

auch das Wählerpotential der Arbeiterparteien, als deren Erben zunächst die DNVP und dann die NSDAP auftraten. So hatte der Deutschnationale Arbeiterbund 1926 nach eigenen Schätzungen etwa 400 000 Arbeitermitglieder. Die regionalen Schwerpunkte dieser Organisation lagen im landwirtschaftlich geprägten Osten des Reiches. Ferner gab es eine breite Streuung deutschnational eingestellter Arbeiter in allen protestantischen Gebieten, wobei konservatives Wahlverhalten in handwerklich strukturierten Betrieben auf dem Land und in kleineren Städten sowie in Berufen mit Einzelarbeit besonders verbreitet war[13].

Erhebliche Zugewinne im Vergleich zur Vorkriegszeit konnte das sozialistische Lager nach der Republikgründung bei den Arbeitern des öffentlichen Dienstes erzielen. Die Demokratisierung des kommunalen Wahlrechts und der Einzug der Arbeiterparteien in die lokalen Selbstverwaltungen schufen die Voraussetzungen dafür, daß sich die gewerkschaftliche Position in den Gemeindebetrieben stärkte. Das gleiche gilt für die Staatsbetriebe von Post und Eisenbahn, deren Arbeitern man im Kaiserreich das Koalitions- und Streikrecht noch verwehrt hatte. Der Durchbruch der Gewerkschaften im öffentlichen Sektor während der Anfangsjahre der Republik vergrößerte das Wählerpotential von SPD und KPD und führte ihnen neue Arbeitergruppen zu. Ende der zwanziger Jahre waren von rund 400 000 Beschäftigten der Eisenbahn drei Fünftel freigewerkschaftlich organisiert; der Gemeinde- und Staatsarbeiterverband, zuständig für eine breite Palette von Arbeiterberufen in der kommunalen Versorgung, hatte 1928 einen Organisationsgrad von 66 Prozent. Sein Nachfolger, der 1930 aus dem Zusammenschluß verschiedener Gewerkschaften entstandene Gesamtverband der Arbeitnehmer der öffentlichen Betriebe, war 1931 mit 655 000 Mitgliedern die zweitgrößte Einzelorganisation des ADGB[14].

Das Mitgliederprofil von SPD und KPD läßt sich für die mittlere Phase der Republik nur in Umrissen nachzeichnen, weil für beide Parteien keine präzisen Berufs- und Altersstatistiken überliefert sind. Der Parteivorstand der SPD legte den Delegierten des Kieler Parteitages 1927 eine Analyse vor, die auf genauen Erhebungen in Bremen, Hannover und Hamburg

[13] Vgl. Amrei Stupperich, Volksgemeinschaft oder Arbeitersolidarität. Studien zur Arbeitnehmerpolitik in der Deutschnationalen Volkspartei 1918–1933. Göttingen, Zürich 1982.
[14] Vgl. Potthoff, Freie Gewerkschaften, S. 361, 353.

aus den Jahren 1925 und 1926 basierte[15]. Auch wenn die in diesen drei Großstädten gesammelten Daten nicht repräsentativ für die gesamte SPD-Mitgliedschaft waren, so dürften sie doch den Trend ihrer sozialen Zusammensetzung einigermaßen exakt widerspiegeln. Bei seiner Hochrechnung der örtlichen Ergebnisse auf das Reichsgebiet kam der Parteivorstand zu dem Befund, daß 73,1 Prozent der Mitglieder Handarbeiter und 11 Prozent Angestellte oder Beamte waren; 4,6 Prozent gehörten zu den selbständigen Gewerbetreibenden und 2 Prozent zu den freien Berufen; keine Berufsangaben ließen sich für 9,2 Prozent machen. Die Arbeiter waren also – gemessen an ihrem Anteil an der Erwerbsbevölkerung – erheblich überrepräsentiert; alle anderen Berufsgruppen blieben deutlich (Angestellte, Beamte) oder mit krassem Abstand (Selbständige) hinter den amtlichen Vergleichswerten zurück. Naturgemäß fehlten in den vom Parteivorstand zugrundegelegten großstädtischen Basisangaben bäuerliche Mitglieder, aber deren Anteil an der SPD-Mitgliedschaft war sicherlich verschwindend gering.

Die SPD war Ende 1926 ganz überwiegend eine Arbeiterpartei und sie war eine von Männern dominierte Partei. Von den 823 520 Mitgliedern waren vier Fünftel Männer. Der Frauenanteil von genau 20,09 Prozent wies auf die Grenzen der SPD als Emanzipationsbewegung hin. Drei Jahre später, Ende 1929, hatte die Mitgliederzahl der SPD zwar wieder die Millionengrenze überschritten und damit den Stand der frühen zwanziger Jahre erreicht, doch der Anteil der weiblichen Mitglieder war nur geringfügig gestiegen. Er betrug jetzt 21,4 Prozent. Die Doppelbelastungen von Arbeiterinnen in Beruf und Haushalt, aber auch das patriarchalische Binnenleben der Parteigliederungen, die bescheidene Quote der weiblichen Abgeordneten und weiblichen Parteifunktionäre, ließen sich nicht mit emanzipatorischen Lippenbekenntnissen verändern. Frauenkonferenzen ohne Entscheidungskompetenzen und hausbackene Werbekampagnen für Arbeitertöchter konnten das weibliche Mitgliederdefizit nicht verkleinern. Weder Fabrikarbeiterinnen noch Verkäuferinnen oder Stenotypistinnen fanden die Männerpartei SPD besonders attraktiv.

Die gleiche Feststellung läßt sich auch für die KPD treffen, unter deren Mitgliedern 1929 nur 16,5 Prozent Frauen waren. Über die soziale Zusammensetzung der Partei liegt für 1927 das

[15] Zum folgenden Winkler, Schein, S. 346 ff.

genaueste Datenmaterial vor, als die Parteiführung in einer
»Reichskontrolle« umfassende Erhebungen vornahm[16]. Diese
Momentaufnahme einer stark fluktuierenden Mitgliedschaft
weist die KPD als eine ziemlich homogene Arbeiterpartei aus:
68 Prozent der Mitglieder waren Industriearbeiter, 10 Prozent
handwerkliche Arbeiter und 2 Prozent Landarbeiter. Die verbleibenden 20 Prozent verteilten sich auf Beamte, Kleingewer-
betreibende und freie Berufe (2,9 Prozent), auf Handlungsge-
hilfen (1,7 Prozent), auf Partei-, Genossenschafts- und Ge-
werkschaftsangestellte (4,2 Prozent), auf Mitglieder ohne Berufsangaben und auf Hausfrauen (11,1 Prozent) sowie auf Bauern (0,1 Prozent). Nur etwa jedes zweite Mitglied (53,2 Pro-
zent) war zum Zeitpunkt der Erhebung in einem Betrieb beschäftigt, was belegt, daß die KPD schon 1927 einen hohen
Anteil an arbeitslosen Mitgliedern aufwies. Verglichen mit der
SPD war die KPD eine »junge« Partei: ein knappes Drittel ihrer
Mitglieder (31,8 Prozent) war unter dreißig; fast zwei Drittel
(64,5 Prozent) waren nicht älter als 40 Jahre. Die SPD hatte
dagegen Ende 1926 nur einen Mitgliederanteil von 17,3 Prozent
in den Altersgruppen bis zu dreißig Jahren; jünger als 40 Jahre
waren gut zwei Fünftel (42,6 Prozent). In der Schlußphase der
Weimarer Republik schritt die Überalterung der SPD weiter
fort, während sich der Anteil der jüngeren Jahrgänge in der
KPD noch erheblich vergrößerte. Sie war jetzt das Sammelbek-
ken für arbeitslose Jugendliche, die ihre berufliche Perspektiv-
losigkeit im militanten Aktivismus der kommunistischen
Kampfbünde kompensierten. In der SPD dominierte hingegen
der ältere qualifizierte Arbeiter mit Gewerkschaftsbindung und
antiradikalem Habitus.

Diese Tendenz zur sozialen Segmentierung der Arbeiterparteien hatte auch einen politischen Hintergrund. Im Falle der
KPD war die Aggressivität, mit der die Partei während der
Weltwirtschaftskrise agierte, das Produkt ideologischer Veränderungen im deutschen und internationalen Kommunismus seit
1924. Während der Jahre der Stabilisierung der Weimarer Republik lebte die KPD in einem permanenten Konfliktzustand,
so daß immer wieder heftige Flügelkämpfe das Parteigefüge
erschütterten. Einen Ausweg aus ihrem Dilemma, in Deutsch-

[16] Vgl. Hartmann Wunderer, Materialien zur Soziologie der Mitgliedschaft
und Wählerschaft der KPD zur Zeit der Weimarer Republik. In: Gesellschaft.
Beiträge zur Marxschen Theorie. Bd. 5, Frankfurt 1975, S. 257–281; Winkler,
Schein, S. 445 ff.

land eine bolschewistische Umwälzung erzwingen zu wollen, obwohl dazu alle Voraussetzungen fehlten, konnten die Kommunisten in ihrem erbittert geführten Richtungsstreit zwischen »Rechten«, »Versöhnlern«, »Linken« und »Ultralinken« allerdings nicht finden. Die Partei schwankte zwischen utopisch-radikalen Positionen und realpolitischer Mäßigung hin und her, wobei jede Kurskorrektur von einem Führungswechsel begleitet war[17]. Bis zur eigenen Handlungsunfähigkeit verschärft wurde die Situation der KPD durch ihre Abhängigkeit von Moskau, denn als Sektion der Komintern mußte sie dem sowjetischen Hegemonieanspruch im Weltkommunismus Tribut zollen. Solange in Moskau die Stalin-Fraktion in der KPdSU noch nicht die Oberhand gewonnen hatte, so lange funktionierte die Komintern wie ein Seismograph, der auf die innerrussischen Erschütterungen mit heftigen Pendelausschlägen reagierte. In Polen und in der Tschechoslowakei, in Frankreich und in Belgien, in Holland, Schweden und England, in Italien und Deutschland wirkten sich personelle Säuberungen in der Sowjetführung in jeweils entsprechenden Maßnahmen aus. Stalins Siege zunächst gegen Trotzki, dann gegen Sinowjew und schließlich gegen Bucharin vollzogen die kommunistischen Parteien der einzelnen Länder nach: Sie entmachteten auf nationaler Ebene die Gefolgsleute der unterlegenen Sowjetführer und schlossen sich der ideologischen Linie Stalins an.

Die schrittweise Stalinisierung der sowjetischen Partei spiegelte sich im deutschen Kommunismus nicht nur ideologisch, sondern auch organisatorisch wider. Die KPD wandelte sich zwischen 1924 und 1928 zu einer »Partei neuen Typus«, deren Charakteristikum darin bestand, daß ein moskautreuer Funktionärsapparat innerparteilich zur dominierenden Kraft wurde. Im Zuge der einzelnen Richtungskämpfe behaupteten sich letztlich anpassungsfähige »Fachleute«, die sich aus den ideologischen Auseinandersetzungen heraushielten, um dann nach deren Beendigung sofort in das Lager der erfolgreichen Fraktion einzuschwenken. Die im Machtkampf unterlegenen Gruppen bezahlten ihre Niederlage mit dem Parteiausschluß, sofern sie nicht resignierten und sich unterwarfen. Auf der Strecke blieben nicht nur viele prominente Parteiführer, sondern auch der politische Pluralismus in der KPD und jede Form von innerpar-

[17] Dazu grundlegend: Hermann Weber, Die Wandlung des deutschen Kommunismus. Die Stalinisierung der KPD in der Weimarer Republik. 2 Bde, Frankfurt 1969.

teilicher Demokratie. Am Ende der zwanziger Jahre präsentierte sich die KPD als eine bürokratisch und ideologisch gleichgeschaltete Partei mit einem hierarchisierten und straff disziplinierten hauptamtlichen Apparat. Er bevormundete die Mitglieder und hielt sich selbst an die Weisungen der KPdSU Stalins. Entstanden war eine »absolutistische Integrationspartei«[18], die das Prinzip des »demokratischen Zentralismus« national und international auf ihre Fahnen geschrieben hatte. Unter der Führung Ernst Thälmanns, der als Schützling Stalins alle Parteiaffären und Fraktionskämpfe überlebt hatte, war die KPD nun ein gefügiges Instrument der Komintern und damit der sowjetischen Politik.

Inwieweit die Mitglieder der KPD – ihre Zahl schwankte zwischen 95 000 (Sommer 1924) und 130 000 (Winter 1928) – dieses Wechselbad von ideologischen Richtungsänderungen und personellen Säuberungen billigten, läßt sich nicht exakt feststellen. Die immense Mitgliederfluktuation ist jedoch ein Indiz dafür, daß viele Genossen der Partei enttäuscht den Rükken kehrten. Ein Teil von ihnen folgte den ausgebooteten Führungsfraktionen in kommunistische Splittergruppen, ein anderer Teil zog sich völlig aus dem politischen Leben zurück oder schwenkte in das Lager der SPD über. Während der ultralinken Phase 1924/25, als die KPD-Spitze einen Kurs der forcierten Bolschewisierung steuerte, verlor die Partei bei den Reichstagswahlen im Dezember 1924 fast eine Million Wähler im Vergleich zum Wahlgang im Mai desselben Jahres. Gleichzeitig minderte sich ihre Anziehungskraft in den gewerkschaftlich organisierten Belegschaften. Die Betriebsratswahlen im Frühjahr 1925 endeten für die KPD mit Stimmenverlusten um die 20 Prozent. In fast allen Großunternehmen bestanden nun wieder sozialdemokratische Mehrheiten in den Arbeitervertretungen. Nach der handstreichartigen Absetzung der ultralinken Parteiführung durch die Komintern im Herbst 1925 verfolgte die KPD zwei Jahre lang einen Annäherungskurs an die SPD, der ihr auch wieder zu einem stärkeren Einfluß in den Gewerkschaften verhalf. Höhepunkt dieser Kooperationspolitik war der von KPD und SPD gemeinsam vorbereitete Volksentscheid für die entschädigungslose Enteignung der Fürstenhäuser[19]. Er

---

[18] So der Parteisoziologe Sigmund Neumann in seiner 1932 publizierten Studie Die deutschen Parteien. Wesen und Wandel nach dem Kriege. Berlin 1932, S. 110.
[19] Vgl. dazu Ulrich Schüren, Der Volksentscheid zur Fürstenenteignung 1926.

endete im Juli 1926 mit einem großen Achtungserfolg der beiden Arbeiterparteien, die zusammen fast vier Millionen Stimmen mehr als bei den Dezemberwahlen von 1924 erhielten. Im Gleichschritt mit der Komintern kehrte die KPD 1928 jedoch zur ultralinken Obstruktionspolitik zurück. Jetzt deklarierte man die »rechten Versöhnler« zu den Hauptfeinden des Kommunismus und importierte den innerrussischen Fraktionskampf Stalins gegen Bucharin nach Deutschland. Thälmann, der 1926/27 selbst die Zusammenarbeit mit der SPD unterstützt hatte, forderte nun die rigorose Abgrenzung von allen nichtkommunistischen Arbeiterparteien. Die Ausschaltung der Parteirechten – diese gründete Ende 1928 die Kommunistische Partei-Opposition (KPO) – war die erste Station auf dem Weg in die politische Isolation, den die KPD in der Folgezeit als deutsche Hilfstruppe Stalins beschritt.

Aus dem Blickwinkel der Sozialdemokratie war die KPD in der Mittelphase der Republik eine zwischen Utopismus und Realismus schwankende Partei, deren Bewegungsgesetze sich politisch nicht kalkulieren ließen. Trotz der ideologischen Widersprüchlichkeit der einzelnen kommunistischen Aussagen beeindruckte die verbale Radikalität der KPD, in Propagandafeldzügen und Wahlkampagnen immer wieder anschaulich demonstriert, auch viele Sozialdemokraten. Was sie bei ihrer eigenen Partei vermißten, nämlich Kampfentschlossenheit und sozialistische Siegesgewißheit, produzierte die KPD im Übermaß. Mit rund drei Millionen Wählern präsentierte sie sich außerdem als ein mächtiger Konkurrent der SPD im Wettlauf um Arbeiterstimmen. Zwar lag die SPD bei allen Parlamentswahlen zwischen 1924 und 1928 mit sechs bis neun Millionen Wählern immer weit vor der KPD, aber das änderte nichts daran, daß die sozialdemokratische Parteiführung den permanenten Flankendruck von links sehr besorgt registrierte. Sie konnte sich nie sicher sein, ob der eigene Arbeiteranhang ihr nicht die Gefolgschaft aufkündigte, wenn sie die Rolle der SPD als verantwortungsbewußte Staats- und Verfassungspartei zu sehr in den Vordergrund rückte und ihren Charakter als proletarische Klassenpartei zu wenig akzentuierte. Die Suche nach einem strategischen Konzept, das die reformistische Alltagsarbeit der Partei und ihre sozialistischen Zukunftsvisionen miteinander ver-

Die Vermögensauseinandersetzung mit den depossedierten Landesherren als Problem der deutschen Innenpolitik unter besonderer Berücksichtigung der Verhältnisse in Preußen. Düsseldorf 1978.

knüpfte und glaubhaft vermittelte, bestimmte deshalb auch in der Stabilisierungsphase die sozialdemokratischen Theoriedebatten.

Im Reichstag, in dem 1924 und 1926 bürgerliche Minderheitskabinette und 1925 sowie 1927/28 Bürgerblockregierungen vom Zentrum bis zur DNVP amtierten, befand sich die SPD in einer zwiespältigen Position. Ohne der Regierung anzugehören, verhielt sich die Partei immer dann gouvernemental, wenn außenpolitische Weichenstellungen dies erforderten. So waren der Dawes-Plan, die Locarno-Verträge und die Völkerbundspolitik nur mit sozialdemokratischer Unterstützung parlamentarisch mehrheitsfähig. In allen drei Entscheidungssituationen votierte die SPD für ein Programm der internationalen Verständigung und identifizierte sich mit der Marschroute Stresemanns. Die »stille« Große Koalition von SPD und DVP in der Außenpolitik scheiterte innenpolitisch an den sozialen Gegensätzen dieser beiden Flügelparteien. Auf dem Feld der Wirtschaftspolitik oder bei der Zoll- und Steuergesetzgebung gab es keine tragfähige Basis zwischen der Deutschen Volkspartei als Interessenvertretung der Industrie und der Sozialdemokratie als Interessenvertretung der Arbeitnehmer. Hier dominierte die Partnerschaft des bürgerlichen Lagers, dessen ökonomische Konsensfähigkeit vom Zentrum bis zu den Deutschnationalen reichte.

Diese heterogene innen- und außenpolitische Mehrheitskonstellation wirkte sich auf die parlamentarische Bewegungsfreiheit der SPD negativ aus. Der Rückzug in die Opposition, auch angetreten, um während der Regierungsjahre verlorengegangenes Vertrauen bei den Arbeiterwählern wiederzugewinnen, zahlte sich nur zum Teil aus. Ihre Mitverantwortung für das Schicksal der Republik konnte die Sozialdemokratie nicht einfach abstreifen, zumal im Bürgerblock quer durch die beteiligten Parteien hindurch Kräfte Einfluß hatten, deren Demokratietreue auf wackeligen Beinen stand. Als außenpolitische Regierungspartei und innenpolitische Oppositionspartei geriet die SPD in eine merkwürdige Zwitterstellung im Reichstag, wo es keine klaren parlamentarischen Fronten und keine dauerhaften Koalitionsbündnisse gab. Das in der Mittelphase Weimars praktizierte System der fließenden Übergänge zwischen Regierung und Opposition destabilisierte letztlich die parteienstaatliche Demokratie: »Politiker ohne Partei«[20] konnten Kanzler

[20] So der Titel der Memoiren von Hans Luther, der 1925 und 1926 Reichs-

werden, und der Machtkampf der Interessenten überwucherte die Konsensfähigkeit der Parlamentarier.

Innerhalb der SPD gingen die Meinungen darüber, ob die Partei die eigenen sozialistischen Ziele eher durch eine pragmatische Regierungspolitik oder durch eine bedingungslose Oppositionspolitik erreichen könnte, weit auseinander. Während die Parteilinke um Paul Levi jeder Koalition mit bürgerlichen Parteien eine entschiedene Absage erteilte, warnten der Parteivorsitzende Wels und der preußische Ministerpräsident Braun als Repräsentanten des gouvernementalen Flügels vor den republikgefährdenden Folgen einer solchen klassenkämpferischen Obstruktionshaltung. Auf dem Kieler Parteitag von 1927 stand deshalb auch die Strategiekontroverse im Mittelpunkt des Interesses. Das programmatische Hauptreferat über die »Aufgaben der Sozialdemokratie in der Republik« hielt Rudolf Hilferding[21]. Seine Standortbestimmung, eingebettet in eine breite Analyse der ökonomischen Entwicklung unter dem Vorzeichen des »organisierten Kapitalismus«, gipfelte in der Forderung, die SPD dürfe ihre Position als republikanische Staatspartei nicht in Frage stellen, weil das Proletariat »ein unbedingtes Interesse an der Erhaltung der Demokratie« haben müsse. Zugleich betonte der sozialdemokratische Theoretiker das dynamische Republikverständnis seiner Partei und wies auf ihr reformsozialistisches Potential hin, das groß genug sei, um mit gewerkschaftlicher Unterstützung den demokratischen Korridor in Wirtschaft und Gesellschaft stetig auszuweiten. Die vieldiskutierte Koalitionsproblematik reduzierte sich für Hilferding auf taktische Entscheidungen, bei denen er der SPD »freie Beweglichkeit« verordnete.

Der Kieler Parteitag folgte Hilferdings Empfehlungen mit großer Mehrheit und stimmte einem Positionspapier zu, das seine Kernaussagen zusammenfaßte. Danach waren der »Kampf um die Behauptung der Republik und die Ausgestaltung der Demokratie, die Abwehr der sozialen Reaktion und die Erringung der Wirtschaftsdemokratie« die zentralen politischen Aufgaben der Sozialdemokratie. Das Koalitionsproblem wurde in diesem Dokument durch einen sehr dehnbaren Kompromiß gelöst, der alle Optionen möglich machte: »Die Beteiligung der Sozialdemokratie an der Reichsregierung hängt allein von der

kanzler war; vgl. Michael Stürmer, Koalition und Opposition in der Weimarer Republik 1924–1928. Düsseldorf 1967.
[21] Vgl. dazu Winkler, Schein, S. 334 ff. Dort auch die folgenden Zitate.

Prüfung der Frage ab, ob die Stärke der Sozialdemokratie im Volke und im Reichstag die Gewähr gibt, durch Teilnahme an der Regierung in einer gegebenen Situation bestimmte, im Interesse der Arbeiterbewegung gelegene Ziele zu erreichen oder reaktionäre Gefahren abzuwehren. Die Entscheidung über die Teilnahme an der Regierung ist eine taktische Frage, deren Beantwortung nicht durch bestimmte Formeln ein für allemal festgelegt werden kann.«[22] Mit diesen Leitsätzen ließ sich zwar die innerparteiliche Linke nicht zum Verstummen bringen, aber sie überbrückten starre Flügelpositionen und schufen koalitionspolitisch eine offene Ausgangssituation für die Reichstagswahlen von 1928.

In den Reichstagswahlkampf zog die SPD mit der Parole »Fortführung oder Stillstand der Sozialpolitik«[23], einem Thema, das während der ökonomischen Stabilisierungsphase nach der Währungssanierung in den Mittelpunkt der öffentlichen Auseinandersetzungen gerückt war. Dabei ging es nicht nur um parlamentarische Aktivitäten auf dem Sektor der sozialen Sicherung. Der Zerfall der Zentralarbeitsgemeinschaft zwischen Gewerkschaften und Unternehmern im Januar 1924 hatte nämlich auch eine sozialpolitische Zäsur markiert. Seit diesem Zeitpunkt war der Zweibund von Kapital und Arbeit endgültig gesprengt und der Staat wurde zu einem Hauptakteur auf dem Arbeitsmarkt. Er übernahm mit dem Instrument der Zwangsschlichtung nun definitiv eine Schiedsrichterrolle bei Tarifauseinandersetzungen. Mit jedem ihrer Stichentscheide durchlöcherten staatliche Instanzen das Prinzip des autonomen Interessenausgleichs der Arbeitsmarktparteien und gerieten zugleich selbst immer stärker in das Kreuzfeuer der Kritik von Arbeitgebern und Arbeitnehmern. Das Unternehmerlager attackierte den Staat, wenn er die geschwächten Gewerkschaften stützte, die ihrerseits bei für sie ungünstigen Schiedssprüchen die Auszehrung der Tarifhoheit und die Beschneidung ihrer Streikmöglichkeiten beklagten. Das Ergebnis war eine gefährliche Politisierung der Verteilungskämpfe zwischen Kapital und Arbeit sowie eine Überlastung des Staates, der als dritte Kraft zwischen den Fronten an Autorität verlor.

Nach der Inflation konnten die finanziell und personell ausgebluteten Gewerkschaften allerdings auf den staatlichen Bei-

[22] Sozialdemokratischer Parteitag 1927 in Kiel. Protokoll mit dem Bericht der Frauenkonferenz. Berlin 1927, S. 265 f., Zitat S. 266.
[23] Vorwärts vom 22. April 1928.

stand nicht verzichten, weil sich die Kräfteverhältnisse völlig zugunsten der Unternehmer verschoben hatten. Ohne den sozialen Flankenschutz durch die Schlichter des Reichsarbeitsministeriums wären sie ihren Tarifkontrahenten hoffnungslos unterlegen gewesen. Deshalb blieben die gewerkschaftlichen Angriffe gegen die Zwangsschlichtung halbherzig und deklamatorisch. Vor allem im Bergbau, in der Metallbranche und in der Textilindustrie brauchte man die staatlichen Nothelfer, deren Schiedssprüche oft darauf hinausliefen, die unternehmerfreundliche Wirtschafts- und Steuerpolitik durch lohnpolitische Zugeständnisse an die Gewerkschaften zu kompensieren. Mit dieser Doppelstrategie wollte die Reichsregierung einerseits die ökonomischen Regenerationskräfte stärken und andererseits den Arbeitern zu einem Einkommensausgleich für die Lohneinbußen in der Inflationszeit verhelfen.

Die vermeintlich »goldenen zwanziger Jahre« vor der Weltwirtschaftskrise hatten auch auf dem Arbeitsmarkt ihre Schattenseiten. Die Arbeitslosigkeit blieb trotz der konjunkturellen Erholung besorgniserregend hoch. Von den Mitgliedern des ADGB waren 1924 im Jahresdurchschnitt 13,1 Prozent arbeitslos; 1925 sank diese Quote auf 6,8 Prozent, stieg aber während der »Reinigungskrise« 1926 auf den fast dreimal so hohen Wert von 18,2 Prozent an. Der anschließende Rückgang der gewerkschaftlichen Arbeitslosenquote auf 9,0 Prozent (1927) bzw. 8,6 Prozent (1928) gab dem ADGB wenig Anlaß zur Beruhigung, weil die wirtschaftliche Belebung durch die Begleit- und Folgeerscheinungen der Rationalisierung überlagert wurde. Die stärkere Mechanisierung und intensivere Ausnutzung von Rohstoffen und Maschinen setzte auch Arbeitskräfte frei, weshalb man in Gewerkschaftskreisen von der »Rationalisierungsarbeitslosigkeit« zu sprechen begann[24].

Aus der Sicht der Gewerkschaften konnte eine günstigere Beschäftigungssituation nur durch die Rückkehr zum Achtstundentag erreicht werden. Auf diesem Weg zurück zu den »Errungenschaften der Revolution« wollten ihnen aber weder die Unternehmer noch die behördlichen Schlichter folgen. Arbeitskämpfe im Buchdruckgewerbe, in der Chemie und im Ruhrbergbau endeten 1924 mit gewerkschaftlichen Niederlagen, weil in allen drei Fällen die Schiedsentscheide eine Wo-

[24] Vgl. Klaus Schönhoven, Die deutschen Gewerkschaften. Frankfurt 1987, S. 150 ff.

chenarbeitszeit von mehr als 48 Stunden zuließen. Erst das im April 1927 von den Christlichen Gewerkschaften und dem Zentrum im Reichstag durchgesetzte Arbeitszeitnotgesetz brachte einen Teilerfolg. Es stellte zwar den Achtstundentag nicht wieder her, verteuerte aber Überstunden unter bestimmten Bedingungen um 25 Prozent. Ohne Zweifel trug dieses Gesetz zur Entlastung des Arbeitsmarktes und zum Rückgang der Arbeitslosigkeit bei. Die Wochenarbeitszeit sank nun wieder in vielen Branchen – 1928 arbeiteten drei Viertel der Beschäftigten 48 Wochenstunden –, und der Überstundenzuschlag bewährte sich als finanzielle Bremse gegen zu lange Arbeitszeiten. Am Ende der Stabilisierungsphase konnten die Gewerkschaften mit ihren Erfolgen im Kampf um den Achtstundentag einigermaßen zufrieden sein. Einzelne Delegierte plädierten deshalb auf dem ADGB-Kongreß im Herbst 1928 für einen Aufbruch zu neuen Ufern: einer Verkürzung der Arbeitszeit unter die 48-Stunden-Schwelle, um auf diese Weise die Rationalisierungsfortschritte auszugleichen.

In der Lohndiskussion, die genausoviel Konfliktstoff lieferte wie die Arbeitszeitproblematik, untermauerten Gewerkschaften und Arbeitgeber ihre konträren Standpunkte mit einer Vielzahl von wirtschaftswissenschaftlichen Argumenten. Schon in den zeitgenössischen Denkschriften der Unternehmer tauchte immer wieder die These auf, zu hohe Lohnkosten würden die Konkurrenzfähigkeit der deutschen Industrie auf dem Weltmarkt zerstören und ihr das erforderliche Investivkapital rauben, um die Betriebe zu modernisieren. Die Gewerkschaften führten dagegen die »Kaufkrafttheorie« ins Feld und wiesen auf die positiven Auswirkungen von steigenden Arbeitereinkommen auf die Inlandsnachfrage hin. In diesem mittlerweile von der Forschung aufgegriffenen Expertenstreit[25] wird die für die Arbeiterschaft in vielerlei Hinsicht noch dürftige materielle Innenausstattung des Weimarer Sozialstaates zu wenig beleuchtet. Statistische Vergleiche mit dem späten Kaiserreich verfehlen die Erwartungshaltungen und Gerechtigkeitsvorstellungen der Gewerkschaften. Für sie konnte das im Kaiserreich erreichte Sozialniveau kein Maßstab sein. Nach den Entbehrungen der Kriegszeit, den Hoffnungen der Revolutionsmonate und den Rückschlägen der Inflationsjahre vermochte sich die gewerk-

[25] Vgl. zur sogenannten »Borchardt-Kontroverse« zuletzt Potthoff, Freie Gewerkschaften, S. 133 ff.

schaftliche Lohnpolitik nicht am Primat der Ökonomie zu orientieren, denn erfolgreiche Lohnabschlüsse waren für die Gewerkschaften die wichtigste Voraussetzung für den Wiedererwerb von verlorengegangener Massenloyalität.

Da die Schlichtungsinstanzen dazu neigten, durch Lohnzugeständnisse ihre arbeitgeberfreundliche Gangart in der Arbeitszeitpolitik auszugleichen, sah die gewerkschaftliche Lohnbilanz nach dem Jahrfünft von 1924 bis 1928 zufriedenstellend aus. Der rapide Verfall der Reallöhne – sie lagen auf dem Höhepunkt der Inflation niedriger als 1871 – konnte gestoppt und dann schrittweise wieder wettgemacht werden. Unter konjunkturell günstigen Vorzeichen stiegen die Löhne insbesondere 1927 und 1928 nominal wie real deutlich an. Am Jahresende 1928 hatten die Tariflöhne der Facharbeiter, legt man die vom Statistischen Reichsamt errechneten Mittelwerte zugrunde, in etwa wieder die gleiche Kaufkraft wie in der unmittelbaren Vorkriegszeit. Die ungelernten Arbeiter, die vor 1914 wesentlich schlechter bezahlt worden waren, verbuchten im Vergleich zum späten Kaiserreich sogar einen Kaufkraftgewinn von etwa 20 Prozent und verkleinerten damit den Abstand zu ihren gelernten Kollegen. Trotz dieser Aufwärtsentwicklung der Löhne kam das Reichsamt in seinem Gesamturteil über die Einkommenssituation der Arbeiter zu dem Ergebnis, daß »vor dem Einbruch der Wirtschaftskrise das Wohlstandsniveau der Vorkriegszeit keineswegs wieder erreicht« worden sei[26].

In der sozialpolitischen Bilanz der Arbeiterbewegung schlug das im Juli 1927 verabschiedete Gesetz über die Arbeitsvermittlung und Arbeitslosenversicherung ohne jeden Zweifel am positivsten zu Buche. Es war einer der bedeutendsten Reformschritte in der Weimarer Republik in Richtung auf den modernen Wohlfahrtsstaat, und es schloß die letzte große Lücke im von Bismarck begründeten System der sozialen Sicherung. Die im November 1918 mit Reichs- und Landesmitteln stabilisierte kommunale Erwerbslosenfürsorge, von den Arbeiterorganisationen immer nur als Übergangslösung angesehen, wurde nun nach mehreren gescheiterten Anläufen[27] durch einen gesetzlichen Arbeitslosenschutz abgelöst, der auf dem Versicherungs- und Selbstverwaltungsprinzip aufbaute. Das am 1. Oktober

[26] Zitiert nach Winkler, Schein, S. 52.; vgl. auch Potthoff, Freie Gewerkschaften, S. 98 ff.
[27] Vgl. zur Vorgeschichte des Gesetzes Ludwig Preller, Sozialpolitik in der Weimarer Republik. Düsseldorf 1978 (Nachdruck), S. 369 ff.

1927 in Kraft getretene Gesetz schuf eine Reichsanstalt mit einem regionalen und lokalen Unterbau, beteiligte Arbeitgeber und Arbeitnehmer durch die Beitragspflicht an der finanziellen Verantwortung und integrierte die Arbeitslosenversicherung in ein Gesamtsystem der Arbeitsmarktpolitik, das auch die Arbeitsplatzbeschaffung sowie Weiterbildungs- und Umschulungsmaßnahmen für Erwerbslose einschloß.

Bei der Entstehung des Gesetzes hatte sich eine breite Reformkoalition gebildet, die alle Richtungsgewerkschaften und die ihnen nahestehenden Parteien umfaßte. Wie bei der parlamentarischen Beratung des Hilfsdienstgesetzes im Spätherbst 1916 nutzte das Gewerkschaftskartell aus ADGB, Christlichen Gewerkschaften und liberalen Gewerkvereinen seine politischen Querverbindungen zu Regierung, Opposition und Ministerialbürokratie, um diesen Gesetzentwurf verabschiedungsreif und mehrheitsfähig zu machen. Die überraschend breite Front der Befürworter – sie reichte von der SPD bis zur DNVP – setzte sich aus sehr heterogenen Interessengruppen zusammen, die unter der Führung von Reichsarbeitsminister Brauns ein sozialpolitisches Zweckbündnis schlossen. Die seit 1924 regierenden bürgerlichen Kabinette, in denen das Zentrum wie in allen Weimarer Regierungen eine Schlüsselrolle spielte, akzeptierten den »untrennbaren Zusammenhang von Wirtschafts- und Sozialpolitik«[28]. Sie sahen in diesem Gesetz eine flankierende Maßnahme zu ihrer den Unternehmerwünschen weit entgegenkommenden Steuer- und Zollpolitik. Die günstige Konjunkturlage im Sommer 1927 erleichterte außerdem allen Beteiligten die Zustimmung, auch den Arbeitgebern, die sich anfangs vehement gegen das Versicherungsprinzip gewandt hatten. Aus unternehmerischer Sicht stabilisierte dieses Gesetz jedoch die amtierende Regierung, weil es den Arbeitnehmerflügel des Zentrums wieder fester in die Rechtskoalition einband, und es korrigierte zugleich den in der Zwangsschlichtung oder beim Arbeitszeitnotgesetz spürbar gewordenen Staatsinterventionismus durch den Selbstverwaltungsauftrag an die beiden Arbeitsmarktparteien. Hier deckten sich die Vorstellungen der Unternehmer mit denen der Gewerkschaften, die für die Autonomie der Versicherung gekämpft hatten und damit – wie ihre Gegenspieler auf dem Arbeitsmarkt – ein Stück jener staatsunabhängigen Gemeinsamkeit reaktivieren wollten, die im November

[28] Ebenda, S. 371.

1918 zur Gründung der Zentralarbeitsgemeinschaft geführt hatte.

Die Zeit der Bürgerblockkabinette war also für die Gewerkschaften eine Phase beachtlicher sozialpolitischer Erfolge. Mit dem konjunkturellen Aufwind im Rücken konnten sie Lohnerhöhungen und Arbeitszeitverkürzungen durchsetzen. Allerdings reichte das volkswirtschaftliche Wachstum nicht aus, um den Lebensstandard der Arbeiter über das Niveau des späten Kaiserreichs hinaus anzuheben. Von einem »Weimarer Wirtschaftswunder« nach der Währungsstabilisierung konnte auch deshalb keine Rede sein, weil auf dem Arbeitsmarkt durchweg ein starker Druck lastete. Im Vergleich zur Vorkriegszeit gab es eine Million Arbeitskräfte mehr, die um ihre Beschäftigungsmöglichkeiten selbst in den wirtschaftlichen Schönwetterperioden der Republik bangen mußten. Dennoch blickten die Gewerkschaften optimistisch in die Zukunft. Nach dem Sieg der Sozialdemokratie bei den Reichstagswahlen von 1928 und ihrer Rückkehr an die Spitze des Reichskabinetts glaubten die Gewerkschaften, daß sie mit Hilfe der befreundeten Regierungspartei den Weimarer Sozialstaat weiter ausbauen und die in den Revolutionsmonaten 1918/19 gescheiterten Reformhoffnungen vielleicht doch noch verwirklichen könnten.

Das Zauberwort, mit dem man eine neue Ära im Emanzipationskampf der Arbeiterklasse einleiten wollte, hieß Wirtschaftsdemokratie. In den Freien Gewerkschaften wurde darunter die gleichberechtigte Partizipation der Arbeitnehmer an den ökonomischen Entscheidungsprozessen verstanden, also die Ergänzung der politischen Demokratie durch die industrielle Demokratie. Diese Konzeption griff Überlegungen auf, die bereits 1919 auf dem ADGB-Kongreß diskutiert worden waren, bevor sie dann zwischen 1925 und 1928 unter der Federführung Fritz Naphtalis zu einem Programm ausgearbeitet wurden. Im gleichen Zeitraum kam der sozialdemokratische Theoretiker Hilferding in seinen Analysen zu dem Ergebnis, die kapitalistischen Marktgesetze würden im Zuge der wirtschaftlichen Konzentration und Kartellierung vom Prinzip der planmäßigen Produktion abgelöst. Deshalb sei eine Entwicklungsphase erreicht, in der die gesellschaftliche Kontrolle in der Wirtschaft auf der Tagesordnung stehe. SPD und ADGB bewegten sich bei ihren reformsozialistischen Zukunftsplanungen programmatisch im Gleichschritt. Diesen Konsens faßte Naphtali 1928 in dem Diktum zusammen, »daß der Kapitalismus, bevor er gebrochen wird, auch gebogen werden kann«[29].

In seinen Kernaussagen zielte das Konzept der Wirtschaftsdemokratie darauf ab, die freiwillige Kooperation zwischen Kapital und Arbeit – ihr Scheitern in der Zentralarbeitsgemeinschaft war bei den Gewerkschaften noch in böser Erinnerung – durch ein staatlich abgesichertes Mitbestimmungsmodell zu ersetzen. Das Hauptaugenmerk galt der gewerkschaftlichen Parität in den Entscheidungsprozessen auf Unternehmensebene und nicht basisdemokratischen Gremien, wie sie mit den Betriebsräten bereits in der Weimarer Verfassung verankert waren. Das Konzept betonte die überbetriebliche Wirtschaftssteuerung durch Gewerkschaftsorgane und bewegte sich damit im Traditionsrahmen des gewerkschaftlichen Zentralismus. Es kann auch als eine Antwort des ADGB auf die Zusammenballung von ökonomischer Macht in vertikal und horizontal verflochtenen Großkonzernen gesehen werden, weil Unternehmen wie die Mitte der zwanziger Jahre gegründeten Branchenriesen Vereinigte Stahlwerke oder IG Farben im Einzelbetrieb nicht mehr effektiv zu kontrollieren waren. Insgesamt skizzierte Naphtalis Programm eine Alternative zum Privatkapitalismus, die auf den Strukturmerkmalen Mitbestimmung, Planung und Sozialisierung beruhte. Damit knüpfte er an die Reformismustheorie Eduard Bernsteins an, der schon an der Jahrhundertwende den langen Marsch vom Kapitalismus zum Sozialismus und nicht den revolutionären Sprung in den sozialistischen Zukunftsstaat in das Zentrum seiner strategischen Überlegungen gerückt hatte.

Das vom ADGB-Kongreß im September 1928 fast einstimmig verabschiedete Programm zur Wirtschaftsdemokratie und der sozialdemokratische Wahlsieg im gleichen Jahr alarmierten das Unternehmerlager. Vor allem der harte Kern der Republik- und Tarifvertragsgegner in der Schwerindustrie an Rhein und Ruhr blies nun zum Gegenangriff. Der gewerkschaftliche Mitbestimmungsanspruch war nach ihrer Einschätzung ebenso gefährlich wie die Sozialisierungsforderungen der Revolutionszeit, weil nun die Strategie der Gewerkschaften auf ein schrittweises Aufbrechen des Kapitalismus mit Unterstützung des Staates abzielte. Eine konzertierte Aktion von gewerkschaftli-

---

[29] Fritz Naphtali, Wirtschaftsdemokratie. Ihr Wesen, Weg und Ziel. Frankfurt 1966 (Neudruck), S. 19.

cher und politischer Arbeiterbewegung konnte aber – so der
Alptraum vieler Unternehmer – die Ausbreitung des gemeinwirtschaftlichen »Bazillus« über die öffentlichen Betriebe von
Reich, Ländern und Gemeinden hinaus anstreben. Wegen dieser Ängste, die zweifellos größer waren als die reale »Anstek-
kungsgefahr«, die von der Wirtschaftsdemokratie ausging, reagierten die Arbeitgeber mit einer massiven Abschreckungsthe-
rapie. Zwei Monate nach dem Hamburger ADGB-Kongreß demonstrierten sie im sogenannten »Ruhreisenstreit«[30], wo die
Grenzen der Gewerkschaftsmacht, aber auch die Grenzen der
Staatsmacht im bestehenden System gezogen waren. Als die im
Arbeitgeberverband Nordwest organisierten Schwerindustriellen diesen Arbeitskampf in der Stahlindustrie zum Anlaß nahmen, um die staatliche Schlichtungspraxis zu attackieren, wollten sie ein doppeltes Exempel statuieren: Zum einen führte man
durch die Massenaussperrung von 250000 Arbeitern den Gewerkschaften die überlegene Kampfkraft des Unternehmerla-
gers vor Augen; zum anderen warf man das Gewicht der ökonomischen Vetomacht gegen die staatlich gelenkte Lohnpolitik
in die Waagschale und forderte damit die Legitimität der
Reichsregierung heraus. Der Ruhreisenstreit signalisierte, daß
am Ende des Jahres 1928 der »Schein der Normalität« zu verblassen begann. Die Staats- und Wirtschaftskrise der Weimarer
Republik kündigte sich Ende 1928 bereits an – politisch im
Kabinettsstreit um den Panzerkreuzerbau und um die Finanz-
reform, sozial in einer zunehmenden Verschärfung der Verteilungskämpfe zwischen Kapital und Arbeit.

4. Weimar zwischen Demokratie und Diktatur 1929–1932:
   Tolerierung oder Kampf

Der Aufstieg des Nationalsozialismus zur Massenbewegung
und der Zusammenbruch des republikanischen Systems vollzogen sich in Deutschland zu Beginn der dreißiger Jahre vor dem
Hintergrund der Weltwirtschaftskrise. In der Forschung ist un-
strittig, daß sich die Prozesse der politischen Destabilisierung

[30] Vgl. dazu vor allem Bernd Weisbrod, Schwerindustrie in der Weimarer
Republik. Interessenpolitik zwischen Stabilisierung und Krise. Wuppertal 1978,
S. 393 ff.; Winkler, Schein, S. 557 ff.

und der ökonomischen Depression zeitlich überlagerten und wechselseitig verstärkten. Ob die Ausschaltung des Parteienstaates und die autoritäre Wende zum Präsidialregime zwangsläufige Folgen der konjunkturellen Talfahrt waren, bleibt jedoch eine offene Frage. Monokausale Erklärungen verbieten sich, wenn man andere kapitalistische Gesellschaften in die Erklärung einbezieht. Die Weltwirtschaftskrise erfaßte alle Industriestaaten, ohne aber in Großbritannien, Frankreich oder den USA in der Auflösung der Demokratie zu münden. Zu ihrer Verschränkung mit einer Legitimationskrise und einem Systemwechsel von der Demokratie zur Diktatur kam es nur in Deutschland, das als ökonomisch besonders hart betroffenes Land somit einen politischen Sonderweg beschritt, der im internationalen Vergleich einzigartig war.

Die wirtschaftlichen Dimensionen der Krise lassen sich mit Daten gut belegen: Zwischen 1928 und 1932 sank die deutsche Produktionsgüterherstellung um mehr als die Hälfte, und das Angebot der Konsumgüterindustrien schrumpfte um ein Viertel; das Weltfinanzsystem zeigte sich den Belastungen nicht gewachsen, als nach dem New Yorker Börsenkrach im Oktober 1929 der Kreislauf von amerikanischen Krediten, deutschen Reparationsleistungen und französischer Schuldentilgung bei den USA gestört wurde; der Kollaps des aufgeblähten internationalen Kreditmarktes brachte im Sommer 1931 große Unternehmen und Banken in Zahlungsschwierigkeiten; gleichzeitig verlor die Reichsbank durch die Kapitalflucht und den panikartigen Abzug von kurzfristigen ausländischen Anlagen über fünfzig Prozent ihrer Währungsreserven. Deutschland mußte zur Devisenbewirtschaftung übergehen. Hinzu kam der drastische Rückgang der Welthandelsumsätze, weil alle Staaten sich durch protektionistische Maßnahmen zu schützen suchten. Die Verflechtung von binnen- und außenwirtschaftlichen Krisenfaktoren, das Versagen der nationalen und internationalen Steuerungsmechanismen sowie die ökonomisch und politisch gleichermaßen kurzsichtige Rivalität der Großmächte programmierten den rasanten Absturz der Weltwirtschaft in eine tiefe Depression, deren Talsohle in den meisten Ländern erst im Sommer 1932 erreicht war.

Die sozialen Dimensionen der Krise können für das Deutsche Reich nur in Umrissen beschrieben werden. Nahezu alle Gruppen der Erwerbstätigen gerieten in den Sog der Depression. Sie mußten Lohn- und Gehaltseinbußen in Kauf nehmen, waren von Kurzarbeit, Feierschichten und Arbeitslosigkeit betroffen, hatten höhere Sozialversicherungsbeiträge zu bezahlen und sahen sich mit der Notwendigkeit konfrontiert, die Ausgaben für Nahrung, Wohnung, Kleidung, Ausbildung und Freizeitgestaltung dem ständig sinkenden Familienbudget anzupassen. Arbeiter und Angestellte waren gezwungen, ihre Lebenshaltung besonders drastisch einzuschränken, weil sie zu den Hauptopfern der anschwellenden Massenarbeitslosigkeit wurden. Der in Deutschland ohnehin schon sehr hohe Arbeitslosensockel vergrößerte sich von 1,3 Millionen im September 1929 auf über 3 Millionen zwölf Monate später; im September 1931 wurden 4,3 Millionen Arbeitslose registriert, im September 1932 belief sich ihre Zahl auf 5,1 Millionen. Im ersten Quartal 1933 war immer noch jeder dritte Arbeitnehmer in Deutschland beschäftigungslos, während in den USA jeder vierte, in Großbritannien jeder fünfte und in Frankreich jeder siebte Erwerbstätige zum Heer der Arbeitslosen zählte. Zu dieser in den offiziellen Statistiken erfaßten »sichtbaren« Arbeitslosigkeit muß man die »unsichtbare« Arbeitslosigkeit hinzurechnen, also diejenigen Erwerbslosen, die von der öffentlichen Hand nicht unterstützt wurden oder in den Karteien der Arbeits- und Fürsorgeämter nicht verzeichnet waren. Ihre Zahl belief sich nach zeitgenössischen Schätzungen im Herbst 1932 auf 1,4 Millionen; gewerkschaftliche Berechnungen gingen im August 1932 sogar von einer statistischen Dunkelziffer von 2,4 Millionen aus[1]. Insgesamt wurde jede zweite deutsche Familie von der Wirtschaftskrise erfaßt, wobei jedoch der Grad der Betroffenheit sehr unterschiedlich war.

Die Arbeiter stellten absolut und prozentual die mit Abstand größte Gruppe der Erwerbslosen. Im Durchschnitt der Jahre 1927 bis 1933 waren neun von zehn Erwerbslosen Arbeiter, während die Angestellten, die nach der Berufszählung von 1925 knapp ein Fünftel aller Arbeitnehmer ausmachten, im gleichen Zeitraum eine Arbeitslosenquote von 8,9 Prozent verzeichneten. Aber auch innerhalb der Arbeiterschaft waren die Bela-

---

[1] Vgl. dazu die Angaben bei Heidrun Homburg, Vom Arbeitslosen zum Zwangsarbeiter. Arbeitslosenpolitik und Fraktionierung der Arbeiterschaft in Deutschland 1930–1933 am Beispiel der Wohlfahrtserwerbslosen und der kommunalen Wohlfahrtshilfe. In: Archiv für Sozialgeschichte 25 (1985), S. 251–298, 253 ff.; ferner: Heinrich August Winkler, Der Weg in die Katastrophe. Arbeiter und Arbeiterbewegung in der Weimarer Republik 1930 bis 1933. Berlin, Bonn 1987, S. 22 ff.

stungen ungleich verteilt. Männer wurden häufiger arbeitslos als die in der Massenfabrikation beschäftigten und geringer entlohnten Frauen; Kurzarbeiter mußten teilweise empfindliche Lohnverluste in Kauf nehmen, behaupteten sich aber materiell immer noch besser als Dauererwerbslose, denen das Schicksal drohte, »ausgesteuert« zu werden und damit aus dem Kreis der Unterstützungsberechtigten herauszufallen. Außerdem erfaßte die Depression die Produktionsgüterindustrien stärker als die Verbrauchsgüterindustrien, was zur Folge hatte, daß einzelne Wirtschaftssektoren (Baubranche, Schwerindustrie) und einzelne Regionen (Westfalen, Rheinland, Sachsen) mehr in Mitleidenschaft gezogen wurden. Am verheerendsten wirkte sich die Arbeitslosigkeit in den Ballungsgebieten nördlich der Mainlinie aus, vor allem in den städtischen Zentren des Bergbaus und der Eisenindustrie sowie in den strukturschwachen Räumen Ostelbiens oder Thüringens. Im Süden des Reichs, wo eine ausgewogenere Mischung von Klein-, Mittel- und Großbetrieben bestand und sich die modernen Industrien der Chemie, des Automobilbaus und der Elektrotechnik angesiedelt hatten, war die Lage etwas besser.

Neben der regional und sektoral unterschiedlichen Krisenanfälligkeit muß man die individuell ungleich verteilten Bürden der Arbeitslosigkeit beachten. Ersparnisse, Haus-, Garten- oder Ackerbesitz konnten im Einzelfall Verdiensteinbußen mildern; der soziale Leistungsabbau gefährdete die Existenzgrundlagen von ungelernten Arbeitern schneller, die auch das größte Kontingent der Wohlfahrtserwerbslosen stellten; erkrankte und ältere Arbeiter wurden zu nicht mehr vermittelbaren Dauererwerbslosen; Jugendliche fanden nach dem Schulabschluß keine Arbeitsstelle und konnten deshalb auch keine Anwartschaft auf Arbeitslosenunterstützung erwerben. Für sie war das Massenschicksal der Arbeitslosigkeit besonders bitter, weil es sie zu einem Zeitpunkt traf, als sie eigene Berufs- und Lebenspläne entwickeln wollten. Insbesondere bei den 18- bis 30jährigen Männern lag die Erwerbslosigkeit erheblich über dem Durchschnitt. Sie fühlten sich einer »überflüssigen Generation« zugehörig und waren darum auch besonders anfällig für den politischen Radikalismus, der ihnen in seiner kommunistischen oder nationalsozialistischen Variante eine systemverändernde Zukunftsperspektive anbot[2].

---

[2] Vgl. Detlev J. K. Peukert, Jugend zwischen Krieg und Krise. Lebenswelten von Arbeiterjungen in der Weimarer Republik. Köln 1987, S. 167ff.

Wie die Familien von Erwerbslosen von den immer kleiner werdenden Unterstützungssätzen der Arbeitslosen-, Krisen- oder Wohlfahrtsfürsorge überhaupt noch leben konnten, war schon zeitgenössischen Beobachtern ein Rätsel. In den groß- städtischen Mietskasernen und in den ländlichen Hunger- und Elendsgebieten standen auf dem proletarischen Speisezettel Brot, Kartoffeln und Suppen obenan, während an Eiweiß und Fett gespart werden mußte. Mit dem Ernährungsstandard sank der Gesundheitsstandard und wuchsen alle Arten von Mangel- krankheiten. Der Protest gegen die immer unerträglicher wer- denden Lebensverhältnisse ließ sich nicht nur an den steigenden Stimmenzahlen von NSDAP und KPD ablesen, sondern auch an der Kriminalstatistik des Deutschen Reiches, die ab 1929 deutlich mehr Eigentums-, Vermögens- und Gewaltdelikte ver- zeichnete als in den Jahren nach der Inflation. Nicht exakt meß- bar sind jedoch die sozialpsychologischen Folgen der Weltwirt- schaftskrise. Der Sinn für Solidarität, der jahrzehntelang ein Kennzeichen des Klassenhandelns gewesen war, büßte an Ge- wicht ein. Wer in einem individuellen Kampf ums nackte Über- leben stand, verlor leicht den Glauben an den kollektiven Auf- stieg. Der Rückgang der Gewerkschaftsmitglieder war nur ein Indiz für den Prozeß der Desorientierung der Arbeiterklasse.

Auf diese Stimmungslage reagierten die Gewerkschaften und die Arbeiterparteien mit unterschiedlichen strategischen Kon- zepten, wobei ihre ideologische Nähe oder Ferne zur Weimarer Republik über ihre jeweilige Kursbestimmung mitentschied. Wenn KPD und SPD seit 1929 noch weiter auseinanderdrifte- ten und nun auch zwischen SPD und ADGB unübersehbare Differenzen auftraten, dann erklärt sich das nicht allein aus dem wirtschaftlichen Krisendruck. Im Umgang der Arbeiterbewe- gung mit der Krise spiegelten sich einerseits die Besonderheiten wider, mit denen Staat und Gesellschaft in Deutschland auf die Herausforderungen der Depression reagierten. Andererseits be- antworteten KPD, SPD und Gewerkschaften die autoritäre Verformung des Regierungssystems und den Durchbruch des Rechtsradikalismus zur Massenbewegung mit politischen Op- tionen, die auch die soziale Segmentierung der Arbeiterbewe- gung sichtbar machten. Zwischen den Anhängern der KPD, die jetzt mehr und mehr zur Erwerbslosenpartei wurde, und den Anhängern der SPD, deren Rückgrat immer noch die beschäf- tigten Betriebsarbeiter bildeten, verringerte sich der gemeinsa- me Vorrat an solidarischen Lebenserfahrungen. Gleichzeitig

131

wurde die Gewerkschaftsbewegung von der Krise zermürbt, weil die Massenarbeitslosigkeit ihre Konfliktfähigkeit als Arbeitsmarktpartei immer mehr schwächte. In dieser Situation hielten die Gewerkschaftsvorsitzenden weder den Tolerierungskurs der SPD-Führung noch den Konfrontationskurs der KPD-Zentrale für besonders plausibel. Ein eigenes Patentrezept, das die Republikgegner in die Schranken verweisen und den Abbruch des Sozialstaats verhindern konnte, hatten sie aber auch nicht anzubieten.

Symptomatisch für die sozialen und politischen Ressentiments, die SPD und KPD immer mehr voneinander abschotteten, waren die Berliner Maiunruhen von 1929. Diese unter dem Etikett »Blutmai« in die Geschichtsschreibung eingegangenen Vorgänge[3] offenbarten die tiefe Gespaltenheit der Weimarer Gesellschaft und die langsam sich versteinernde Lagermentalität in den beiden Arbeiterparteien. Im tagelangen Kleinkrieg zwischen linksradikalen Demonstranten und der unter sozialdemokratischem Kommando stehenden Berliner Polizei waren im Wedding und in Neukölln nicht nur 33 tote und 198 verletzte Bewohner oder Passanten die Opfer eines gänzlich unangemessenen Einsatzes der mit Karabinern, Maschinengewehren und Panzerwagen gegen Steinewerfer vorrückenden Polizisten, auf der Strecke blieben auch die letzten Reste der kommunistischen Loyalität zur Weimarer Republik. Denn die Berliner Maiereignisse gewannen in der Folgezeit eine exemplarische Bedeutung bei der emotionalen Grundierung eines Weltbildes, in dem die Sozialdemokratie als »Hauptfeind« des Kommunismus angeprangert wurde. In den von Johannes R. Becher und Erich Weinert getexteten und von Hanns Eisler vertonten Heldenliedern hatten während der ersten Maitage KPD-Aktivisten als »Vorhut der Roten Armee« gegen vom sozialdemokratischen Polizeipräsidenten Zörgiebel eingesetzte »Mörder« in Uniform gekämpft: Der »Rote Wedding« wurde zu einem Mythos der KPD-Propaganda.

Noch wichtiger waren die direkten Auswirkungen der Maiunruhen auf die kommunistische Politik. Sie dienten der

[3] Auslöser der Straßenkämpfe war die Mißachtung eines vom Berliner Polizeipräsidenten Zörgiebel (SPD) für den 1. Mai 1929 verhängten Versammlungs- und Demonstrationsverbots unter freiem Himmel durch die KPD. Vgl. zur Vorgeschichte und zum Ablauf der Ereignisse die minutiöse Analyse von Thomas Kurz, »Blutmai«. Sozialdemokraten und Kommunisten im Brennpunkt der Berliner Ereignisse von 1929. Berlin, Bonn 1988.

KPD-Führung nämlich dazu, den von der Komintern bereits 1928 eingeschlagenen Linkskurs auch im deutschen Kommunismus endgültig mehrheitsfähig zu machen. Das Forum dazu bot der zwölfte und vor 1933 letzte Parteitag der KPD, der im Juni 1929 am Ort der Ereignisse, im Berliner Wedding, tagte. Hatte sich im Herbst und Winter 1928/29 die Durchsetzung der theoretischen Postulate Stalins in der KPD noch schwierig gestaltet, so lieferten die Barrikadenkämpfe von Berlin die schlagkräftigen Beweise für die Notwendigkeit einer ideologischen Kehrtwendung gegen die SPD. Der »Blutmai« ließ sich als Beleg für die »Faschisierung« der Sozialdemokratie ausschlachten und als Stütze für die eigene ultralinke Generallinie verwenden[4]. Fortan verkörperte die SPD, wie Thälmann den Delegierten des Weddinger Parteitages darlegte, »eine besonders gefährliche Form der faschistischen Entwicklung« und betrieb die »Vorbereitung eines Interventionskrieges gegen die Sowjetunion«[5].

Die von Thälmann verkündete Doktrin des »Sozialfaschismus« war allerdings nicht seine eigene Erfindung. Die Urheberrechte dafür besaßen Stalin und Sinowjew, die schon 1924 die SPD als einen »Flügel des Faschismus« charakterisiert hatten. Laut Stalin stellten die Organisationen des Faschismus und der Sozialdemokratie »keine Antipoden, sondern Zwillingsbrüder« dar[6]. Konjunktur als politischer Kampfbegriff des Kommunismus hatte das Schlagwort »Sozialfaschismus« jedoch erst ab 1928 nach der ultralinken Wendung der Komintern. Die nun verfochtene Theorie besagte, daß die Phase der relativen Stabilität der kapitalistischen Systeme zu Ende gehe. Die sich in der Chronologie seit 1917 anschließende »Dritte Periode« werde durch eine neue Welle imperialistischer Kriege und Klassenkämpfe gekennzeichnet sein. Diese könnten einerseits die Gefahr verschärfter Repression durch den Staat bis hin zur Errich-

[4] Vgl. dazu Hermann Weber, Die Wandlung des deutschen Kommunismus. Die Stalinisierung der KPD in der Weimarer Republik. 2 Bde, Frankfurt 1969, S. 223 ff.; Die Generallinie. Rundschreiben des Zentralkomitees der KPD an die Bezirke 1929–1933. Eingeleitet von Hermann Weber. Bearbeitet von Hermann Weber unter Mitarbeit von Johannes Wachtler. Düsseldorf 1981.
[5] Protokoll des 12. Parteitages der Kommunistischen Partei Deutschlands (Sektion der Kommunistischen Internationale), Berlin-Wedding, 9. bis 16. Juni 1929. Berlin 1929, S. 49 ff.
[6] Vgl. zusammenfassend: Leonid Luks, Entstehung der kommunistischen Faschismustheorie. Die Auseinandersetzung der Komintern mit Faschismus und Nationalsozialismus 1921–1935. Stuttgart 1985, S. 130 ff.

tung faschistischer Systeme heraufbeschwören; andererseits böten sie aber auch die Chance einer revolutionären Radikalisierung der unterdrückten und unzufriedenen Massen. Propagiert wurde von der Komintern also ein Konzept der Drohung und Verheißung, das der kommunistischen Weltbewegung die Gefahren einer kapitalistischen Aggression gegen die Sowjetunion dramatisch vor Augen führte und ihr zugleich eine neue revolutionäre Perspektive in den bevorstehenden Klassenkämpfen eröffnete. Der KPD fiel – wie allen kommunistischen »Bruderparteien« – die Aufgabe zu, Sowjetrußland vor einem Überfall der imperialistischen Westmächte zu schützen und alles zu tun, um das »Heranreifen« der Revolution in Deutschland zu beschleunigen. Die SPD erschien nun nicht mehr als Parteienkonkurrent der KPD, dessen Einfluß in der Arbeiterschaft rigoros beschnitten werden mußte; sie wurde von den Kommunisten als konterrevolutionäre Speerspitze der von der Bourgeoisie gekauften Arbeiteraristokratie, als Kriegshetzer gegen die Sowjetunion und als Sammelbecken des Sozialfaschismus bekämpft.

Dieses neue Konzept, das ganz auf die politischen Bedürfnisse Stalins ausgerichtet war, bildete zwischen 1929 und 1934 die strategische Konstante in der Politik der KPD. Die Partei trennte sich nun von den letzten »Versöhnlern« in den eigenen Reihen und machte rigoros Front gegen die Sozialdemokratie, deren Wähler, Mitglieder und Spitzenpolitiker im schematischen Weltbild der Kommunisten zu einer sozialfaschistischen Masse verschmolzen. Taktische Korrekturen an dieser theoretisch ebenso verworrenen wie politisch verhängnisvollen Doktrin wurden zwar immer wieder vorgenommen – insgesamt lassen sich acht Phasen mit unterschiedlicher Akzentsetzung aneinanderreihen[7] –, aber während der ganzen, bis 1934 andauernden »Dritten Periode« kam es zu keiner prinzipiellen Revision dieses antisozialdemokratischen Kurses. Zugespitzt formuliert: Der ideologische Irrweg des deutschen Kommunismus endete erst in den nationalsozialistischen Kerkern und Konzentrationslagern, als es für eine Umkehr längst zu spät war.

Als Partei der Mobilisierungskampagnen und Massenaktionen hob sich die KPD in der Spätphase der Weimarer Republik vom defensiven Legalismus der Sozialdemokratie deutlich ab. Die Demonstration der eigenen Stärke bei Aufmärschen und

[7] Vgl. dazu Hermann Weber, Hauptfeind Sozialdemokratie. Strategie und Taktik der KPD 1929–1933. Düsseldorf 1982.

pay homage to, subscribe to

Kundgebungen oder auch in den Straßenschlachten mit der SA sollte die revolutionäre Entschlossenheit der Partei anschaulich machen und ihren Charakter als Avantgarde der klassenbewußten Arbeiterschaft beweisen. Bei der Propagierung des permanenten Kampfes und der kollektiven Wehrhaftigkeit gegen den Nationalsozialismus huldigte die Parteiführung bewußt einer Philosophie der Gewalt und gab der KPD das Profil einer Umsturzpartei[8], ohne jedoch konkrete Vorbereitungen zu einem bewaffneten Aufstand zu treffen. Die gescheiterten Putschversuche vom März 1921 oder vom Oktober 1923 waren noch nicht vergessen. Die Erinnerung an diese Niederlagen dämpfte die Risikobereitschaft der KPD-Führer, nicht aber ihren Verbalradikalismus, dessen Hauptzielscheibe die NSDAP und die SPD waren. »Nationalfaschismus« und »Sozialfaschismus« verbanden sich in den ideologischen Konstrukten der Partei, die grundsätzlich die Unterschiede zwischen bürgerlicher Demokratie und Faschismus leugnete. Ihr antifaschistischer Aktionismus trug somit immer auch selbstzerstörerische Züge, weil er mit dem republikanischen Pluralismus auch die Grundlagen der eigenen Existenz in einem nichtsowjetischen System in Frage stellte.

Wieviel Anklang der von der stalintreuen KPD-Spitze seit 1929 propagierte »Vernichtungskampf« gegen die »Panzerkreuzerpartei« und die »Polizeisozialisten«[9] in der Arbeiterschaft fand, läßt sich nicht mit Sicherheit sagen. Ihr ultralinkes Auftreten verschaffte der KPD jedoch Gehör und Zustimmung im ständig wachsenden Heer der Arbeitslosen. Die enorme Resonanz der kommunistischen Klassenkampfrhetorik bei den verzweifelten Erwerbslosen ist ablesbar an den Wahlerfolgen der Partei, deren Stimmenanteil sich zwischen Mai 1928 und November 1932 von 3,2 Millionen auf fast 6 Millionen erhöhte. Gleichzeitig verlor die SPD fast zwei Millionen Wähler. Damit

[8] Vgl. dazu Eve Rosenhaft, Beating the Fascists? The German Communists and Political Violence 1929–1933. Cambridge 1983.

[9] Zu diesen und weiteren Attacken auf die SPD vgl. Weber, Wandlung, S. 239 ff. Eine Fülle von Belegen findet sich in den Rundschreiben des Zentralkomitees der KPD an die Bezirke (s. Anm. 4). Hier wird die SPD z. B. als »die Hilfspolizei der faschistischen Brüning-Regierung« (S. 269), als »Kurpfuscher des todkranken Kapitalismus« (S. 409) und als »soziale Hauptstütze der Kapitalherrschaft« (S. 651) bezeichnet, die man entlarven und zerschlagen müsse. Vgl. dazu die Studie von Josef Wieszt, KPD-Politik in der Krise 1928–1932. Zur Geschichte und Problematik des Versuchs, den Kampf gegen den Faschismus mittels Sozialfaschismusthese und RGO-Politik zu führen. Frankfurt 1976.

hatte sich der Vorsprung der Sozialdemokraten vor den Kommunisten von knapp 6 Millionen Stimmen (Mai 1928) auf etwas mehr als 1,2 Millionen Stimmen (November 1932) verringert. Daß sich der Zustrom zur KPD auch aus enttäuschten Anhängern der SPD speiste, liegt auf der Hand, selbst wenn man keine exakten Angaben über das Ausmaß der Wählerwanderungen zwischen den beiden Arbeiterparteien machen kann. Attraktiv war die KPD vor allem für erwerbslose Arbeiter, die weit häufiger für die kommunistische als für die nationalsozialistische Alternative zu Weimar votierten.

Den Höhepunkt des kommunistischen Feldzuges gegen die Sozialdemokratie stellte ohne Zweifel die Beteiligung der KPD am Volksentscheid gegen das preußische Kabinett im Sommer 1931 dar. Bei dieser Attacke auf das republikanische Bollwerk der Preußenregierung zeigte sich aber auch, daß sich nicht alle KPD-Wähler mobilisieren ließen, wenn die Partei die SPD frontal angriff. Für eine Unterstützung des anfangs nur von der NSDAP, DNVP und DVP eingeleiteten Vorstoßes in Preußen, mit dem die von SPD, Zentrum und Linksliberalen getragene Weimarer Koalition in Preußen ausgehebelt werden sollte, entschied sich die KPD völlig überraschend im Juli 1931. In den Monaten davor hatte sie die Antragsteller des Volksbegehrens noch als »Mord- und Streikbrecherbanden« angeprangert und jede gemeinsame Aktion mit den »Börsenfürsten, Junkern und Inflationsgewinnlern«[10] weit von sich gewiesen. Der plötzliche Sinneswandel der KPD-Führung war das Werk Stalins und Molotows, die das Einschwenken der KPD in eine Einheitsfront mit dem »Nationalfaschismus« erzwangen. Einmal mehr beugte sich der deutsche Kommunismus den Weisungen aus Moskau und ordnete sich der sowjetischen Staatsräson unter. Der von der KPD-Zentrale zum »roten Volksentscheid« mühsam uminterpretierte Kampf gegen die Braun-Severing-Regierung endete jedoch im August 1931 mit einer empfindlichen Niederlage der Antragsteller. Sie verfehlten mit 37,1 Prozent Ja-Stimmen ihr Ziel deutlich. Ganz offensichtlich waren am Abstimmungstag viele konservative Gegner der Preußenkoalition zu Hause geblieben, weil sie nicht Arm in Arm mit den Kommunisten in die Wahllokale marschieren wollten. Ebenso signifikant war aber

---

[10] So das Parteiorgan Die Rote Fahne am 10. April 1931, zitiert nach Weber, Hauptfeind, S. 40. Vgl. zum preußischen Volksentscheid auch Winkler, Weg, S. 385 ff.

auch, daß beim Anhang der KPD die Kamikaze-Taktik der Parteizentrale nur halbherzige Zustimmung fand. So blieb in den Berliner Arbeitervierteln – namentlich im »roten« Wedding – und in den preußischen Industriezentren die Beteiligung am Volksentscheid unterdurchschnittlich, wenn man die Stimmenstärke der Antragsteller bei den im September 1930 vorangegangenen Reichstagswahlen als Vergleichsmaßstab heranzieht.

Innerhalb der Parteigliederungen stieß die Preußen-Offensive der KPD-Führung kaum auf Widerstand, was die weitgehende Gleichschaltung des regionalen Funktionärsapparats mit der Berliner Schaltzentrale der Partei und die straffe Steuerung der Aktivistenkader von oben belegt. Allerdings war die KPD als Mitgliederpartei alles andere als eine disziplinierte Massenorganisation. Zwar traten ihr von Anfang 1929 bis Ende 1932 rund 600 000 Mitglieder bei, aber um die Parteitreue dieser Neuaufgenommenen war es schlecht bestellt. Ein Großteil von ihnen kehrte der KPD nämlich häufig schon im Eintrittsjahr wieder enttäuscht den Rücken. Zu den Motiven für diese Unstetigkeit gehörte sicherlich, daß die Hoffnung dieser Kurzzeitkommunisten auf eine rasche Besserung ihres Proletarierschicksals ebenso schnell verflog wie ihre durch die kommunistische Propaganda geschürte revolutionäre Begeisterung. Die geringe Integrationskraft der KPD, die selbst ihre Fluktuationsrate für 1931 mit 38 Prozent und für 1932 mit 54 Prozent angab, wirkte sich auch auf die Zusammensetzung und Beschlußfassung der regionalen Parteikonferenzen aus. Hier versammelten sich zu Beginn der dreißiger Jahre viele Delegierte mit sehr geringer Mitgliedsdauer. Ihre politische Unerfahrenheit machte es dem geschulten Funktionärsapparat leicht, die ideologische Generallinie der Parteiführung durchzusetzen. Da die KPD immer mehr zu einer Arbeitslosenpartei wurde – im September 1930 waren 40 Prozent, im April 1932 85 Prozent ihrer Mitglieder arbeitslos –, verlor die Partei auch ihren Rückhalt in den Industriebetrieben und damit die Bindung an die Belegschaften: Ende 1932 waren nur noch 11 Prozent der Parteiangehörigen Betriebsarbeiter.

Diese Entwicklung hatte die kommunistische Gewerkschaftspolitik beschleunigt. Seit Sommer 1928 steuerte die KPD nämlich auch in den Gewerkschaften, ebenfalls auf Weisung der Komintern, einen ultralinken Konfrontationskurs, dem sich in der ersten Phase bis zum Juni 1929 die kommunistischen Betriebsarbeiter allerdings nur zögernd anschlossen[11]. Die von der Parteileitung vorangetriebene ideologische Frontbildung gegen den gewerkschaftlichen Reformismus mündete dann bis Mai 1930 in vielfältigen Versuchen, parallel zum Verbandsgefüge des ADGB eigene Organisationen aufzubauen. Ihr Dachverband war die Ende November 1929 auf einem Reichskongreß konstituierte »Revolutionäre Gewerkschafts-Opposition« (RGO). Schon bei den Betriebsratswahlen 1930 wurde den kommunistischen Arbeitern zur Pflicht gemacht, auf selbständigen Listen zu kandidieren. Zwischen Mai 1930 und Juni 1931 fand der Prozeß der organisatorischen Verselbständigung der RGO seinen Abschluß. Hierauf folgte 1931/32 eine vierte Phase, in der die KPD wieder eine Kurskorrektur vollzog. Jetzt verfolgte die Partei in ihrer Gewerkschaftsarbeit eine Art Doppelstrategie, indem sie sich einerseits um eine Festigung der »roten Verbände« bemühte und andererseits auch innerhalb der ADGB-Organisationen wieder Einfluß zu gewinnen versuchte. Diese Korrektur kann man auch als Konzession an diejenigen Parteimitglieder deuten, die im ADGB geblieben waren und der KPD die Gefolgschaft auf ihrem gewerkschaftlichen Sonderweg verweigert hatten.

Mit ihrer sprunghaften und widersprüchlichen Haltung in der Gewerkschaftsfrage knüpfte die KPD an ihre Taktik in den frühen zwanziger Jahren an, als die Partei mit der Parole »Hinein in die Gewerkschaften« zunächst Einfluß auf die reformistisch orientierte Arbeiterschaft zu gewinnen versuchte, um sich dann während ihrer linken Kehrtwendung 1923/24 mit der Parole »Heraus aus den Gewerkschaften« von den gewerkschaftlich organisierten Arbeitern zu distanzieren[12]. Auch in der RGO-Phase scheiterte die KPD mit ihrem Versuch, die Gewerkschaftsbewegung zu spalten und neben dem von ihr heftig attackierten ADGB-Reformismus eine revolutionäre Alternative aufzubauen. Die »roten Verbände« konnten nur im Steinkohlenbergbau in Ober- und Niederschlesien und an der Ruhr, in der mittel- und westdeutschen Chemieindustrie sowie in einigen Betrieben der Metall- und Elektroindustrie fester Fuß fassen. Ihre wenigen Hochburgen konzentrierten sich auf syn-

[11] Vgl. zum folgenden Werner Müller, Lohnkampf, Massenstreik, Sowjetmacht. Ziele und Grenzen der »Revolutionären Gewerkschafts-Opposition« (RGO) in Deutschland 1928 bis 1933. Köln 1988.
[12] Vgl. dazu Lore Heer-Kleinert, Die Gewerkschaftspolitik der KPD in der Weimarer Republik. Frankfurt, New York 1983.

dikalistische und unionistische Traditionsgebiete, in denen schon unmittelbar nach der Republikgründung ein starkes linksradikales Protestpotential vorhanden gewesen war. Bescheidene Erfolge bei Betriebsratswahlen – 1931 wurden auf kommunistischen Listen 4664 Betriebsräte gewählt, auf freigewerkschaftlichen aber 115671 – bewiesen die geringe Verankerung der RGO in den Belegschaften. Ihr gewerkschaftlicher Mißerfolg war jedoch ideologisch vorprogrammiert, weil die RGO die tarif- und sozialpolitische Alltagsarbeit stark vernachlässigte und ihr Hauptaugenmerk auf politische Propagandakampagnen richtete. Mit radikalen Massenstreikparolen ließen sich aber die Betriebsarbeiter nicht mobilisieren, weil sie froh waren, überhaupt noch einen Arbeitsplatz zu haben. Für das Konzept einer »revolutionären Gewerkschaft«, die den Frontalangriff auf das bestehende System predigte, war nur unter den Erwerbslosen eine größere Anhängerschaft zu gewinnen. Das erhoffte Kampfbündnis von Arbeitslosen und Beschäftigten kam nicht zustande.

Die RGO stieß im gleichen Sozialmilieu wie die KPD auf Resonanz. Sie organisierte vor allem Erwerbslose, eine regional und branchenmäßig verdichtete militante Gruppe großindustrieller Massenarbeiter, ungelernte Arbeiter mit häufig wechselnden Tätigkeiten, Tagelöhner und Heimarbeiter, die auf dem Land in materiell extrem schlechten Verhältnissen lebten, sowie den verelendeten Bodensatz des städtischen Proletariats, dessen radikale Neigungen – namentlich bei Jugendlichen – schnell zu wecken waren. Der kommunistische Rückhalt in den Stammbelegschaften der Betriebe, bei den hochqualifizierten Facharbeitern der Großunternehmen und bei den Handwerkerarbeitern in Mittel- und Kleinbetrieben, war zu schmal, um erfolgreiche Arbeitskämpfe durchführen zu können. Diese tragenden Schichten des gewerkschaftlichen Reformismus standen dem politischen Massenstreik skeptisch gegenüber, und sie lehnten jeden putschistischen Aktivismus ab.

Weder die RGO noch die KPD vermochten zu Beginn der dreißiger Jahre ihre selbstgesetzten Ansprüche zu erfüllen. Sie waren zwar ineinander verflochtene Massenorganisationen und zählten Hunderttausende von Mitgliedern. Aber ihre Durchsetzungskraft blieb gering, weil sich ihr soziales Einzugsfeld im wesentlichen auf einen Arbeitertypus beschränkte, der am Rande des Existenzminimums lebte, politisch und gewerkschaftlich noch unerfahren war oder aufgrund seiner langen Erwerbslosigkeit kaum noch solidarische Kontakte zu den beschäftigten Betriebsarbeitern besaß. Seine Entfremdung von der Arbeitswelt schlug sich in rebellischer oder fatalistischer Haltung nieder, in sporadisch aufflackernden Sozialprotesten oder auch in individueller Verzweiflung, nicht aber in revolutionärer Energie und klassenkämpferischer Disziplin, wie es sich die KPD erhoffte. Für eine Partei, die sich selbst als Avantgarde des industriellen Proletariats bezeichnete, war diese zwischen Utopismus und Resignation fluktuierende Anhängerschaft ein permanentes Problem, handelte es sich doch dabei um ein Potential, das gewerkschaftlich über keine Marktmacht verfügte und politisch stets vom Zerfall bedroht war. Durch Weltarbeitslosentage, Massendemonstrationen und Wahlkundgebungen ließ sich die soziale Spaltung der Arbeiterklasse nicht überbrücken. Mit ihrem Rückzug aus dem ADGB und der Gründung der RGO offenbarte die KPD nicht nur, wie gering ihre politische Resonanz in der Gewerkschaftsbewegung war, sondern sie isolierte sich auch von den klassenbewußten Kerngruppen der Industriearbeiterschaft, ohne deren Unterstützung eine revolutionäre Offensive gegen die Republik zu einem unkalkulierbaren Abenteuer werden mußte.

Der kommunistische Frontalangriff auf die SPD erfolgte zu einem Zeitpunkt, als die Sozialdemokratie im Reich nach fast fünfjähriger Abstinenz in die Regierungsverantwortung zurückgekehrt war und erstmals seit 1920 wieder einen Reichskanzler stellte. Mit Hermann Müller rückte Ende Juni 1928 ein Mann an die Spitze des Kabinetts, der selbst alles andere als den Typus eines charismatisch begabten Politikers verkörperte. Sein parlamentarischer Rückhalt in der sozialdemokratischen Reichstagsfraktion, deren Vorsitzender er seit 1920 ununterbrochen gewesen war, seine gouvernementalen Erfahrungen als Außenminister (1919/20) und als Reichskanzler (1920), vor allem aber sein Ruf als innerparteiliche Flügelgegensätze ausgleichender Politiker gaben den Ausschlag für seine Nominierung durch die SPD. Schon die Regierungsbildung, die sich wochenlang hinzog und mehrfach zu scheitern drohte, machte deutlich, daß Müller ein schwieriges Mandat übernommen hatte. Das schließlich konstituierte »Kabinett der Köpfe« war nur dem Anschein nach eine Große Koalition zwischen SPD, DDP, Zentrum, BVP und DVP. In Wirklichkeit wollte keine der beteiligten Parteien – mit Ausnahme der DDP – eine feste Koalitionsbindung eingehen. Über dem Kabinett, dessen Minister man in den verschiedenen Regierungsparteien entweder als Beobachter (Zentrum) und Privatleute (DVP) oder als Erfüllungsgehilfen (SPD) bezeichnete, schwebte »von Anfang an das Damoklesschwert parlamentarischer Niederlagen«[13], weil sich jede Koalitionsfraktion ihre Abstimmungsfreiheit im Reichstag vorbehielt: Zwischen Regierung und Opposition bestanden fließende Übergänge quer durch die am Kabinett beteiligten Parteien hindurch.

Die Große Koalition war somit seit ihrer Gründung ein instabiles Gebilde, dessen rascher Zerfall vorprogrammiert zu sein schien. Mit einer Amtsdauer von insgesamt 21 Monaten erwies sich das SPD-geführte Kabinett dann aber als ziemlich langlebig, wenn man die in der Weimarer Republik üblichen raschen Regierungswechsel zum Maßstab nimmt. Keiner dieser Regierungsmonate verging allerdings ohne Krisen. Sie zehrten den ohnehin nur schmalen Vorrat an Gemeinsamkeiten Stück für Stück auf und ließen schließlich den Bruch des nur halbherzig zwischen Bürgertum und Sozialdemokratie geschlossenen Bündnisses zwangsläufig werden. Schon die erste schwere Belastungsprobe, der Streit um den Bau des Panzerkreuzers A, offenbarte die Uneinigkeit der Regierungsparteien, insbesondere die internen Meinungsverschiedenheiten in der SPD über Rüstungsfragen. Als die Reichsregierung einschließlich ihrer sozialdemokratischen Mitglieder im August 1928 beschloß, dieses Panzerschiff zu bauen, dessen Finanzierung bereits der Bürgerblock bewilligt hatte, brach in den sozialdemokratischen Parteigliederungen ein Sturm der Entrüstung los. Die SPD-Minister hatten sich nämlich gegen ein Wahlversprechen ihrer Partei entschieden, die noch im Mai 1928 mit der Losung »Kinderspeisung statt Panzerkreuzer« auf Stimmenfang gegangen war. Drei Monate später stand Parteiräson gegen Staatsräson, eine für die Sozialdemokratie geradezu klassische Konfliktkonstellation.

Im Laufe der sich bis November 1928 hinziehenden Auseinandersetzungen konnte die SPD ihre politische Glaubwürdigkeit nicht zurückgewinnen und ihr Ministerflügel verlor seine innerparteiliche Autorität. Die Loyalität der Parteimitglieder reichte zwar aus, um bei einem von der KPD eingeleiteten Volksbegehren gegen den Panzerkreuzerbau den Ministern aus

---

[13] So Winkler, Schein, S. 536, der den Prozeß der Regierungsbildung ausführlich analysiert, S. 528 ff.

den eigenen Reihen nicht öffentlich in den Rücken zu fallen[14], aber dieses Stillhalteabkommen überdauerte die kommunistische Kampagne nur um wenige Tage. Ende Oktober 1928 zwang die SPD-Reichstagsfraktion mit ihrem Antrag, den Bau des Panzerkreuzers einzustellen und die hierfür bewilligten Finanzmittel für die Kinderspeisung zu verwenden, die Ministerriege der Partei zum parlamentarischen Offenbarungseid. Reichskanzler Müller und die drei sozialdemokratischen Kabinettsmitglieder Hilferding, Severing und Wissell beugten sich dem Fraktionszwang und stimmten im November im Reichstag gegen ihre eigene Regierungsentscheidung vom August. Diese Kapitulation der SPD-Minister vor ihrer Fraktion stoppte den Panzerkreuzerbau nicht, für den die bürgerlichen Parteien bis hin zur NSDAP votierten, sie diskreditierte jedoch die amtierende Regierung und enthüllte die schleichende Krise des Parlamentarismus. An den negativen Folgen dieses parteipolitischen Pyrrhussieges hatte die SPD in der Folgezeit schwer zu tragen.

Auftrieb im innerparteilichen Streit um die Wehrfrage erhielt vor allem der linke Flügel der SPD, dessen Stellungnahmen zum Panzerkreuzerbau den in der Partei weit verbreiteten Antimilitarismus instrumentalisierten, um Anhänger für ein prinzipielles Nein zur sozialdemokratischen Koalitionspolitik zu gewinnen. Das publizistische Forum der Parteilinken war seit Oktober 1928 die Halbmonatsschrift ›Der Klassenkampf‹. Seine Mitarbeiter wollten auf theoretischer Ebene dem Marxismus zu neuem Leben in der SPD verhelfen. In der praktischen Politik empfahlen sie ihrer Partei einen kompromißlosen Oppositionskurs. Das strategische Konzept der »Klassenkampf-Gruppe«, deren organisatorische Stützpunkte in Sachsen lagen und deren intellektuelle Wortführer überwiegend aus der ehemaligen USPD und dem Lager der Jungsozialisten stammten, orientierte sich stark am Austromarxismus Max Adlers und beanspruchte, eine Synthese von Reform und Revolution dialektisch zu formulieren[15]. Koalitionen mit bürgerlichen Parteien durften danach nur in der Ausnahmesituation eines »Gleichgewichts der Klassenkräfte« für kurze Zeit geschlossen werden, wenn die Gefahr eines Staatsstreichs von rechts bestand. In allen anderen

---

[14] Für einen Volksentscheid sprachen sich nur knapp drei Prozent der Stimmberechtigten aus. Vgl. dazu Wolfgang Wacker, Der Bau des Panzerschiffs »A« und der Reichstag. Tübingen 1959, S. 104 ff.
[15] Vgl. dazu Ernst-Viktor Rengstorf, Links-Opposition in der Weimarer SPD. Die »Klassenkampf-Gruppe« 1928–1931. Hannover 1976.

politischen Konstellationen sollte die SPD mit inner- und außerparlamentarischen Kampfmitteln der bürgerlichen Gegenseite Zugeständnisse abringen und selbst als aktive Oppositionspartei zum Sammelbecken des Proletariats werden. Der
reformistischen Vorstellung eines allmählichen Hineinwachsens
in den Sozialismus durch einen schrittweisen Ausbau der Demokratie in Wirtschaft und Gesellschaft erteilte man eine Absage. Der republikanische Staat war aus der Sicht der sozialdemokratischen Linken keine klassenneutrale Institution, sondern
nur eine parlamentarisch verbrämte Form der Klassenherrschaft, deren nichtdemokratisches Fundament Reichswehr, Bürokratie und Justiz bildeten. Diese Machtfaktoren seien nicht
mit Hilfe des Stimmzettels auszuschalten, sondern nur in einer
Situation, in der das Proletariat einen reaktionären Staats-
streichversuch von oben mit einer erfolgreichen Massenerhe-
bung beantworte. In seinem Kern war das Konzept der Klassenkampf-Gruppe also defensiv. Es wollte auf die Diktaturdro-
hung von rechts mit der Revolutionsdrohung von links reagie-
ren und knüpfte an das attentistische Politikverständnis der
Vorkriegssozialdemokratie an.

Über die innerparteiliche Stärke der Linken gab der im Mai
1929 in Magdeburg tagende SPD-Parteitag einige Aufschlüsse.
Im Mittelpunkt dieses Kongresses stand die zukünftige Wehr-
politik der SPD, für die man in den zehn Jahren seit der Republikgründung keine eindeutige Position entwickelt hatte, wie
die schweren Zerwürfnisse in der Panzerkreuzerfrage nur einmal mehr zeigten. Das in Magdeburg von einer Vorstandskom-
mission zur Abstimmung vorgelegte Wehrprogramm betonte
einerseits die Notwendigkeit einer internationalen Abrüstung
und andererseits das Recht zur Landesverteidigung. Durch die
sozialdemokratische Machtteilhabe im Staat sollten die Beziehungen von SPD und Reichswehr verbessert und bestehende
Feindbilder abgebaut werden. Die Klassenkampf-Gruppe legte
dem Parteitag einen Gegenentwurf vor, der in der Feststellung
gipfelte, die SPD lehne »im kapitalistischen Staat die Mittel für
die Wehrmacht ab« und kämpfe »für die Beseitigung dieser
Wehrmacht«[16]. Bei der Abstimmung entschieden sich knapp 40
Prozent der Delegierten für den linken Alternativantrag, der
den sozialistischen Pazifismus beschwor und für eine republikanische Militärpolitik keinen Raum ließ. Dieses Ergebnis war

[16] Zitiert nach Winkler, Schein, S. 632.

mehr als nur ein Achtungserfolg für die Linksopposition. Sie hatte im Vergleich zum Heidelberger Parteitag von 1925 ihren Delegiertenanteil fast verdoppelt[17] und ging aus dem Konflikt um die Wehrfrage mit gewachsenem Selbstbewußtsein hervor. Nicht zu übersehen war aber auch, daß spätestens seit Magdeburg zwischen der Parteimehrheit und der sich um die Klassenkampf-Gruppe sammelnden Parteiopposition ein grundsätzlicher Widerspruch über den weiteren Weg der SPD bestand. Die Gefahr einer neuerlichen Parteispaltung erschien nicht mehr als abwegig.

Noch brisanteren Zündstoff als die Wehrfrage lieferte für die schwelende Parteikrise die Haushaltsentwicklung des Reichs. Seit dem Frühjahr 1929 war die Sanierung der Staatsfinanzen ein Dauerthema der deutschen Innenpolitik. Damit rückten soziale Probleme in das Zentrum der innerparteilichen Auseinandersetzungen, und es stand die Identität der SPD als Reformpartei auf dem Spiel. Im Kabinett diskutierte man zwei Strategien, ohne daß eine Einigung der beiden Flügelparteien SPD und DVP erzielt werden konnte. Als Repräsentantin des Wirtschaftsliberalismus und der Industrieinteressen forderte die DVP, den defizitären Haushalt durch die Kürzung sozialer Leistungen auszugleichen, während der sozialdemokratische Finanzminister Hilferding die Einnahmen des Reiches durch Steuererhöhungen verbessern wollte. Bei der Entscheidung dieser Finanzierungsalternative ging es im Kern darum, ob der Sozialstaat erhalten oder ausgehöhlt werden sollte. Das wußten alle Beteiligten. Solange jedoch der Young-Plan, von dem man sich im Regierungslager eine Minderung der Reparationslasten und den Zufluß neuer Auslandskredite erhoffte, noch nicht unter Dach und Fach war, waren beide Seiten bestrebt, durch Kompromißlösungen Zeit zu gewinnen. Außenminister Stresemann konnte seine widerstrebende Partei nur deshalb in der Koalition halten, weil man bei der parlamentarischen Ratifizierung des von der nationalen Rechten erbittert bekämpften Reparationsabkommens auf die Stimmen der Sozialdemokraten angewiesen war. Doch die aufziehende Wirtschaftskrise und der Anstieg der Arbeitslosigkeit verkleinerten zusehends den finanziellen Handlungsspielraum der Regierung und vergrößer-

[17] Vgl. dazu Dietmar Klenke, Die SPD-Linke in der Weimarer Republik. Eine Untersuchung zu den regionalen organisatorischen Grundlagen und zur politischen Praxis und Theoriebildung des linken Flügels in der SPD in den Jahren 1922–1932. 2 Bde, Münster 1983, Bd. 2, S. 1105 ff.

ten damit das Konfliktpotential zwischen den Kontrahenten im Kabinett[18].

Bereits im Herbst 1929 geriet die Große Koalition an den Rand des Scheiterns. Die immer wieder hinausgeschobene Konsolidierung der Reichsfinanzen konnte nun nicht mehr länger verzögert werden, SPD und DVP waren aber nach dem plötzlichen Tod des Vermittlers Stresemann im Oktober 1929 von einer Verständigung über das Sanierungsprogramm ideologisch weiter voneinander entfernt als jemals zuvor. Jetzt konzentrierten sich die kabinettsinternen und öffentlichen Diskussionen auf die Arbeitslosenversicherung. Deren Defizite uferten parallel zur Massenarbeitslosigkeit dramatisch aus und ließen sich nur noch durch ständig steigende Zuschüsse aus der Reichskasse eindämmen. Ausgehend von der Solidarhaftung der Versicherungsträger sah das sozialdemokratische Deckungskonzept Beitragserhöhungen vor, die Arbeitgeber und Arbeitnehmer gleichermaßen belastet hätten. Diesen Finanzplan lehnte die DVP jedoch strikt ab, deren Krisenkompaß sich auf den Kurs des Sozialabbaus eingependelt hatte. Zwischen diesen beiden interessenpolitisch einzementierten Standpunkten ließ sich kaum noch ein Mittelweg finden. Eine im Dezember 1929 nach zähen Verhandlungen schließlich gefundene Übergangslösung, in der die SPD eine Anhebung der Arbeitslosenbeiträge um ein halbes Prozent mit ihrer Zustimmung zu einer Senkung der Einkommens-, Vermögens- und Verbrauchssteuern erkaufte, verzögerte den Koalitionsbruch um wenige Monate. Schon an der Jahreswende 1929/30 war der Konflikt um die Sanierung der Staatsfinanzen zum Klassenkampf geworden, in dem die SPD einem geschlossen vorrückenden Bürgerblock gegenüberstand.

In den eigenen Reihen erhielten die sozialdemokratischen Kabinettsmitglieder für ihre Regierungspolitik kaum noch Beifall. Der linke Flügel der SPD attackierte die Steuerzugeständnisse an die DVP als unsoziale Konzessionen an das Kapital und forderte schon seit Sommer 1929 immer lautstarker die Aufkündigung der Koalition. Und auch in den Freien Gewerkschaften mehrten sich die Stimmen, die eine sozialdemokratische Regierungsbeteiligung nicht mehr für besonders sinnvoll

---

[18] Vgl. dazu Rosemarie Leuschen-Seppel, Zwischen Staatsverantwortung und Klasseninteresse. Die Wirtschafts- und Finanzpolitik der SPD zur Zeit der Weimarer Republik unter besonderer Berücksichtigung der Mittelphase 1924 bis 1928/29. Bonn 1981, S. 215 ff.

hielten. Die Grenze des Zumutbaren war für den ADGB mit dem Dezemberkompromiß erreicht. Eine weitere Umverteilung der Lasten, die den Lohnempfängern neue Opfer abverlangte und der Kapitalrendite den Vorrang vor der Existenzsicherung der sozial schwächeren Bevölkerungsschichten einräumte, wollten die Freien Gewerkschaften nicht hinnehmen. Mitgliederverluste bei einem Drittel der Verbände signalisierten der ADGB-Führung das Anwachsen der Unzufriedenheit in der Arbeiterschaft. Hinzu kamen die kommunistischen Gewerkschaftsaktivitäten, die in der RGO-Offensive gegen den ADGB gipfelten. Deshalb war man entschlossen, wie die ›Gewerkschafts-Zeitung‹ als Sprachrohr des Bundesvorstandes warnend formulierte, nicht mehr länger eine Politik mitzuverantworten, die auf eine »einseitige Besitzentlastung« und auf eine »Mehrbelastung der besitzlosen Volksmassen« hinauslief[19]. Überlegungen im Reichsarbeitsministerium, am Versicherungsprinzip für Arbeitslose zu rütteln und durch Leistungssenkungen die Finanznot dieser Versicherung zu beheben, erhöhten die Nervosität in den freigewerkschaftlichen Führungsgremien. Als dann auch noch das Unternehmerlager in Denkschriften die Generalrevision der Arbeitsbeziehungen diskutierte und die Auflockerung des Tarifzwangs verlangte, war aus gewerkschaftlicher Sicht die gesamte materielle Verfassung der Weimarer Republik gefährdet. Bei der Demontage des Sozialstaats und bei der Revision von arbeitsrechtlichen Garantien konnten die Gewerkschaften keine Handlangerdienste leisten, obwohl man sich durchaus darüber im klaren war, daß die Finanzkrise sich zu einer Staatskrise auszuweiten drohte.

In der zeithistorischen Forschung wird dem ADGB häufig vorgeworfen, er habe im März 1930 durch seine intransingente Haltung bei der Haushaltssanierung und mit Hilfe seiner Vetomacht in der sozialdemokratischen Reichstagsfraktion die Große Koalition zu Fall gebracht. Diese Argumentation greift zu kurz und geht am Kern des Problems vorbei, weil nicht der ADGB, sondern Kräfte aus dem bürgerlichen Lager den Rückzug der SPD aus der Regierung erzwangen. Als das Koalitionsbündnis scheiterte, hatten hinter den Kulissen des Reichstags Führungsgruppen der Reichswehr, der Großlandwirtschaft und der Großindustrie bereits die Weichen für eine autoritäre Wende gestellt. Nach dem Drehbuch dieser antirepublikanischen

[19] Gewerkschafts-Zeitung, Nr. 51 vom 21. Dezember 1929.

Fronde mußte zunächst die SPD aus der Regierungsverantwortung gedrängt werden, um dann das Parlament entmachten und ein Präsidialregime errichten zu können. In den Memoranden der industriellen Spitzenverbände war außerdem davon die Rede, den Gewerkschaftseinfluß im Staat zu brechen und die Phase der Kooperation zwischen den Arbeitsmarktparteien zu beenden. Die Große Koalition stürzte nicht über die Frage einer geringfügigen Beitragserhöhung in der Arbeitslosenversicherung, die der ADGB verlangte und die DVP ablehnte. Vielmehr ging es im März 1930 darum, ob die SPD bereit war, an der Zerstörung der sozialstaatlichen Fundamente der Republik aktiv mitzuwirken und sich dadurch bei ihrer Anhängerschaft zu diskreditieren. Diesen Preis, der zu einer weiteren Schwächung des demokratietreuen Lagers geführt hätte, konnte die Partei aber nicht für einen Anteil an der Regierungsmacht bezahlen, zumal die Lebensdauer der Koalition allein von den bürgerlichen Parteien und ihren außerparlamentarischen Bundesgenossen diktiert wurde. Vor die Alternative gestellt, sich den sozialen und politischen Pressionen der Rechten zu beugen oder in der Opposition zu versuchen, die eigene Substanz als Reformbewegung zu regenerieren, votierte die Sozialdemokratie für die Beendigung der Großen Koalition. Man kann kritisieren, daß die SPD-Reichstagsfraktion taktisch ungeschickt dem eigenen Kanzler das Vertrauen entzog und es versäumte, der Gegenseite die parlamentarische Kündigung der Koalition aufzuzwingen. Gleichwohl bleibt festzuhalten: Der Boden für ein »Hindenburg-Kabinett« wurde nicht von der sozialdemokratischen Arbeiterbewegung bereitet.

Das strategische Kalkül der SPD ging jedoch nicht auf. Ihr blieb keine Zeit für die politische Regeneration in der Opposition, weil das Präsidialkabinett Brüning von seinem Amtsantritt an entschlossen war, notfalls auch ohne den Reichstag zu regieren. Bereits im Juli 1930 verzichtete der neue Kanzler darauf, seine Wirtschafts- und Finanzpolitik durch parlamentarische Mehrheitsentscheidungen legitimieren zu lassen. Ohne auch nur den Versuch zu machen, über seine Deckungsvorlage mit der SPD zu verhandeln, griff Brüning nach einer Abstimmungsniederlage im Reichstag auf die präsidentielle »Reserveverfassung« zurück, verkündete die Auflösung des Parlaments und setzte seinen abgelehnten Gesetzentwurf in verschärfter Form per Notverordnung in Kraft. Damit beschritt der Reichskanzler einen Weg, der ihn in die völlige Abhängigkeit des Reichspräsidenten führte und der das Parlament entmachtete. Die vom Zentrumskanzler exekutierte politische Entmündigung des Reichstags ließ aber auch das Konzept der Sozialdemokratie zu Makulatur werden, der amtierenden Minderheitsregierung immer dann zu Mehrheiten zu verhelfen, wenn diese sich kompromißbereit zeigte. Seit Juli 1930 wurde die SPD mit einer Verfassungspraxis konfrontiert, in der die Diktaturgewalt des Reichspräsidenten den Parlamentarismus zu einem Schattendasein verdammte.

Der Erdrutschsieg der NSDAP bei den Septemberwahlen von 1930 verschärfte die Lage dramatisch. Jetzt war die reaktionäre Beseitigung der Demokratie zu einer akuten Gefahr geworden, und jetzt offenbarte sich das Dilemma der SPD als republikanische und sozialistische Partei vollends: Eine sozialdemokratische Offensive gegen das Präsidialkabinett im ungewollten Bündnis mit den Republikgegnern KPD und NSDAP mußte die Destabilisierung der Weimarer Verfassungsordnung erheblich beschleunigen; andererseits ließ eine parlamentarische Tolerierung der rigorosen Sparpolitik Brünings für reformerische Akzentsetzungen keinen Raum mehr, und die schwindende Parteiloyalität der sozialdemokratischen Wähler mußte weiter abschmelzen. Bekanntlich entschied sich die SPD für die Duldung des Präsidialkabinetts, nachdem die vom preußischen Ministerpräsidenten Braun geforderte »große Koalition aller Vernünftigen« nicht zustande kam[20]. Für den Tolerierungskurs ließen sich neben prinzipiellen staatspolitischen Erwägungen auch handfeste Koalitionszwänge ins Feld führen: Wollte die Sozialdemokratie ihre preußische Machtbastion nicht gefährden – hier regierte sie in einem Dreierbündnis mit dem Zentrum und der DDP –, dann empfahl es sich, im Reich den Zentrumskanzler nicht frontal zu attackieren, obwohl dieser auf Geheiß Hindenburgs die Rückkehr der SPD in die Reichsregierung ausschloß.

Einen gangbaren Ausweg aus der Zwangslage, in der sich die parlamentarisch manövrierunfähig gewordene SPD nun befand, wußte niemand in der Partei. Die zeitgenössischen Kritiker der passiven Kooperation zwischen Sozialdemokratie und Brüning-Kabinett und ihre akademischen Nachfolger haben zwar einen umfangreichen Katalog zusammengestellt, in dem die negativen

[20] Vgl. dazu Hagen Schulze, Otto Braun oder Preußens demokratische Sendung. Eine Biographie. Frankfurt 1977, S. 627 ff.

148

Auswirkungen der sozialdemokratischen Stillhaltetaktik in der Ära Brüning aufgelistet sind, aber eine politisch realisierbare Alternative zu dieser legalistischen Defensivpolitik bieten sie letztlich nicht an[21]. Die von den innerparteilichen Gegnern der Tolerierung propagierte »Klassenkampf-Strategie« hatte nur ein konkretes Nahziel im Auge, nämlich den Sturz der Präsidialregierung Brüning. Alle sich daraus ergebenden Konsequenzen für die Restmasse der Republik waren jedoch unkalkulierbar. Der von der Parteilinken vielbeschworene proletarische Aktionismus ging theoretisch von den gleichen Prämissen aus, wie sie die KPD bei ihrem antirepublikanischen Konfrontationskurs vertrat: Die Krise des Kapitalismus sollte als Chance genutzt werden, um dieses System zu überwinden. Doch die Risiken dieses Kurses lagen auf der Hand. Fraglich war, ob eine Mobilisierung der sozialdemokratischen Parteimitglieder unter dem Druck von wachsender Arbeitslosigkeit und sinkenden Reallöhnen überhaupt noch denkbar gewesen wäre und ob sich mit demoralisierten Arbeitern schlagkräftige Massenaktionen hätten durchführen lassen. Fraglich war aber auch, ob die Republik auf diese Weise zu retten gewesen wäre oder ob man nicht durch parlamentarische Obstruktion und außerparlamentarische Konfrontation einer autoritären Militärdiktatur Vorschub geleistet, womöglich sogar den sofortigen Griff der Nationalsozialisten nach der Staatsmacht möglich gemacht hätte.

Die politische Isolierung der SPD abwägend, sah die sozialdemokratische Parteiführung in der Extremsituation der beginnenden dreißiger Jahre keine Handlungsalternative zur Tolerierung. Ihre Lageanalyse ging davon aus, daß die SPD weder im Bürgertum, wo antisozialistische Ressentiments vorherrschten, noch beim Kommunismus, der die SPD als sozialfaschistische Hilfstruppe des Kapitals bekämpfte, Bundesgenossen für die Verteidigung der Demokratie finden werde. Ein Präsidialregime unter der Führung des Zentrumskanzlers erschien ihr deshalb als das kleinere Übel, solange über Wahlen keine Wende zum Besseren zu erreichen war und durch die Tolerierung Brünings eine offene Diktatur verhindert werden konnte. Letztlich setzte die SPD-Führung auf Zeitgewinn und hoffte, der Elan

[21] Dazu und zum folgenden siehe Eberhard Kolb, Die sozialdemokratische Strategie in der Ära des Präsidialkabinetts Brüning – Strategie ohne Alternative? In: Ursula Büttner (Hrsg.), Das Unrechtsregime. Internationale Forschung über den Nationalsozialismus. 2 Bde, Hamburg 1986, Bd. 1, S. 157–176; Winkler, Weg, S. 207ff.

des Radikalismus von rechts und links werde erlahmen, wenn das Wellental der Wirtschaftskrise durchschritten sei. Diese Abwartetaktik mutete den Anhängern der Sozialdemokratie viel Selbstdisziplin zu – vielleicht zu viel, stellt man die lähmenden Folgen des politischen Immobilismus in Rechnung. Aber sie war eine einigermaßen kalkulierbare Konzeption, die in ihrer vorsichtigen Risikoabschätzung sich zudem mit dem in Jahrzehnten geformten Werthorizont der Verfassungspartei SPD am ehesten deckte. Die Sozialdemokratie hätte nämlich bei einer anderen politischen Option ihre an Humanität und Vernunft orientierten Leitbilder aufgeben und sich in eine Bürgerkriegspartei verwandeln müssen. Dazu war sie schon deshalb nicht bereit, weil sie dann in gefährliche Nähe zur nationalsozialistischen Irrationalität und zur kommunistischen Radikalität geraten wäre. Die Zerstörung ihrer eigenen programmatischen Grundlagen konnte aber nicht die Maxime einer Partei sein, welche die Menschen »mit den Mitteln der Demokratie und auf dem Weg der Überzeugung« für den Sozialismus gewinnen wollte[22].

Da Brüning der Lösung der Reparationsfrage eindeutig den Vorrang vor der Bekämpfung der Massenarbeitslosigkeit einräumte und in seinen Notverordnungen wenig soziales Augenmaß bewies, wurde die zwanzigmonatige Duldung seiner Politik für die sozialdemokratische Arbeiterbewegung zu einer Zerreißprobe. Befürworter und Gegner der Tolerierung bekämpften sich erbittert in der Parteipresse und auf Parteiversammlungen; der Vorstand reagierte auf Kritik an seiner passiven Haltung immer dünnhäutiger und ging schließlich gegen oppositionell eingestellte Sozialdemokraten mit disziplinarischen Mitteln vor. Ausschlußverfahren gegen die beiden zur Klassenkampf-Gruppe gehörenden Reichstagsabgeordneten Rosenfeld und Seydewitz leiteten im September 1931 die Abspaltung der Sozialistischen Arbeiterpartei Deutschlands (SAPD) von der SPD ein. Sie entwickelte sich jedoch nicht zu einer linkssozialistischen Massenpartei, wie es ihre Gründer, zu denen auch der

[22] So Erich Ollenhauer auf dem SPD-Parteitag in Leipzig: Sozialdemokratischer Parteitag in Leipzig 1931 vom 31. Mai bis 5. Juni im Volkshaus. Protokoll, Berlin 1931, S. 204. Vgl. Wolfram Wette, Mit dem Stimmzettel gegen den Faschismus? Das Dilemma des sozialdemokratischen Antifaschismus in der Endphase der Weimarer Republik. In: Wolfgang Huber, Johannes Schwertfeger (Hrsg.), Frieden – Gewalt – Sozialismus. Studien zur Geschichte der sozialistischen Arbeiterbewegung. Stuttgart 1976, S. 358–403, bes. S. 364 ff.

USPD-Veteran Heinrich Ströbel gehörte, erhofft hatten. Mit höchstens 25 000 Mitgliedern und einigen lokalen Bastionen in Sachsen, Thüringen und Hessen blieb die SAPD bis zum Untergang der Weimarer Republik eine Splitterpartei ohne besondere Resonanz bei den Wählern. Bemerkenswert groß war allerdings der Zustrom von Jugendlichen, die rund ein Drittel der SAPD-Mitglieder stellten. Unterstützung fand die neue Partei in ihrer Gründungsphase auch bei einigen prominenten Intellektuellen, beispielsweise bei Carl von Ossietzky, Lion Feuchtwanger und Albert Einstein[23]. Überhaupt war für die Endphase der Weimarer Republik charakteristisch, daß sich in den Splittergruppen außerhalb von SPD und KPD – neben der SAPD sind vor allem der Internationale Sozialistische Kampfbund, die Roten Kämpfer, der Leninbund und die Kommunistische Partei-Opposition zu nennen – eine Kerngruppe von theoretisch innovativen Aktivisten fand, die im Widerstand und nach 1945 das Profil des demokratischen Sozialismus mitprägten[24].

Unzufrieden mit dem politischen Defensivkurs der Parteiführung waren aber auch militante Reformsozialisten wie Carlo Mierendorff, Theodor Haubach, Julius Leber oder Kurt Schumacher, die eher im rechten Flügel der SPD ihre Heimat hatten. Ihre Kritik zielte auf die Starrheit, Überalterung und Phantasielosigkeit des Funktionärsapparats. Sie forderten den Abschied von den altväterlichen Organisationsschablonen der Vorkriegssozialdemokratie und drängten auf einen aktiven Kampf gegen den Nationalsozialismus mit modernen Agitationsmitteln. Auch wenn es zu keiner Allianz oder konzertierten Aktion der mit der Parteiführung unzufriedenen Flügelgruppen kam, so deckten sich doch die Bestrebungen der undogmatischen Reformer und der klassenkämpferischen Marxisten in vielerlei Hinsicht. Beide beklagten die Wagenburg-Mentalität des Führungszentrums, seinen politischen Fatalismus und seine bürokratische Unbeweglichkeit; rechte wie linke Dissidenten plädierten für eine Erneuerung der SPD, um deren Anziehungskraft namentlich auf Jugendliche es sehr schlecht bestellt war. Doch die Parteispitze riegelte sich ängstlich von allen unkonventionellen

[23] Vgl. Hartmut Drechsler, Die Sozialistische Arbeiterpartei Deutschlands (SAPD). Ein Beitrag zur Geschichte der Arbeiterbewegung am Ende der Weimarer Republik. Meisenheim 1965.
[24] Vgl. Jan Foitzik, Zwischen den Fronten. Zur Politik, Organisation und Funktion linker politischer Kleinorganisationen im Widerstand 1933 bis 1939/40 unter besonderer Berücksichtigung des Exils. Bonn 1986.

Impulsen ab, die auf mehr innerparteiliche Flexibilität und auf eine Auffrischung der hausbackenen Versammlungsformen und Werbemethoden drängten. Mit unduldsamer Härte ging sie zum Beispiel 1931 gegen jungsozialistische Initiativgruppen vor und dezimierte damit die ohnehin sehr geschrumpfte SPD-Anhängerschaft bei Studenten und in der Arbeiterjugend nur noch mehr[25].

Der in der Sozialdemokratie vorherrschende Traditionalismus ließ die Partei immer weiter erstarren. Sie blieb eine Organisation der älteren Facharbeiter und verschloß sich dem sicherlich manchmal auch realitätsfernen Idealismus der nachwachsenden Generationen. Die Gründung der Eisernen Front als Kampfbund des republikanischen Lagers im Dezember 1931 kam zu spät und wurde vom SPD-Vorstand zu zögernd mitgetragen, um das Einzugsfeld der Sozialdemokratie über ihren Stammanhang hinaus auszudehnen. Die Massenkundgebungen dieser Wehrorganisation für die Demokratie täuschten mehr Schlagkraft vor, als tatsächlich vorhanden war. Vor allem überließ die Sozialdemokratie aber der KPD und der NSDAP das Feld bei den sozial deklassierten Bevölkerungsgruppen und bei den politisch desorientierten Jugendlichen. Deren Protestpotential vermochte die SPD zum eigenen wie zum Schaden der Republik nicht aufzufangen. Sicherlich konnte die in die Defensive gedrängte sozialdemokratische Arbeiterbewegung während der Krisenphase Weimars den »Verlust ihres ursprünglichen Bewegungscharakters«[26] kaum kompensieren, ohne ihren Tolerierungskurs aufzugeben und ohne die Ebene der Rationalität in der politischen Auseinandersetzung zu verlassen. Zu fragen ist jedoch, ob der Pragmatismus der Parteiführung sich notwendigerweise innerparteilich zu Sterilität und Unduldsamkeit verhärten mußte. Eine stärkere Öffnung für neue Ideen wäre auch in der Zeit des parlamentarischen Burgfriedens mit Brüning möglich gewesen. Der Eindruck, daß der Reformismus resigniert hatte, war jedenfalls nicht zu korrigieren, indem man sich

---

[25] Vgl. Franz Walter, Jungsozialisten in der Weimarer Republik. Zwischen sozialistischer Lebensform und revolutionärer Kaderpolitik. Kassel 1983, S. 131 ff.

[26] So eine Formulierung von Hans Mommsen in seinem die programmatischen und organisatorischen Defizite der Weimarer SPD scharf konturierenden Aufsatz Die Sozialdemokratie in der Defensive: Der Immobilismus der SPD und der Aufstieg des Nationalsozialismus. In: ders. (Hrsg.), Sozialdemokratie zwischen Klassenbewegung und Volkspartei. Frankfurt 1974, S. 106–133, Zitat S. 131.

völlig der »Taktik des Ausweichens und Abwartens«[27] verschrieb und nicht einmal konzeptionelle Alternativen zu den sozialreaktionären Sanierungsplänen des Präsidialkabinetts entwickelte.

Die parlamentarisch einflußlos gewordene SPD verlor, je länger die Wirtschaftskrise andauerte und je drastischer sie sich in Verschlechterungen der Arbeitereinkommen, in Massenarbeitslosigkeit und Sozialabbau niederschlug, mehr und mehr die Unterstützung der Gewerkschaften. Dieser schleichende Entfremdungsprozeß zwischen SPD und ADGB wurde bis in das Jahr 1931 hinein politisch überdeckt, weil der freigewerkschaftliche Dachverband ebenso wie die liberalen und christlichen Richtungsorganisationen die Stillhaltetaktik mittrug. Zu einer Streikoffensive auf dem Arbeitsmarkt waren die von Mitgliederverlusten gebeutelten und finanziell ausgezehrten Verbände nicht in der Lage. Die Initiative ergriffen jetzt eindeutig die Unternehmer, die in vielen Fällen ihre Forderungen nach Lohnverzicht besonders hoch schraubten, wußten sie doch genau, daß die gewerkschaftliche Streikwaffe stumpf geworden war und Schiedssprüche der staatlichen Schlichter nun fast immer zu ihren Gunsten ausfielen. Das statistische und materielle Ergebnis dieser Strategie sah aus gewerkschaftlicher Perspektive deprimierend aus: 1931 mußten 7,3 Millionen Beschäftigte Lohnkürzungen und 1,3 Millionen sonstige Verschlechterungen in Kauf nehmen. Anfang 1932 lag der tarifliche Stundenlohn nach den Berechnungen des ADGB 17 Prozent unter dem Niveau des Jahres 1930, und der reale Wochenlohn eines beschäftigten Arbeiters war im Vergleich zu 1929 zwischen 15 und 20 Prozent gesunken[28]. Organisatorisch und sozial wurden die gewerkschaftliche Arbeiterbewegung und die Arbeiterschaft während der Weltwirtschaftskrise fast auf den Stand des späten Kaiserreichs zurückgeworfen.

In dieser Situation verfolgten die Gewerkschaften zunächst die Strategie, in Spitzenverhandlungen mit Vertretern der Unternehmerverbände zu krisenentschärfenden Kompromissen zu kommen. Doch der deflationäre Konsens, der zwischen Arbeit und Kapital über ein Lohn- und Preissenkungsprogramm bestand, um die binnen- und außenwirtschaftlichen Auswirkun-

---

[27] So die Devise des Vorsitzenden der SPD-Landtagsfraktion in Preußen, Ernst Heilmann, in einem im Herbst 1931 publizierten Artikel; zitiert nach Kolb, Sozialdemokratische Strategie, S. 168.
[28] Angaben nach Jahrbuch 1931 des ADGB, Berlin 1932, S. 174, 181.

gen der konjunkturellen Talfahrt zu bekämpfen, war von Anfang an brüchig. Das Kooperationsangebot der Arbeitgeberseite
reichte bei Verhandlungen im Mai und Dezember 1930 weit
über konkrete sozial- und wirtschaftspolitische Fragen hinaus
und schloß auch die Abschaffung der staatlichen Zwangsschlichtung ein. An einer Wiederbelebung der Zentralarbeitsgemeinschaft ohne jede staatliche Rückversicherung waren die
Gewerkschaften aber nach ihren schlechten Erfahrungen in den
Anfangsjahren der Republik nicht interessiert. Sie konnten sich
leicht ausrechnen, daß sie unter den Bedingungen des bestehenden Machtungleichgewichts der Gegenseite völlig ausgeliefert
gewesen wären. Deshalb wollten sie den korporativen Drei-
bund von Staat, Arbeitgebern und Gewerkschaften nicht verlassen. Außerdem verfolgten die Scharfmacher im Unternehmerlager bei Konflikten in der Stahl- und Metallindustrie sowie im
Ruhrbergbau im Sommer und Herbst 1930 einen eindeutigen
Konfrontationskurs, der jede Hoffnung auf eine Politik der
Mäßigung von vornherein als trügerisch erscheinen ließ. Die
angestrebte »Vernunftehe auf Zeit«[29] scheiterte aber auch an
innergewerkschaftlichen Widerständen. In den einzelnen Verbänden beurteilte man die Verständigungspolitik der Vorstände
immer skeptischer, weil die Verhandlungen ganz offensichtlich
auf gewerkschaftliche Vorleistungen beim Lohnabbau hinausliefen, während der Preisabbau nur als ein unternehmerisches
Versprechen zu erhalten war. Hinzu kam der Außendruck der
RGO, die den Gewerkschaftsreformismus scharf attackierte
und dessen organisatorische Abwehr viel Kraft und Aufmerk-
samkeit absorbierte.

Appelle an die Gewerkschaftsdisziplin machten die hungern-
den Mitglieder nicht satt. Diese Binsenweisheit akzeptierte auch
der Bundesvorstand des ADGB, als er im Frühjahr 1931 begann, nach Konzeptionen Ausschau zu halten, die eine Umkehr
aus der Sackgasse der Tatenlosigkeit möglich machten. Seit
März 1931 lag ihm ein »Aktionsprogramm zur Belebung der
Wirtschaft« vor, das Wladimir Woytinski, der Leiter des Statistischen Büros des ADGB, ausgearbeitet hatte. Die Veröffentli-
chung dieses Programms, das eine aktive Konjunkturpolitik

[29] So der Vorsitzende des Holzarbeiterverbandes, Fritz Tarnow, in der Sitzung des Bundesvorstandes des ADGB am 14. Januar 1931. Zitiert nach: Peter
Jahn (Bearb.), Die Gewerkschaften in der Endphase der Republik 1930–1933.
Köln 1988, S. 229. In dieser Quellenedition ist die gewerkschaftliche Politik in
den letzten Jahren der Weimarer Republik breit dokumentiert.

durch staatliche Ausgabensteigerung und Kreditschöpfung vorschlug, löste im Sommer 1931 eine heftige Diskussion in der sozialdemokratischen Arbeiterbewegung aus, wobei vor allem die inflationären Implikationen von Woytinskis Konzeption auf große Bedenken stießen. Aber es gab auch ideologische, marxistischen Denkmustern verpflichtete Widerstände gegen eine sozialpolitisch motivierte Überlebenshilfe für die angeschlagene Privatwirtschaft. In den Reihen der SPD blieb umstritten, ob man am »Krankenlager des Kapitalismus« überhaupt in der Rolle eines Arztes tätig werden dürfe, weil man doch eigentlich nach dem Tod des Patienten dessen »fröhlicher Erbe« sein wollte[30]. Während die Sozialdemokratie die Grundsatzdebatte um das Für und Wider von Gesundungsmaßnahmen fortführte, entwickelte man im ADGB in der zweiten Hälfte des Jahres 1931 ein Therapiekonzept, das Woytinskis Anregungen aufgriff.

Das Ergebnis dieser Überlegungen war der an der Jahreswende 1931/32 vorgelegte WTB-Plan – benannt nach seinen drei Autoren Woytinski, Tarnow und Baade –, der eine Belebung der deutschen Binnenwirtschaft durch öffentliche Arbeitsbeschaffungsmaßnahmen vorschlug und mit einem Finanzvolumen von zwei Milliarden Reichsmark eine Million Arbeitslose wieder in den Produktionsprozeß eingliedern wollte[31]. Über die Finanzierung dieses Plans und über die von ihm angeblich ausgehenden Inflationsgefahren kam es zwar im ADGB zu Kontroversen, doch ein Krisenkongreß des Dachverbands setzte sich im April 1932 über alle Einwände hinweg. Die Delegierten einigten sich darauf, daß mit Hilfe staatlicher Aufträge Arbeitsvorhaben im Straßen- und Wohnungsbau, beim Hochwasserschutz und bei der Bodenverbesserung, bei Reichsbahn und Reichspost in Angriff genommen werden sollten, um die Massenarbeitslosigkeit einzudämmen. Diesem Arbeitsbeschaffungsplan beigefügt waren Forderungen zum »Umbau der Wirtschaft«, die auf Überlegungen des AfA-Bundes zurückgingen, der durch eine Verstaatlichung von Schlüsselindustrien und Banken den öffentlichen Wirtschaftssektor ausweiten und

---

[30] So Tarnow auf dem SPD-Parteitag 1931 in Leipzig, zitiert nach Protokoll (s. Anm. 22), S. 45.
[31] Zur Entstehung und Verabschiedung dieses Plans vgl. ausführlich Michael Schneider, Das Arbeitsbeschaffungsprogramm des ADGB. Zur gewerkschaftlichen Politik in der Endphase der Weimarer Republik. Bonn, Bad Godesberg 1975; Jahn, Die Gewerkschaften, S. 541 ff.

planerische Elemente in die Privatwirtschaft integrieren wollte. Trotz dieser Zugeständnisse an die sozialistischen Zukunftsvorstellungen der marxistischen Orthodoxie stießen die Vorschläge des ADGB in der Reichstagsfraktion der Sozialdemokratie auf Zurückhaltung. Deren Vorbehalte gegen eine expansive Konjunkturpolitik teilten auch manche Einzelverbände des ADGB[32]. Die Diskussion um die Probleme einer Staatsverschuldung, aber auch der programmatische Streit um den Vorrang von Sozialisierung oder Arbeitsbeschaffung und damit um die Strategie der Systemüberwindung oder Systemstabilisierung waren in der sozialdemokratischen Arbeiterbewegung noch nicht abgeschlossen, als mit dem Sturz Brünings und der Ernennung Papens zum Reichskanzler ein innen- und wirtschaftspolitischer Kurswechsel erfolgte.

Im Sommer 1932 standen KPD, SPD und Freie Gewerkschaften vor einem Trümmerhaufen. Die Kommunisten waren mit ihrer Offensive gegen die Republik dem von ihnen erstrebten Sowjetdeutschland keinen Schritt näher gekommen und hatten sich mit ihren Attacken gegen die Sozialdemokratie vom ebenso demokratietreuen wie klassenbewußten Kern der Industriearbeiterschaft entfremdet. Hinter der Fahne des Sozialfaschismus marschierte die KPD in das Ghetto einer Erwerbslosenpartei und wurde strategisch um so unbeweglicher, je kompromißloser ihre Führungsinstanzen den Frontalangriff auf das Weimarer System predigten. Die Partei zerrieb sich in eindrucksvoll inszenierten, aber politisch wirkungslosen Massendemonstrationen und trieb das ohnehin schon verunsicherte Bürgertum noch weiter nach rechts. Die Angst vor der »roten« Revolution spielte bei vielen Wählern eine nicht zu unterschätzende Rolle, als sie mit dem Stimmzettel für die »braune« Reaktion votierten. Die Schlagkraft von SPD und Gewerkschaften wurde unter dem Doppeldruck von politischer Radikalisierung und wirtschaftlicher Krise weitgehend gelähmt. Der SPD mangelte es an neuen Gestaltungsideen, und sie verstand es nicht, sich als positive Alternative zur antiparlamentarischen Fronde der Reaktion und des Nationalsozialismus zu profilieren. Als demokratische Verfassungspartei führte sie einen aufopferungsvollen Abwehrkampf gegen die vorrückenden Republikzerstörer. Doch ihre

[32] Vgl. dazu ausführlich Wolfgang Zollitsch, Einzelgewerkschaften und Arbeitsbeschaffung. Zum Handlungsspielraum der Arbeiterbewegung in der Spätphase der Weimarer Republik. In: Geschichte und Gesellschaft 8 (1982), S. 87 bis 115.

»auf Zeitgewinn angelegte Ermattungsstrategie«[33] wurde nicht vom Erfolg gekrönt. Nach dem Sturz Brünings hatte die Tolerierungspolitik endgültig jede Logik eingebüßt. Die Gewerkschaften konnten demgegenüber immerhin für sich beanspruchen, mit dem WTB-Plan konzeptionell Neuland betreten zu haben. Aber ihnen fehlte es in der ideologisch zerklüfteten und politisch zerstrittenen Arbeiterbewegung an Bündnispartnern. Ironie der Geschichte: Im Frühjahr 1933 machten sich die Nationalsozialisten bis in technische Einzelheiten hinein ausgerechnet jenes Konzept der staatlichen Arbeitsbeschaffung zu eigen, das von den Freien Gewerkschaften entwickelt worden war, um eine nationalsozialistische Machtübernahme verhindern zu helfen.

5. Der Untergang der Republik 1932/33: Ohnmacht und Zerschlagung

Die Regierung Papen, die ab 1. Juni 1932 die Reichsgeschäfte führte, verkörperte das Konzept der autoritären Wende in geradezu idealtypischer Weise. Denn der neue Kanzler und die Mehrzahl seiner Minister entstammten dem altpreußisch-konservativen Umfeld des Reichspräsidenten und zeigten sich entschlossen, ohne jede parlamentarische Rücksichtnahme zu regieren. Das Etikett »Kabinett der Barone«, von der sozialdemokratischen Presse nach dem Bekanntwerden der Ministerliste geprägt, trug die Papen-Regierung zu Recht. Ihr gehörten mit einem Grafen, vier Freiherrn und zwei weiteren Adligen Repräsentanten des ostelbischen Rittergutsbesitzes, der Militärelten und der Großindustrie an, deren Bekanntheitsgrad in der Bevölkerung nicht besonders groß war, weil sie bislang höchstens hinter den Kulissen des Parlaments Politik gemacht hatten. Dies galt namentlich für die feldgraue Eminenz Kurt von Schleicher, den neuen Reichswehrminister. Selbst die drei nichtadligen Kabinettsmitglieder, ein Chemieindustrieller, ein Behördenpräsident und der aus der bayerischen Landesregierung ins Reich übergewechselte deutschnationale Justizminister Gürtner waren Minister ohne Massenbasis. Weder der handwerkliche Mittelstand noch der Kleinhandel oder die bäuerlichen Familienbetriebe und schon gar nicht die Arbeiterschaft sahen sich in die-

---

[33] So Kolb, Sozialdemokratische Strategie, S. 171.

ser Regierung vertreten. Erstmals in der Weimarer Republik wurde das Arbeitsministerium nicht von einem namhaften Sozialpolitiker mit gewerkschaftlichem Hintergrund geführt. Unter diesen Umständen war es keine Frage, daß der sozialdemokratische Parteivorstand die Regierung als »Kabinett der reaktionären Konzentration«[1] bezeichnete und die Reichstagsfraktion der SPD sofort den Antrag stellte, Papen parlamentarisch das Vertrauen zu entziehen.

Damit war die Ära der Tolerierung beendet und der Bruch zwischen Sozialdemokratie und Präsidialkabinett klar vollzogen. Ob dieser Schritt zur bedingungslosen Oppositionspolitik auch ein Schritt zur Annäherung von SPD und KPD werden konnte, schien in den ersten Junitagen durchaus noch offen zu sein. Seit April 1932 verfolgte die KPD nämlich eine flexiblere Taktik, deren Devise Thälmann formulierte, als er auf einer Tagung des Zentralkomitees das »Herumreißen der Partei zu einer wirklichen Einheitsfront von unten« forderte und eine »große antifaschistische Aktion in Deutschland« vorschlug[2]. Mit dieser Kurskorrektur wollte die KPD aus ihrer Isolierung in der Arbeiterschaft ausbrechen und den Vormarsch des Nationalsozialismus zum Stoppen bringen. Allerdings blieb von Anfang an unklar, inwieweit die KPD auch dazu bereit war, ihre Sozialfaschismusdoktrin zu revidieren. Denn die unter dem Vorzeichen der »antifaschistischen Aktion« an die SPD gerichteten Bündnisangebote zielten auf eine Einheitsfront der kommunistischen und sozialdemokratischen Parteibasis im Kampf gegen die NSDAP, nicht jedoch auf eine Verständigung der Vorstände beider Parteien. Die Anweisungen der Organisationsabteilung des Zentralkomitees an die Untergliederungen der KPD sprachen hier eine klarere Sprache als die öffentlichen Verlautbarungen der Partei: Die Bereitschaft zur Gemeinsamkeit beinhaltete danach nicht »eine Erlaubnis für Opportunisten, Einheitsfront von oben durch isolierte Besprechungen mit den Führern sozialfaschistischer Organisationen oder durch Eingehen eines Kartellverhältnisses und Verzicht auf den Kampf gegen die sozialfaschistische Führung zu machen«[3].

[1] Zitiert nach Heinrich August Winkler, Der Weg in die Katastrophe. Arbeiter und Arbeiterbewegung in der Weimarer Republik 1930 bis 1933. Berlin, Bonn 1987, S. 614.
[2] So auf der ZK-Sitzung am 24. Mai 1932, zitiert nach Hermann Weber, Hauptfeind Sozialdemokratie. Strategie und Taktik der KPD 1929–1933. Düsseldorf 1982, S. 50.
[3] Die Anweisung vom 19. Mai 1932 ist abgedruckt in: Die Generallinie. Rund-

Diese interne Richtlinie offenbarte die Halbherzigkeit der neuen Taktik, aber auch die Angst der KPD-Führung vor der Eigendynamik einer Verständigungspolitik mit der SPD. Untere Parteieinheiten der KPD in Brandenburg, Thüringen, Braunschweig und Württemberg waren seit Anfang Mai mit so viel Elan und Enthusiasmus auf die Parallelgliederungen von SPD und ADGB zugegangen, daß in der Berliner Zentrale der Eindruck entstand, die eigene Umarmungstaktik könne an der Basis als Aufruf zur Verbrüderung mit der SPD mißverstanden werden. Dies war auch die Sorge der Moskauer Komintern-Führung. Im Mai hatte sie zunächst einen elastischeren Kurs gebilligt, aber bereits im Juni meldete sie gegen »opportunistische Auswüchse« Bedenken an, um dann in den folgenden Wochen die KPD wieder auf ihre antisozialdemokratische Ausgangsposition zurückzudrängen. Am 14. Juli 1932 verbot ein Rundschreiben des ZK-Sekretariats den Bezirken der KPD ein »wahlloses Herantreten« an gewerkschaftliche oder sozialdemokratische Organisationen. Ab sofort waren Verhandlungen auf der unteren Ebene wieder »absolut unzulässig«, bezeichnete man die SPD erneut als »die Hauptstütze der Bourgeoisie«, wollte man »auf Schritt und Tritt die SPD- und ADGB-Führer entlarven und bekämpfen« und verwarf man »jedes leiseste Zugeständnis an die opportunistische Ideologie«. Die KPD-Führung war, wie sie in diesem Rundschreiben selbstkritisch eingestand, von den »Massenstimmungen« in den eigenen Reihen überrascht worden, die das Verlangen nach »Einheit um jeden Preis, über die Köpfe aller Führer hinweg« bezeugten. Dagegen half nur »die strengste Disziplin«, denn ein Antifaschismus, der die ideologischen Barrieren zur SPD einriß, war nicht die Sache der kommunistischen Leitungsgremien[4].

Der Rückzug der KPD in ihre ultralinke Ausgangsstellung erfolgte auf dem Höhepunkt des Reichstagswahlkampfes, den Papen bereits drei Tage nach seinem Amtsantritt durch eine Parlamentsauflösung herbeigeführt hatte. Im Vorfeld der Neuwahlen waren aber auch die Vorstände von ADGB und SPD nicht dazu bereit, sich auf eine demonstrative Annäherung an die KPD einzulassen, obwohl der Ruf nach einer Verständigung der Arbeiterparteien in gewerkschaftlichen Einzelverbänden

schreiben des Zentralkomitees der KPD an die Bezirke 1929–1933. Eingeleitet von Hermann Weber. Bearbeitet von Hermann Weber unter Mitarbeit von Johannes Wachtler. Düsseldorf 1981, S. 483 ff.

[4] Dieses Rundschreiben ist ebenda, S. 526 ff. abgedruckt.

und sozialdemokratischen Lokalorganisationen, in der Sozialdemokratischen Arbeiterpartei (SDAP) und der Kommunistischen Partei-Opposition (KPO) sowie bei Künstlern und Intellektuellen viel Resonanz fand. Eine »Einheitsfront von unten« lehnten die sozialdemokratischen Spitzengremien ab, weil man in ihr völlig zu Recht nichts anderes sah als den Versuch der KPD, Gewerkschafts- und SPD-Mitglieder in das kommunistische Lager hinüberzuziehen. Einer »Einheitsfront von oben«, eingeleitet durch Verhandlungen auf der Führungsebene, wollten einige für einen moderaten Kurs plädierende Partei- und Gewerkschaftsführer nur dann zustimmen, wenn die KPD bestimmte Mindestbedingungen für eine Zusammenarbeit akzeptierte. Voraussetzung war selbstverständlich, wie der Chefredakteur des ›Vorwärts‹, Stampfer, in einem Leitartikel betonte, daß »die Kommunisten darauf verzichten, über die Sozialdemokraten zu schimpfen und mit den Nationalsozialisten zu stimmen«[5]. Über den zweiten Teil dieses Postulats hätte sich wohl ein Einvernehmen herstellen lassen, nicht aber über den ersten, der die Abkehr der KPD vom Kurs des Sozialfaschismus forderte.

Die mit der Ernennung Papens vollzogene Wende zur präfaschistischen Präsidialdiktatur mobilisierte ohne Frage auf beiden Flügeln der Arbeiterbewegung Kräfte, die eine Beendigung des proletarischen »Bruderkrieges« erreichen wollten oder wenigstens in der Zeit der unmittelbaren Bedrohung beider Parteien einen »Burgfrieden« zwischen SPD und KPD verlangten. Wenn im Sommer 1932 trotzdem nicht einmal ein befristetes Stillhalteabkommen zustande kam, so verdeutlicht dies, wie breit die ideologische und soziale Kluft zwischen Reformismus und Radikalismus in den vorangegangenen fünfzehn Jahren geworden war. Seit der Parteispaltung im April 1917, als mit der USPD auch die Kerngruppe der späteren KPD aus dem Verband der SPD ausschied, hatten sich die programmatischen Differenzen immer mehr vertieft und sozialmoralisch verhärtet. Diese Verkrustungen reichten bis in das Alltagsleben der Mitglieder in Freizeit und Beruf hinein, auch wenn hier die Bereitschaft zur Überschreitung von Frontlinien größer war als bei den auf ideologische Abgrenzung bedachten Zentralinstanzen der beiden Parteien.

Jedes proletarische Abwehrbündnis gegen Reaktion und Fa-

---

[5] Vorwärts, Nr. 285 vom 19. Juni 1932. Vgl. Winkler, Weg, S. 619 ff.

schismus setzte jedoch ein Mindestmaß an Solidarität und gegenseitigem Vertrauen voraus, vor allem die grundlegende Einsicht, daß der Nationalsozialismus der gemeinsame Hauptfeind war. Solange die KPD ihre Taktik der »antifaschistischen Aktion« doppelzüngig verfocht, indem sie »Nationalfaschismus« und »Sozialfaschismus« weiterhin als Bundesgenossen bezeichnete, so lange blieb ein Nichtangriffspakt für die SPD indiskutabel. Selbst kooperationswillige Funktionäre und Mitglieder der Sozialdemokratie waren nicht bereit, die kommunistische Methode der Umwerbung und Diffamierung zu akzeptieren, weil sie ihnen die Rolle des »nützlichen Idioten« zumutete. Wie wenig die KPD auch im Sommer 1932 Herr ihrer eigenen Politik war, bewiesen die Wirkungen der Komintern-Intervention. Man folgte in den Führungsgremien dem Wink aus Moskau, obwohl in der eigenen Anhängerschaft die Politik einer vorsichtigen Öffnung zur Sozialdemokratie viel Zustimmung gefunden hatte. Die kommunistische Variante der Echternacher Springprozession – ein Schritt vorwärts, dann zwei zurück – mußte in den Vorständen von SPD und ADGB den grundsätzlichen Gegnern eines Zusammengehens mit der KPD zusätzlichen Auftrieb geben. Und so war das Thema »Einheitsfront« am Vorabend des Staatsstreichs in Preußen wieder unter einem Wust von gegenseitigen Verdächtigungen und Anklagen verschüttet.

Die von langer Hand vorbereitete Ausschaltung der sozialdemokratisch geführten preußischen Landesregierung am 20. Juli 1932[6] raubte der Weimarer Republik ihr stärkstes noch verbliebenes demokratisches Bollwerk. Die Aktion der Papen-Regierung gegen das Braun-Kabinett war eine gezielte Provokation der Arbeiterbewegung, auf die, folgt man einer von Zeitzeugen und Historikern vielfach vertretenen Auffassung, die einzig richtige Antwort nur die Proklamation eines Generalstreiks gewesen wäre, also der Versuch, mit den gleichen Mitteln und Methoden wie beim Kapp-Lüttwitz-Putsch im März 1920 die Republik zu verteidigen[7]. Man wird der Ansicht, SPD und

[6] Zur Vorgeschichte und zum Verlauf des »Preußenschlags« siehe zusammenfassend Winkler, Weg, S. 646–680.
[7] Am pointiertesten vertrat diese Auffassung Erich Matthias, Die Sozialdemokratische Partei Deutschlands. In: Erich Matthias, Rudolf Morsey (Hrsg.), Das Ende der Parteien 1933. Düsseldorf 1960, S. 101–278, insbesondere S. 127ff. Matthias führt auch eine Reihe von Zeitzeugen an, die seine Thesen untermauern. Vgl. auch Winkler, Weg, S. 671ff.

ADGB hätten im Juli 1932 die offene Feldschlacht wagen müssen, insbesondere dann zustimmen, wenn man den tatenlosen Untergang der deutschen Arbeiterbewegung im Frühjahr 1933 vor Augen hat und wenn man die auf Weimar folgenden Schrecken der nationalsozialistischen Barbarei historiographisch mit in Rechnung stellt. Dieses Wissen um das Ausmaß der faschistischen Katastrophe kann aber leicht den Blick für die konkrete Entscheidungssituation trüben, in der die Spitzengremien von Sozialdemokratie und Freien Gewerkschaften unmittelbar vor und nach dem Preußenputsch standen.

Einen bewaffneten Kampf zur Rettung der bereits schwer erschütterten Republik sahen die verantwortlichen Führer der SPD und der Gewerkschaften im Sommer 1932 als aussichtslos an. Zu einem Zeitpunkt, wo sechs bis sieben Millionen Menschen arbeitslos waren, mußte auch ein Generalstreik wirkungslos verpuffen, selbst wenn – was zu bezweifeln ist – bei den beschäftigten Arbeitern eine große Streikbereitschaft existierte. Die Spaltung der Arbeiterbewegung in Beschäftigte und Arbeitslose ließ sich durch einen gewerkschaftlichen Streikaufruf nicht überbrücken. Der Vergleich mit 1920, als Vollbeschäftigung herrschte, hinkt auch deshalb, weil 1932 Reichsregierung und Reichspräsident hinter der antirepublikanischen Aktion gegen ein lediglich geschäftsführendes Landeskabinett ohne parlamentarische Mehrheit standen. Die Verfassungswidrigkeit des Unternehmens war also für die Zeitgenossen weniger eindeutig erkennbar, als dies bei der Meuterei der Freikorps und Reichswehrverbände im März 1920 der Fall gewesen war. Wie sich die preußische Polizei und die Zivilverwaltung des Landes in einem Loyalitätskonflikt entschieden hätten, in dem sie der abgesetzte preußische Innenminister zum Widerstand aufrief, während Hindenburg und Papen an ihren Beamteneid appellierten, ist mit Blick auf die obrigkeitsstaatliche Orientierung der deutschen Exekutive ziemlich eindeutig zu beantworten: Severing wäre im Stich gelassen worden. Da als offizielle Begründung der Aktion angeführt wurde, die sozialdemokratisch geführte Landesregierung habe die kommunistische Gefahr nicht mit der notwendigen Härte bekämpft, besaß jeder Beamte, der sich gegen Severing entschied, auch noch ein antimarxistisches Alibi für sein Votum.

Machtpolitisch und militärisch hatte die sozialdemokratische Arbeiterbewegung dem Reichspräsidenten und der Reichswehr wenig entgegenzusetzen, weil man auf die Bundesgenossenschaft der preußischen Schutzpolizei in einem Verfassungskonflikt nicht bauen durfte und der Belagerungszustand und das Standrecht bereits verhängt waren. Mit schlecht oder überhaupt nicht ausgerüsteten Formationen des Reichsbanners und der Eisernen Front ließ sich aber gegen die in Alarmbereitschaft versetzte Reichswehr nichts unternehmen, und ein sinnloses Blutvergießen in einem Bürgerkrieg konnte nicht die Sache der Sozialdemokraten sein. Die KPD schloß zwar in einem Aufruf vom 20. Juli die »Einheitsfront von oben« nicht mehr aus, aber ein offizielles Bündnisangebot an die Führungen von SPD und ADGB machte man nicht. Der kommunistische Appell an die Arbeiterschaft, in den Generalstreik zu treten, verdeutlichte überdies, daß die Parteizentrale »von unten her, durch die breiteste Entfaltung der Initiative der Massen in den Betrieben und Kontoren, auf den Stempelstellen und auf dem flachen Land, den Klassenkampf gegen die Aufrichtung der faschistischen Diktatur« entfachen wollte. Mit diesen Formulierungen konnte die KPD sozialdemokratische Bedenken gegen eine Aktionseinheit nicht ausräumen. Die Antwort des Parteiausschusses der SPD fiel scharf aus und erinnerte an den Schulterschluß der KPD mit der NSDAP beim preußischen Volksentscheid im Sommer 1931. Es war jedoch eine wenig überzeugende Rechtfertigung der sozialdemokratischen Untätigkeit im Sommer 1932, wenn sie betonte, die SPD lasse sich »die Wahl ihrer Mittel und die Stunde ihres Handelns nicht von den Bundesgenossen der Nationalsozialisten im Kampf gegen Braun und Severing« vorschreiben. Am 20. Juli 1932 diktierte nämlich nicht die SPD, sondern die reaktionäre Kamarilla um Papen das Gesetz des Handelns. Gegen diese Republikfeinde setzte die Sozialdemokratie einmal mehr ihre ganze Hoffnung auf den Stimmzettel und beschwor die »Aktivität, Einigkeit und Disziplin« ihrer Anhänger im Wahlkampf[8].

Wie breit und wie festgefügt die republikanische Widerstandsfront der Arbeiterbewegung im Juli 1932 überhaupt noch war, vermag selbst heute niemand mit Sicherheit zu sagen. Die überlieferten Quellen sowie die vorliegenden regionalen und lokalen Fallstudien zeichnen kein eindeutiges Bild und die Aussagen von Zeitzeugen widersprechen sich. Jedenfalls steht fest,

---

[8] Der kommunistische Appell vom 20. Juli 1932 und der Beschluß des sozialdemokratischen Parteiausschusses vom 21. Juli 1932 wurden nach Winkler, Weg, S. 669f. zitiert.

daß die Kampfbereitschaft trotz aller Erregung über den Staatsstreich nicht so groß gewesen sein kann, wie verschiedentlich behauptet worden ist. Daß man mancherorts ungeduldig auf ein Signal aus Berlin wartete und nach dessen Ausbleiben enttäuscht und niedergeschlagen wieder von den Sammelplätzen nach Hause ging, mag zutreffen. Aber richtig ist auch, daß die zur Gegenwehr entschlossenen Kader der Arbeiterbewegung nicht selbst die Initiative ergriffen und »spontan über die Köpfe ihrer Führer hinweg« handelten, wie sie es beispielsweise im Herbst 1918 getan hatten. Wer nun wen in der Krisensituation des Sommer 1932 blockierte – die Führer die Massen oder umgekehrt –, ist eine Streitfrage, auf die es keine eindeutige Antwort gibt. Ein salomonisches Urteil wird »von einer gegenseitigen Blockierung« ausgehen[9] und zu der nüchternen Einschätzung kommen, daß innerhalb der politisch, programmatisch und sozial gespaltenen deutschen Arbeiterbewegung über den Kampfboden, die Kampfmittel und die Kampfziele keine breite Übereinstimmung bestand und daß den Partei- und Gewerkschaftsführern, aber auch den Mitgliedern und Anhängern von KPD, SPD und ADGB die Kraft und die Möglichkeiten für ein erfolgreiches Aufbäumen gegen den Vormarsch der Reaktion fehlten. Wenn aber eine Niederlage von vornherein wahrscheinlich war, dann konnte niemand eine Mobilisierung der Arbeiterbewegung verantworten. Sie hätte durchaus auf der Gegenseite zum Zusammenrücken von Reaktion und NSDAP führen können und damit die Bündniskonstellation vom Januar 1933 vorweggenommen. Dann würden sich heute die Historiker die Frage stellen, ob die deutsche Arbeiterbewegung im Sommer 1932 ihren eigenen Untergang und den Sieg des Nationalsozialismus durch einen sinnlosen Aufstand provoziert hat.

Die Art und Weise, wie Braun und Severing die sozialdemokratische Regierungsbastion in Preußen räumten, glich allerdings »mehr einer Farce als einer Tragödie«[10]. Beide Politiker, die jahrelang zu den prominentesten Repräsentanten der SPD gehört hatten, zogen sich krank und resigniert zurück. Ihr stiller Abschied von der politischen Bühne und das wenig überzeu-

[9] So Helga Grebing in einem forschungskritischen Beitrag: Flucht vor Hitler? Historiographische Forschungsergebnisse über die Aussichten des Widerstandes der Arbeiterbewegung gegen die nationalsozialistische Machtübernahme. In: Aus Politik und Zeitgeschichte. Beilage zur Wochenzeitschrift Das Parlament, B 4–5/83 vom 29. Januar 1983, S. 26–42, Zitat S. 39.
[10] So Winkler, Weg, S. 679.

gende Auftreten des SPD-Vorsitzenden Wels und des ADGB-Vorsitzenden Leipart mußten in den Reihen der Sozialdemokratie und der Gewerkschaften den Eindruck verstärken, daß der Arbeiterbewegung bereits das Rückgrat gebrochen sei. Die Anrufung des Staatsgerichtshofs durch die abgesetzte preußische Regierung konnte den Staatsstreich nicht ungeschehen machen, obwohl das Gericht in seinem im Oktober 1932 gefällten Urteil die formale Weiterexistenz des entmachteten Kabinetts bestätigte. In der Zwischenzeit hatten allerdings Staatskommissare die Schlüsselpositionen in Preußen besetzt und zahlreiche sozialdemokratische Spitzenbeamte ihrer Posten enthoben. Preußen wurde im Frühherbst 1932 zum Exerzierfeld, auf dem man die Ausschaltung des republikanischen Lagers erprobte. Hier zeigte sich die politische Ohnmacht des sozialdemokratischen Legalismus, um dessen Überlebenschancen es immer schlechter bestellt war, weil er im Bürgertum kaum noch einen Rückhalt fand und die Anhänger der SPD durch seine Passivität zermürbte.

Nach dem Triumph des Nationalsozialismus bei den Juliwahlen von 1932 und den eigenen Stimmenverlusten verstärkten sich in der sozialdemokratischen Arbeiterbewegung die zentrifugalen Kräfte. Auch wenn sich die SPD mit knapp acht Millionen Wählern erstaunlich gut behauptet hatte und nach der NSDAP die meisten Abgeordneten in den Reichstag entsandte, waren doch erste Anzeichen eines Erosionsprozesses im sozialdemokratischen Lager nicht zu übersehen. So begann man im ADGB, laut über eine Lockerung der Bindungen an die Sozialdemokratie nachzudenken. Niemand forderte zwar die offene Aufkündigung dieses traditionellen Bündnisses, doch in der ADGB-Führung prüfte man vorsichtig Möglichkeiten, die einen Weg aus der politischen Einflußlosigkeit weisen konnten. Schon am Tag vor der Reichstagswahl war es zu einem vertraulichen Gespräch zwischen Gewerkschaftsspitze und Reichsregierung gekommen, das aber ohne konkrete Ergebnisse blieb. Drei Tage nach der Wahl kommentierte Leipart die nun gegebene Situation im Bundesvorstand des ADGB mit der Bemerkung, »daß sich die Gewerkschaften nicht mehr so deutlich mit der SPD liieren dürften, sondern wieder mehr selbständig in Erscheinung treten müßten«. Sein Vorstandskollege Tarnow forderte ein »revolutionäres sozialistisches Wirtschaftsprogramm mit dem Ziele sofortiger Planwirtschaft«, das die Gewerkschaften »mit den Kommunisten und dem ehrlichen Teil der Nationalsozialisten näher zusammenbringe«[11]. Ob Tarnow mit dieser Äußerung meinte, man solle über parlamentarische Ad-hoc-Mehrheiten für den von ihm mitkonzipierten WTB-Plan nachdenken, ließ er offen.

Diese Gedankenspiele spiegelten die politische und programmatische Verunsicherung im ADGB wider, der sich mit einem Reichstag konfrontiert sah, in dem die NSDAP und die KPD eine negative Mehrheit besaßen. Die SPD hatte dagegen als parlamentarische Vertretung der Gewerkschaften nur noch eine marginale Bedeutung. Sie stand in scharfer Opposition zur Papen-Regierung und war, wie die Diskussionen um das gewerkschaftliche Arbeitsbeschaffungsprogramm gezeigt hatten, für neue sozial- und wirtschaftspolitische Ideen nicht besonders aufgeschlossen. Im ADGB machten sich deshalb Bestrebungen bemerkbar, nach dem Scheitern der Tolerierung alle denkbaren Alternativen, notfalls auch durch Sondierungen nach links und rechts, zu prüfen. Diese Politik ließ den Gewerkschaftsvorstand noch weiter von der SPD abdriften. Was man in internen Sitzungen bereits mehrfach diskutiert hatte, formulierte Leipart erstmals im Oktober 1932 in einer öffentlichen Rede, als er in Bernau zum Verhältnis von SPD und ADGB feststellte: »Als Gewerkschaften gehen wir auch über die Parteibindung hinaus. Wir führen unseren sozialen Kampf der Verfassung gemäß mit politischen Parteien. Wir führen ihn vor allem mit der sozialdemokratischen Partei, die sich bisher am meisten bemüht hat, unsere Ideen auf dem Weg der Gesetzgebung zu verwirklichen. Unsere Bestrebungen gehen jedoch über jede enge Parteigebundenheit hinaus. Wir sind zu sehr auf das Ganze gerichtet, um Parteifesseln zu tragen«[12].

Leiparts wenig verklausulierte Distanzierung von der SPD wirkte sich zwar auf die konkrete Gewerkschaftspolitik kaum aus, aber man deutete dieses Plädoyer für die politische Neutralität der Gewerkschaften – namentlich im Umfeld des Reichswehrministers Schleicher – als ein Verständigungssignal nach rechts. Ohne Zweifel wollte der ADGB-Vorsitzende damit die seit 1930 immer mehr eingeengte gewerkschaftliche Handlungs-

---

[11] Das Protokoll der Sitzung vom 3. August 1932 ist abgedruckt in Peter Jahn (Bearb.), Die Gewerkschaften in der Endphase der Republik 1930–1933. Köln 1988, S. 643–645, Zitat S. 644 f.

[12] Die Rede wurde unter folgendem Titel veröffentlicht: Theodor Leipart, Die Kulturaufgaben der Gewerkschaften. Vortrag in der Aula der Bundesschule Bernau am 14. 10. 1932. Berlin 1932. Vgl. Jahn, Gewerkschaften, S. 45 f., 738.

fähigkeit wieder vergrößern. Hierbei knüpfte er an ein Staatsverständnis an, das von den gewerkschaftlichen Erfahrungen im Ersten Weltkrieg ausging. Damals waren die Gewerkschaften im kriegswirtschaftlichen System des Kaiserreichs als regulative Arbeitsmarktinstanz anerkannt worden und hatten als Mittler zwischen Staats- und Arbeiterinteressen eine wichtige Rolle gespielt. Der im Herbst 1932 erst vage entwickelte Gedanke, daß Gewerkschaften in jedem Staatssystem und nicht nur in der parlamentarisch verfaßten Parteiendemokratie ein unersetzbarer Ordnungsfaktor seien, wurde dann im Frühjahr 1933 zum Leitprinzip, als sich der ADGB vergeblich um ein Arrangement mit dem Nationalsozialismus bemühte. Den Boden für eine Politik der nationalen Neuorientierung bereitete vor allem eine Gruppe junger Gewerkschaftssekretäre, die im Bundesvorstand des ADGB im zweiten Glied arbeitete, aber in Zeitschriftenartikeln und Redemanuskripten für Vorstandsmitglieder wachsenden Einfluß auf die konzeptionellen Überlegungen der Spitzengremien nahm.

Unter der kurzen Kanzlerschaft Schleichers im Dezember 1932 und Januar 1933 wurden an die Gewerkschaften »Querfront-Konzeptionen« herangetragen, mit denen der neue Regierungschef für sein autoritäres Regime eine Massenbasis vom Strasser-Flügel der NSDAP bis zum ADGB schaffen wollte. Schleicher präsentierte sich dabei als »sozialer General« zwischen Kapitalismus und Sozialismus und ließ seine Bereitschaft erkennen, die antigewerkschaftliche Notverordnungspolitik seines Vorgängers zu revidieren[13]. Die Verwirklichung der Querfront kam jedoch über tastende Vorgespräche nicht hinaus. Sie scheiterte schon deshalb, weil der regierende General die Rolle Strassers als Gegenspieler Hitlers in der NS-Bewegung überschätzte und den Widerstand in Wirtschaftskreisen gegen seine populistischen Regierungsmodelle unterschätzte. Die ADGB-Führung verhielt sich in den Verhandlungen, die bis zum Rücktritt Schleichers andauerten, zwiespältig. Einerseits gab man zu erkennen, daß eine Zusammenarbeit mit der antiparlamentarischen Junta des Reichswehrgenerals denkbar sei, dessen staatsinterventionistisches Sanierungskonzept sich mit eigenen Vorstellungen deckte; andererseits wollte man eine

---

[13] Vgl. Axel Schildt, Militärdiktatur mit Massenbasis? Die Querfrontkonzeption der Reichswehrführung um General v. Schleicher am Ende der Weimarer Republik. Frankfurt 1981, S. 158 ff.; Winkler, Weg, S. 810 ff.

Aufspaltung der sozialdemokratischen Arbeiterbewegung in einen politisch diskriminierten und einen gewerkschaftlich hofierten Flügel nicht mitverantworten. Der »halbherzige Flirt mit den Kräften um Schleicher«[14] scheiterte schließlich nicht nur am Einspruch der sozialdemokratischen Parteiführung, die eine Beteiligung von Gewerkschaftsführern an Schleichers Kabinett ablehnte, er fand vor allem auch in der gewerkschaftlichen Mitgliedschaft und bei den Verbandsfunktionären wenig Verständnis. Einen politischen Spagat zwischen SPD und Präsidialregime konnte sich die ADGB-Führung aber nicht leisten, wenn sie die Einheit des Dachverbandes bewahren wollte. Mit dem Ausschlagen der Offerten Schleichers waren jedoch die Abkopplungsversuche von der SPD nicht beendet, wie sich im März und April 1933 zeigen sollte.

Parallel zur Entfremdung von ADGB und SPD liquidierte die KPD im Herbst 1932 endgültig die Einheitsfronttaktik und setzte unter alle Versuche einer Verständigung mit der Sozialdemokratie einen Schlußstrich. Durch ihre Wahlerfolge im Juli ermutigt – die KPD hatte 700000 Stimmen hinzugewonnen –, verschärften die Kommunisten ihren antisozialdemokratischen Konfrontationskurs, den sie im Frühsommer 1932 für kurze Zeit verlassen hatten. Den entscheidenden Anstoß für diese Revision gab die Tagung des Exekutivkomitees der Kommunistischen Internationale Ende August und Anfang September 1932 in Moskau. Dieses Führungsgremium des internationalen Kommunismus prognostizierte in seinen politischen Lageanalysen den Übergang »zu einem neuen Zyklus von Revolutionen und Kriegen« und verabschiedete mit Blick auf Deutschland eine Entschließung, deren Kernsätze lauteten: »Nur wenn der Hauptschlag gegen die Sozialdemokratie, diese soziale Hauptstütze der Bourgeoisie, gerichtet wird, kann man den Hauptklassenfeind des Proletariats, die Bourgeoisie, mit Erfolg schlagen und zerschlagen. Und nur, wenn die Kommunisten zwischen den sozialdemokratischen Führern und den sozialdemokratischen Arbeitern unterscheiden, können sie die Mauer, die sie häufig von den sozialdemokratischen Arbeitern trennt, im Namen der revolutionären Einheitsfront von unten niederreißen«[15]. Mit dieser Handlungsmaxime im Marschgepäck reiste

---

[14] So Jahn (S. 47) in der Einleitung zu seiner Quellenedition, die den Verlauf der Verhandlungen dokumentiert.
[15] Zitiert nach Winkler, Weg, S. 754f.

die deutsche Delegation aus Moskau heim, entschlossen, die »rechtsopportunistischen« Fehlentwicklungen in den eigenen Reihen zu korrigieren.

Auf der dritten Reichsparteikonferenz der KPD im Oktober 1932 rückte mit Walter Ulbricht ein linientreuer Gefolgsmann der Moskauer Komintern-Strategen in das Sekretariat des Zentralkomitees nach. Damit wurde personell die Abweichung von der Generallinie nach dem gleichen Muster bereinigt wie bei allen innerparteilichen Führungskrisen seit 1929: durch den Austausch der zu »Sektierern« abgestempelten Dissidenten in der Parteileitung. Die Mitglieder hatten auf diese Politik des »demokratischen Zentralismus« keinen Einfluß. Die ideologische Vermittlung der in der sowjetischen Hauptstadt beschlossenen Konzeption übernahm Thälmann. Er wiederholte fast wörtlich den dort gegen die Sozialdemokratie formulierten Bannspruch und betonte die »Richtigkeit der Stalinschen These«, wonach »Faschismus und Sozialfaschismus nicht Widersacher, sondern Zwillinge« seien. Deshalb sei »jede Tendenz einer Abschwächung« des »prinzipiellen Kampfes gegen die SPD oder einer liberalen Gegenüberstellung von Faschismus und Sozialfaschismus« für die KPD »völlig unzulässig«. In einer Resolution verstieg sich die Reichskonferenz sogar zu der Behauptung, die SPD habe »in Deutschland den Faschismus an die Macht gebracht«[16]. Mit dieser Formulierung dokumentierte die KPD dreieinhalb Monate vor Hitlers Machtantritt einmal mehr, wie theoretisch unausgegoren ihr Faschismusbegriff war, den sie im politischen Tageskampf durch ihren fahrlässigen Umgang mit methodischen und inhaltlichen Postulaten zu einem Allerweltsbegriff verharmloste. Gleichzeitig zementierte die Partei ihre Frontstellung gegen die Sozialdemokratie und beharrte auf ihrem dogmatisch erstarrten sozialfaschistischen Feindbild.

Nach der Parteikonferenz konzentrierte die KPD ihr Augenmerk auf den neuen Reichstagswahlkampf und auf die Organisation von Streiks. In beiden Fällen war sie bestrebt, die Einheitsfronttaktik von unten auch auf die Nationalsozialisten anzuwenden, um den Arbeiteranhang der NSDAP für sich zu gewinnen. Ihre Wahlkampagne stand ganz im Zeichen des Kampfes gegen das »Versailler System«, wobei nationalistische Phrasen und Attacken gegen die sozialdemokratischen Unterzeichner des Friedensvertrags den Eindruck erwecken sollten,

[16] Zitate nach Winkler, Weg, S. 757 ff. und Weber, Hauptfeind, S. 57 ff.

die KPD trete für das deutsche Selbstbestimmungsrecht ein. Ganz im Stile des »Schlageter-Kurses«, der im Ruhrkampf 1923 zu einer Annäherung von Kommunismus und Nationalismus geführt hatte, geißelte man die territorialen Bestimmungen der Friedensverträge mit Deutschland und Österreich und forderte eine Revision der Nachkriegsgrenzen. Im Katalog der Gebietsteile, die durch das »räuberische Diktat« der Siegermächte und durch »brutale Annexion« von Deutschland und Österreich abgetrennt worden seien[17], tauchten neben Ost- und Westpreußen, Posen und Oberschlesien auch Südtirol und Elsaß-Lothringen auf.

Diesen nationalbolschewistischen Kurs, dessen außenpolitische Stoßrichtung gegen Versailles die KPD in die Nähe der NSDAP führte, verfolgte auch die kommunistische Streikpolitik in Berlin. Hier kam es Anfang November 1932 zur Bildung einer gemeinsamen Streikleitung von RGO und Nationalsozialistischer Betriebszellen-Organisation (NSBO) im Verkehrsarbeiterstreik[18]. Aus diesem Arbeitskampf hatte sich der freigewerkschaftliche Gesamtverband der Arbeitnehmer der öffentlichen Betriebe zurückgezogen, weil bei einer Urabstimmung in den Betrieben keine Dreiviertelmehrheit der Belegschaften für einen Ausstand gestimmt hatte. Die arbeitsrechtlich verworrene Situation nutzten RGO und NSBO zu einem tagelangen Zusammenwirken in der Schlußphase des Wahlkampfes gegen SPD und ADGB. Als Arbeitskampf blieb das gemeinsame Unternehmen von Rechts- und Linksradikalismus erfolglos, nicht aber als politische Mobilisierungskampagne der KPD. Sie konnte in den Berliner Arbeitervierteln bei den Reichstagswahlen am 6. November überdurchschnittliche Stimmengewinne – hauptsächlich zu Lasten der SPD – verbuchen, die in der Reichshauptstadt vier Prozent weniger Stimmen als im Juli 1932 erhielt. Aber auch die Nationalsozialisten profitierten vom ideologischen Verwirrspiel während des Verkehrsarbeiterstreiks: Erstmals waren sie in einem Arbeitskampf als »Arbeiterpartei« akzeptiert worden und das ausgerechnet von der KPD. Auch wenn das »braun-rote« Streikbündnis nur wenige Tage bestand, so hinterließ es doch seine Spuren in den Beziehungen von Kommunismus und Sozialdemokratie. Fortan

---

[17] So der Wahlaufruf der KPD, zitiert nach Winkler, Weg, S. 759.
[18] Vgl. dazu Werner Müller, Lohnkampf, Massenstreik, Sowjetmacht. Ziele und Grenzen der »Revolutionären Gewerkschafts-Opposition« (RGO) in Deutschland 1928 bis 1933. Köln 1988, S. 190 ff.; Winkler, Weg, S. 765 ff.

diente es der Publizistik von SPD und ADGB als Paradebeispiel für die antirepublikanische Einheitsfront von »Nazis« und »Kozis«.

Die Erinnerung an die ersten Novembertage war noch nicht verblaßt, als Hitler am 30. Januar 1933 von Hindenburg zum Reichskanzler ernannt wurde. Mit der Machtübertragung an die Nationalsozialisten nach einem Intrigenspiel hinter den Kulissen, an dem sich ostelbische Rittergutsbesitzer, Teile der Schwerindustrie, einige höhere Offiziere der Reichswehr und Ex-Kanzler Papen, der Vertrauensmann des Reichspräsidenten, der die verschiedenen Fäden verknüpfte, beteiligt hatten, waren die Hoffnungen auf einen Sieg der Vernunft gescheitert. Der Schock, den der Triumph Hitlers auslöste, saß besonders tief, weil die meisten Beobachter der politischen Szenerie seit den schweren Verlusten der NSDAP bei den Novemberwahlen von 1932 an ein Abklingen des Radikalismus und an eine Entschärfung der Krisenlage geglaubt hatten. In den Kommentaren der SPD- und Gewerkschaftspresse am Jahreswechsel 1932/33 schwang zwar viel Zweckoptimismus mit, wenn es hieß, »Hitlers braune Mannen« führten »zwischen der rauhen Wirklichkeit des Umherziehens mit dem Bettelsack und dem lieblichen Traum von der Größe und Schönheit des ›Dritten Reiches‹« ein »trübseliges Dasein«, während die Arbeiterbewegung »ungebrochen« dastehe[19], aber mit dem schrittweisen Niedergang des Nationalsozialismus rechnete man Anfang 1933 quer durch die politischen Lager hindurch.

Wie unvorbereitet die Spitzen der SPD und des ADGB von der nationalsozialistischen Regierungsübernahme überrascht wurden, dokumentieren die für den 30. und 31. Januar überlieferten Sitzungsprotokolle[20]. Ein halbes Jahr nach dem Staatsstreich gegen Preußen sahen sich die führenden Sozialdemokraten und Gewerkschafter erneut mit der Frage konfrontiert, ob sie ihre Anhänger mobilisieren und eine Massenaktion in Gang setzen sollten, um die eben gebildete Regierung zum Kampf um die Macht herauszufordern. Erneut entschieden sich alle in den Entscheidungsprozeß einbezogenen Führungsorgane – Parteivorstand und Parteiausschuß der SPD, Bundesvorstand und Bundesausschuß des ADGB – der sozialdemokratischen Arbei-

---

[19] Gewerkschafts-Zeitung, Nr. 1 vom 7. Januar 1933.
[20] Veröffentlicht durch Hagen Schulze (Hrsg.), Anpassung oder Widerstand? Aus den Akten des Parteivorstands der deutschen Sozialdemokratie 1932/33. Bonn-Bad Godesberg 1975; Jahn, Gewerkschaften, S. 823 ff.

terbewegung für eine Politik des Abwartens. Man wollte sich, wie die Abendausgabe des ›Vorwärts‹ am 30. Januar in einem Leitartikel formulierte, »mit beiden Füßen auf den Boden der Verfassung und der Gesetzlichkeit« stellen[21]. Diese Strategie der Passivität, die jede sofortige außerparlamentarische Aktion ablehnte und den politischen Generalstreik auf den Zeitpunkt vertagte, an dem Hitler die Verfassung brach, überließ den neuen Machthabern das Gesetz des Handelns. Man entschloß sich zum Warten auf den »Ernstfall«, obwohl dieser offenkundig schon eingetreten war, und man befand »Organisation – nicht Demonstration« sei »die Parole der Stunde«[22].

Die Argumente, mit denen die Führer der Gewerkschaften und der Sozialdemokratie Ende Januar 1933 ihren Rückzug auf eine Position des defensiven Legalismus rechtfertigten, unterschieden sich kaum von ihren schon nach dem »Preußenschlag« Papens entwickelten Überlegungen. Wiederum handelten sich SPD und ADGB damit den Vorwurf von Historikern ein, sie hätten einer »Theorie der Untätigkeit« gehuldigt und den Machtwechsel zu Hitler wie eine »Dutzendkrise« behandelt[23]. Wiederum ist aber zu fragen, welche anderen Weichenstellungen zu diesem Zeitpunkt realistischerweise möglich gewesen wären. Gemessen an der Stärke des Gegners und dessen Machtmitteln war eine gewaltsame Gegenwehr noch aussichtsloser als im Juli 1932. Nach dem Einzug Hitlers in die Reichskanzlei ging es nicht mehr darum, für einen befristeten Generalstreik Partei und Gewerkschaftsmitglieder zusammenzutrommeln, sondern einen Massenaufstand zu organisieren. Vorbereitungen für einen Bürgerkrieg hatte man aber weder in der Parteizentrale der SPD noch beim Bundesvorstand des ADGB getroffen. Für reichsweite Kampfaktionen fehlten die notwendigen militärischen Mittel und Erfahrungen, ganz abgesehen davon, daß die Abneigung gegen jede Gewaltanwendung in der sozialdemokratischen Arbeiterbewegung tief verwurzelt war. Außerdem wußte damals und weiß auch heute niemand zu sagen, wie groß das Widerstandspotential in der Arbeiterschaft 1933 überhaupt noch war, wie viele Anhänger der Arbeiterbewegung einem Aufruf zum Aufstand gefolgt wären, wie lange man bewaffnete Auseinandersetzungen mit Reichswehr, Polizei und paramilitä-

[21] Vorwärts, Nr. 50 vom 30. Januar 1933.
[22] So Leipart in der Sitzung des ADGB-Bundesausschusses am 31. Januar 1933, zitiert nach Jahn, Gewerkschaften, S. 831.
[23] So Matthias, Sozialdemokratische Partei, S. 158.

rischen Verbänden der reaktionären Rechten und des Nationalsozialismus hätte durchstehen können. Zudem war das Verhältnis zur KPD nach wie vor vergiftet. Obwohl es im Januar einzelne Kontaktversuche gegeben hatte, um eine Verbesserung
der Beziehungen zu erreichen, dominierte auf beiden Seiten
auch nach Hitlers Regierungsantritt noch das Mißtrauen, ver-
sprachen sich SPD und ADGB von Einheitsfrontverhandlun-
gen mit der KPD-Führung nicht viel, zielten deren Kooperationsangebote auf die Basis und nicht auf die Spitze der sozialdemokratischen Arbeiterbewegung.

Weder die Komintern-Zentrale in Moskau noch die KPD-
Zentrale in Berlin dachten daran, eine ideologische Kehrtwendung zu vollziehen und ihre Frontstellung gegen die Sozialdemokratie zu räumen. In einem am 28. Januar versandten langen
Rundschreiben des ZK-Sekretariats an die Bezirke war eine
Fülle von konkreten Anweisungen enthalten, wie die Untergli-
derungen der KPD in den folgenden Wochen ihre Kampagne
gegen die SPD führen sollten. Die Devise lautete weiterhin, die
Partei habe »den sozialfaschistischen Charakter der SPD-Poli-
tik« zu entlarven und müsse dabei wie bisher »scharf unterscheiden zwischen der sozialdemokratischen Führung und den
sozialdemokratischen Arbeitern«. Ziel der antisozialdemokratischen Offensive in Presse und Versammlungen, Agitation und
Propaganda sei es, »die arbeiterverräterische Politik der SPD
und ihr scheinoppositionelles Verhalten« anzuprangern, um auf
diese Weise »die sozialdemokratischen Arbeitermassen für den
Tageskampf und den Kampf für einen revolutionären Ausweg
zu gewinnen«[24]. Dieses Feindbild korrigierte die KPD auch
nach dem 30. Januar nicht, obwohl sie an diesem Tag die Richtungsgewerkschaften und die SPD zu einem gemeinsamen Generalstreik aufgerufen hatte. Drei Tage später, am 2. Februar,
war der Vorschlag eines Nichtangriffspakts und einer Einheitsfront von unten und oben bereits wieder vergessen. Jetzt
forderte das ZK-Sekretariat die Bezirke auf, sie sollten »über
den schändlichen Verrat der Sozialdemokratie am 30. Januar
breiteste Klarheit schaffen« und »die prinzipielle Verkommen-
heit dieser Partei aufzeigen«. Die KPD habe nun die Aufgabe,
»alle Illusionen innerhalb der Arbeiterklasse über die Rolle der
Sozialdemokratie zu zerschlagen und sie ihrer Massenbasis zu
berauben«[25].

[24] Zitiert nach Weber, Generallinie, S. 647 ff.
[25] Dieses Rundschreiben veröffentlichte Arne Andersen, Die KPD und die

Die an die Adresse der SPD gerichteten massiven Vorwürfe enthüllten nicht nur die Unehrlichkeit der kommunistischen Einheitsfrontangebote, sondern auch die Unfähigkeit der KPD, sich selbst an die Spitze eines Generalstreiks zu stellen. Hinter der Propagandafassade der Partei war so wenig aktivierbare Massenkraft vorhanden, daß es sich die Parteiführung nicht zutraute, auf eigene Faust die Arbeiterschaft gegen die Regierung zu mobilisieren. Vielmehr unterließ die KPD-Zentrale alles, was als Vorwand für ein Parteiverbot hätte dienen können und begann damit, den Parteiapparat auf die Illegalität umzustellen. Der Vorwurf der kampflosen Kapitulation, mit dem man lautstark die SPD attackierte, richtete sich ebenso gegen seine kommunistischen Urheber, die damit ungewollt eingestanden, daß die KPD nur auf tönernen Füßen stand. Letztlich verbarg sich hinter allen kommunistischen Einheitsfrontangeboten, gleichgültig ob sie ausschließlich auf die Parteibasis der SPD zielten oder auch ihre Spitze einschlossen, die politische Handlungsunfähigkeit der KPD, die ohne sozialdemokratische Hilfe zum Nichtstun verurteilt war. Den einzigen Ausweg aus dieser Isolierung, den Weg zu einer kommunistisch-sozialdemokratischen Zusammenarbeit in einer existentiellen Notsituation der gesamten Arbeiterbewegung hatte sich die KPD seit ihrer ultralinken Wende von 1929 Stück für Stück verbaut. Als das NS-Regime den organisatorischen Bewegungsspielraum der Kommunisten durch Versammlungs- und Demonstrationsverbote, durch Hausdurchsuchungen, Verhaftungen und Terrormaßnahmen immer mehr einengte, war es für eine Umkehr aus der ideologischen Sackgasse der Sozialfaschismusdoktrin zu spät. Die KPD blieb die politische Gefangene einer Doktrin, mit der sie ihren eigenen Untergang vorbereitet hatte.

Aber auch für den ADGB und für die SPD waren die Wochen nach dem 30. Januar eine Etappe der Resignation. Mit der Politik des Abwartens und mit der Spekulation auf einen raschen Zerfall des nationalsozialistisch-reaktionären Regierungsbündnisses klammerten sich die Sozialdemokraten an einen Strohhalm. Sie stellten ihrem eigenen politischen Urteilsvermö-

---

nationalsozialistische Machtübernahme. Ein Rundschreiben der KPD vom 2. Februar 1933. In: Internationale Wissenschaftliche Korrespondenz zur Geschichte der deutschen Arbeiterbewegung 22 (1983), S. 357–373. Vgl. auch Siegfried Bahne, Die KPD und das Ende von Weimar. Das Scheitern einer Politik 1932–1935. Frankfurt 1976, S. 34 ff.; Horst Duhnke, Die KPD von 1933 bis 1945. Köln 1972, S. 63 ff.

gen auch kein gutes Zeugnis aus, als sie die terroristischen Energien der neuen Machthaber unterschätzten und sich nur auf ähnliche Repressionsmaßnahmen wie unter dem Sozialistengesetz Bismarcks vorbereiteten. Aber diese Illusionen über die nationalsozialistischen Herrschaftsmethoden wucherten auch im Bürgertum, das zwischen vorsichtiger Anpassung und willfähriger Selbstgleichschaltung schwankte. Gegen eine Politik, die provozierende Verfassungsbrüche vermied und stattdessen die Taktik der schrittweisen Abwürgung des Rechtsstaats mit Hilfe von Notverordnungen verfolgte, und gegen die sich häufenden Terrorakte der SA war die Stillhaltepolitik der sozialdemokratischen Arbeiterbewegung eine Politik der Ohnmacht. Sie zermürbte die in der Arbeiterschaft verbliebenen Abwehrkräfte und rückte den Zeitpunkt des Zusammenbruchs der Arbeiterbewegung immer näher, der aber im Frühjahr 1933 auch durch einen Generalstreik nicht mehr aufzuhalten gewesen wäre. Mit der Verleugnung der sich anbahnenden Niederlage in Reden und Presseartikeln konnten schließlich auch die eigenen Anhänger nicht länger beruhigt werden.

Beide Arbeiterparteien zogen im Februar 1933 mit der allerdings geringen Hoffnung in den Wahlkampf, den Nationalsozialismus vielleicht doch noch mit dem Stimmzettel besiegen zu können. Man konzentrierte nochmals alle Kräfte auf dieses Ziel und ließ sich von Zeitungsverboten, Versammlungsstörungen, Straßenkrawallen und Morddrohungen nicht beirren. Die Massenkundgebungen, kämpferischen Aufrufe und Werbekampagnen konnten jedoch nicht darüber hinwegtäuschen, daß sich hinter der hektischen Aktivität der Arbeiterparteien letztlich tiefe Ratlosigkeit verbarg und sie tatenlos mitansehen mußten, wie sie vom staatlichen und nationalsozialistischen Repressionsapparat immer weiter in die Illegalität gedrängt wurden. Nach dem Reichstagsbrand am 27. Februar, der den NS-Führern den willkommenen Vorwand bot, die Weimarer Verfassung weitgehend außer Kraft zu setzen und ihren »Kampf gegen den Marxismus« – so das Motto ihres Wahlkampfes – bis zur äußersten Radikalität zu steigern, war die Lage der Arbeiterbewegung aussichtslos geworden. Noch in der Brandnacht lief die von Göring geleitete Aktion gegen die KPD an, deren Kader kaum Gelegenheit fanden, in den Untergrund auszuweichen. Allein in Berlin wurden 1500 KPD-Funktionäre inhaftiert; im Reich waren es weitere 10000. Zu den frühzeitig Festgenommenen zählte auch der Parteivorsitzende Thälmann, den die Polizei am 3. März in seinem Versteck aufspürte. Nach dieser Verhaftungswelle verlor die KPD, die formell nicht verboten wurde, jede Möglichkeit zur legalen Weiterexistenz[26].

Das Wahlergebnis vom 5. März 1933 bewies nochmals eindrucksvoll die unerschütterliche Parteitreue der proletarischen Stammwähler von SPD und KPD. Die Sozialdemokraten büßten lediglich 70 000 Stimmen im Vergleich zur Novemberwahl ein und blieben – allerdings klar abgeschlagen hinter der NSDAP – mit 120 Sitzen die zweitstärkste Partei im Reichstag. Die KPD verlor 1,1 Millionen Wähler und 19 Mandate. Berücksichtigt man aber den Terror, dem die Partei vor allem in der letzten Woche des Wahlkampfes ausgesetzt gewesen war, so dokumentierten die 4,8 Millionen KPD-Wähler eine erstaunliche Standfestigkeit. Beide Parteien konnten sich in den großstädtischen Industriezentren in der Mitte, im Westen und im Norden Deutschlands behaupten. Ihre Hochburgen lagen nach wie vor dort, wo die klassenbewußte Industriearbeiterschaft zu Hause war und ein festgefügtes Arbeitermilieu bestand. Einbußen erlitten die Linksparteien auf dem Lande, in bürgerlichen Wohngebieten und bei den von Wahl zu Wahl fluktuierenden Protestwählern, die sich im März 1933 in großer Zahl für die »braune« Alternative entschieden. Obwohl fast ein Drittel der Wähler bei dieser letzten Reichstagswahl für die Arbeiterparteien stimmte (30,6 Prozent), war nicht zu übersehen, daß das Wahlergebnis die NS-Herrschaft plebiszitär bestätigt hatte. Das Regierungsbündnis von NSDAP und DNVP verfügte nun im Parlament über die absolute Mehrheit. Als der Parteiausschuß der SPD neun Tage nach der Wahl zusammentrat, mußte Wels eingestehen: »Wir sind eben geschlagen und müssen wieder von vorn anfangen.«[27] Wie ein Neuanfang unter den gegebenen Bedingungen aussehen sollte, darauf wußte der SPD-Vorsitzende allerdings keine Antwort.

Die Gewerkschaften signalisierten nach den Märzwahlen dem siegreichen Regierungsbündnis ihre Anpassungsbereitschaft, obwohl auch sie seit Februar vom nationalsozialistischen Terror nicht verschont geblieben waren und beim Reichspräsidenten vergeblich gegen die Besetzung von Gewerkschaftshäusern

[26] Vgl. Winkler, Weg, S. 880 ff.; Zur Haltung der Regierung Hitlers gegenüber der KPD siehe Konrad Repgen, Ein KPD-Verbot im Jahre 1933? In: Historische Zeitschrift, Bd. 240 (1985), S. 67–99.
[27] In der Sitzung am 14. März 1933, zitiert nach Schulze, Anpassung oder Widerstand, S. 169.

und die Mißhandlung von Funktionären protestiert hatten. In seinem Rückblick auf die Reichstagswahl bescheinigte das Zentralorgan des ADGB dem amtierenden Kabinett, daß es im Parlament »über eine unantastbare regierungsfähige Mehrheit« verfüge und »vom Votum des Volkes« bestätigt sei. Zugleich appellierte man an die Regierung, sie solle »ihre Macht vollkommen legal gebrauchen«, und betonte, die deutschen Gewerkschaften würden »auch weiterhin, unabhängig von Parteien und Parteikonstellationen, ihre Pflicht erfüllen«[28]. Mit diesem Angebot zur Entpolitisierung und Distanzierung von der Sozialdemokratie knüpfte der ADGB an seinen Neutralitätskurs vom Herbst 1932 an und begab sich nun endgültig auf die abschüssige Bahn des Opportunismus, um wenigstens das organisatorische Überleben einer gewerkschaftlichen Interessenvertretung im nationalsozialistischen Deutschland zu sichern.

Nach der faktischen Aufkündigung der jahrzehntelangen Bindungen an die SPD machte die programmatische und moralische Auflösung des ADGB rasante Fortschritte. Bereits zwei Tage vor der Verabschiedung des Ermächtigungsgesetzes übermittelte der ADGB-Bundesvorstand Hitler eine Erklärung, in der er den Systemwechsel offiziell anerkannte und den Brückenschlag zum neuen Staat anbot. Der Schlüsselsatz dieses Dokuments lautete: »Die sozialen Aufgaben der Gewerkschaften müssen erfüllt werden, gleichviel welcher Art das Staatsregime ist.«[29] Die Gewerkschaften nahmen damit von der Demokratie Abschied und dienten sich dem autoritären Regime als Partner an. Mit der Formulierung, »über der Form der Organisation steht die Wahrung der Arbeiterinteressen«, stellte man auch das eigene Verbandsgefüge zur Disposition und offerierte dessen Anpassung an ständestaatliche Konzeptionen. Der Schlußsatz der Erklärung betonte zwar, daß »eine wahre Gewerkschaft« sich »nur auf freiwilligem Zusammenschluß der Mitglieder gründen könne« und »von den Unternehmern ebenso wie von politischen Parteien unabhängig sein« müsse. Er ließ aber offen, welchen Realitätswert die postulierten Prinzipien der Unabhängigkeit und Freiwilligkeit im Rahmen einer vom nationalsozialistischen Totalitätsanspruch dominierten Gesellschaftsordnung überhaupt noch haben konnten.

[28] Gewerkschafts-Zeitung, Nr. 10 vom 11. März 1933.
[29] Abgedruckt bei Jahn, Gewerkschaften, S. 865 ff. Dort auch die folgenden Zitate.

Ihr Kooperationsangebot an die Hitler-Regierung zeigte, wie stark die ADGB-Führung vom allgemeinen antidemokratischen Sog bereits erfaßt worden war. Auch die Christlichen Gewerkschaften wollten den Aufbruch in das »Dritte Reich« nicht verpassen. Sie benannten sich nach der Märzwahl in »christlich-nationale Gewerkschaften« um und huldigten programmatisch ebenfalls dem neuen Zeitgeist, indem sie sich zu einer berufsständischen Ordnung bekannten und für die Wiedererlangung der deutschen Weltgeltung stark machten. An der Basis der Gewerkschaftsbewegung schloß man sich dieser Umorientierung allerdings nicht so schnell an. Bei den ab Februar 1933 durchgeführten Betriebsratswahlen erzielten die Listen des ADGB trotz des großen Drucks, der auf den Arbeitern lastete, zumeist eindeutige Mehrheiten: In den 1387 Betrieben, für die dem ADGB Ergebnisse vorlagen, entfielen auf seine Listen 73,4 Prozent der Stimmen, während sich die NSBO mit 11,7 Prozent begnügen mußte. Obwohl im Bergbau, in der chemischen Industrie und auch in der Stahlindustrie die Abwehrfront zu bröckeln begann, hatte die ›Gewerkschafts-Zeitung‹ allen Grund, von einem Erfolg zu sprechen. Ihr selbstbewußter Kommentar lautete: »Das Ergebnis vom Jahre 1931, in welchem die Listen der freien Gewerkschaften 83,6 v. H. der gewählten Arbeiterräte erhielten, wäre in ruhigen Zeiten spielend erreicht worden.«[30] Dieser Satz stand in der letzten Ausgabe des ADGB-Organs, die vor dem Gewerkschaftsverbot am 2. Mai 1933 noch erscheinen konnte.

In der Zwischenzeit war der freiwillige Anpassungsprozeß der Gewerkschaftsvorstände weiter vorangekommen. Der angestrebten Aussöhnung mit dem »nationalen Deutschland« brachten die Verbandsführungen im März und April 1933 eine Reihe organisatorischer, programmatischer und personeller Opfer. So trat beispielsweise der Vorsitzende des AfA-Bundes, Siegfried Aufhäuser, der als linker Sozialdemokrat und Jude zahlreichen Anfeindungen ausgesetzt war, Ende März von seinem Amt zurück. Gemeldet wurde dieser erzwungene Rücktritt von der Gewerkschaftspresse unter der Überschrift: »Organisatorische Neugestaltung der gewerkschaftlichen Angestelltenbewegung«[31]. Knapp zwei Wochen später empfahlen Bundesvorstand und Bundesausschuß des ADGB der Reichsre-

---

[30] Gewerkschafts-Zeitung, Nr. 17 vom 29. April 1933.
[31] Gewerkschafts-Zeitung, Nr. 13 vom 1. April 1933.

gierung »eine neue Regelung des staatlichen Aufsichtsrechts über die Selbstverwaltung der Arbeitskraft« und machten sich für die »Einsetzung eines Reichskommissars für die Gewerkschaften« stark[32]. Am 22. April brach der ADGB seine Beziehungen zum Internationalen Gewerkschaftsbund ab, dessen Entwicklung seit der Jahrhundertwende von deutschen Gewerkschaftsführern maßgebend geprägt worden war. Zu diesem Zeitpunkt hatten die Gewerkschaftsleitungen vor dem Terror von unten und den Verlockungen und Pressionen von oben bereits kapituliert.

Im April 1933 scheiterten auch Bemühungen, durch einen Zusammenschluß der drei Richtungsgewerkschaften einen Rest von einheitsgewerkschaftlicher Eigenständigkeit zu bewahren. Das Abkommen, das der Bildung eines »Führerkreises der vereinigten Gewerkschaften« zugrunde lag, wich allerdings in seiner völkisch-nationalen Diktion und in seiner ständestaatlichen Orientierung von den programmatischen Traditionen der sozialdemokratischen Gewerkschaftsbewegung so weit ab, daß man es kaum als Dokument eines gewerkschaftlichen Neuanfangs deuten kann[33]. Ebensowenig wies dieser Text den Weg zum gewerkschaftlichen Widerstand, obwohl zu seinen Unterzeichnern Wilhelm Leuschner und Jakob Kaiser gehörten. Sein Leitmotiv war die gewerkschaftliche »Einordnung in die Neugestaltung der Zukunft des deutschen Volkes«. Die Gewerkschaften erklärten sich »zu positiver Mitarbeit am neuen Staat« bereit. Man rühmte den »volklichen Einheits- und Machtwillen« dieses Staates, der »weder klassenmäßige Trennung noch volksabgewandte Internationalität« kenne, und man wollte zum Aufbau »einer umfassenden nationalen Organisation der Arbeit« beitragen. Bei dieser Initiative der drei Richtungsgewerkschaften handelte es sich um den zum Scheitern verurteilten Versuch, unter einem gemeinsamen Notdach Schutz vor der drohenden Auflösung zu suchen.

Das Kalkül, der Nationalsozialismus werde den Gewerkschaften eine gesellschaftliche Nische freihalten oder sie gar als

---

[32] In seiner Sitzung am 9. April 1933. Das Protokoll ist abgedruckt bei Jahn, Gewerkschaften, S. 881 f.
[33] Zur Entstehungsgeschichte und endgültigen Fassung dieses Dokuments vgl. die bei Jahn, Gewerkschaften, S. 901 ff. abgedruckten Quellen. Vgl. auch Gerhard Beier, Zur Entstehung des Führerkreises der vereinigten Gewerkschaften Ende April 1933. In: Archiv für Sozialgeschichte 15 (1975), S. 365–392; ders., Das Lehrstück vom 1. und 2. Mai 1933. Frankfurt 1975, S. 36 ff.

arbeitsmarktpolitisches Instrument in sein System integrieren, ging jedoch nicht auf. Als die Vertreter der Richtungsgewerkschaften am 28. April ihr Einheitsabkommen unterzeichneten, war die Ausschaltung der Gewerkschaften bereits eine beschlossene Sache und der Ablauf der Zerschlagungsaktion genau festgelegt: Der erstmals als offizieller staatlicher Feiertag begangene 1. Mai diente zur reichsweiten Inszenierung der Klassenversöhnung in der nationalsozialistischen »Volksgemeinschaft«; einen Tag später folgte die persönliche Demütigung der Gewerkschaftsführer, die in Unkenntnis der NSDAP-Pläne ihre Mitglieder noch zur Beteiligung an den Maikundgebungen des Regimes aufgerufen hatten. Am 2. Mai stürmten Einsatzkommandos der SA und der SS überall im Reich die Gewerkschaftshäuser des ADGB und seine anderen Organisationseinrichtungen. Vorstandsvertreter, besoldete Angestellte, Funktionäre und Mitglieder der Verbände wurden verhaftet und mißhandelt. Die Führer des ADGB mit Leipart an der Spitze kamen in »Schutzhaft« nach Plötzensee.

An diesem Tag endete der letzte Akt in der Tragödie gewerkschaftlicher Selbsttäuschung und Selbsterniedrigung, bei der politische Ohnmacht und programmatische Orientierungslosigkeit, Realitätsblindheit und Fehlbeurteilung des Gegners zusammenwirkten. Diese Feststellungen gelten für alle drei Richtungsgewerkschaften, auch für den christlichen Dachverband, dessen organisatorische Todesstunde nach weiteren vergeblichen Anbiederungsversuchen erst Ende Juni 1933 schlug. Die Gemeinsamkeit des Scheiterns war eine Erfahrung mit einheitsgewerkschaftlicher Dimension. Die bittere Lektion, die der Nationalsozialismus den deutschen Gewerkschaften erteilte, hatte der sozialdemokratische Parteivorsitzende Wels bereits am 26. April 1933 vor der Reichskonferenz der SPD auf einen Nenner gebracht, als er mit Blick auf die Politik des ADGB feststellte: »Es wäre ein hoffnungsloses Unternehmen, wenn man das Leben der Organisation durch Preisgabe der Idee zu erkaufen versuchte. Ist die Idee preisgegeben, dann stirbt auch die Organisation.«[34]

Die letzte Gelegenheit, um öffentlich Zeugnis von ihrem Glauben an die Grundsätze der Humanität und Gerechtigkeit, der Freiheit und des Sozialismus abzulegen, bot sich der SPD am 23. März 1933, als Wels in einer mutigen Rede das Nein

---

[34] Zitiert nach Winkler, Weg, S. 924.

seiner Fraktion zum Ermächtigungsgesetz begründete. Doch war dieses Nein, dem das Ja aller noch im Reichstag nach der Ausschaltung der KPD vertretenen Parteien gegenüberstand, ein Votum ohne unmittelbare politische Wirkung. Die Sozialdemokratie erwies der untergehenden Republik ein letztes Mal ihre Referenz, einer Republik, die sie aus eigener Kraft allein nie hatte führen können und die sie jetzt – nach der Selbstabdankung der bürgerlichen Parteien – nicht mehr allein retten konnte. In den wenigen Monaten, die der SPD bis zu ihrem Verbot im Juni 1933 noch blieben, besaß die Partei keine geeignete Kampfbasis mehr. Der Boden der Legalität war erst aufgeweicht und dann weggespült worden; ein spektakulärer Verfassungsbruch der Nationalsozialisten, den man mit einem Generalstreik hatte beantworten wollen, war ausgeblieben; der schleichende Verfassungswandel höhlte den Rechtsstaat und die Widerstandskraft der SPD aus; für außerparlamentarische Massenaktionen fehlte der sozialdemokratischen Führung neben der eigenen Entschlossenheit vor allem auch die Unterstützung der Massen, die enttäuscht, entmutigt und eingeschüchtert die politische Lähmung und die organisatorische Zerschlagung der alten Arbeiterbewegung hinnahmen.

In der dreimonatigen Zwischenperiode der Halblegalität im Frühjahr und Frühsommer 1933, in der viele sozialdemokratische Funktionäre zum Freiwild der nationalsozialistischen Machthaber wurden, zerfiel das regionale und lokale Organisationsgefüge der SPD immer mehr. Die Partei kam aus dem Teufelskreis des braunen Terrors und der eigenen Ohnmacht nicht wieder heraus. Ihre Mitglieder waren auf Widerstandsarbeit im Untergrund nicht vorbereitet und orientierten sich vielfach auch weiterhin an Legalitätsmaximen, die man selbst nicht aufgeben wollte und bis zum Parteiverbot im Juni 1933 zu verteidigen suchte, obwohl die Gegenseite sie tagtäglich mit Füßen trat. Ersten konspirativen Gruppen schlossen sich vor allem jüngere SPD-Mitglieder an, die schon seit Beginn der dreißiger Jahre die Stillhaltetaktik des Parteivorstandes attackiert hatten, sowie Angehörige des mittleren Funktionärskorps der Sozialdemokratie, das seine guten örtlichen Kenntnisse im Widerstand nutzen konnte. Die »Flucht vor Hitler«[35] ergriff die

---

[35] Diesen Titel wählte Wilhelm Hoegner für seine 1977 in München erschienenen, aber bereits 40 Jahre zuvor im Schweizer Exil verfaßten ›Erinnerungen an die Kapitulation der ersten deutschen Republik‹, die sehr kritisch das Ende der SPD 1933 beleuchten.

Mehrzahl der Parteimitglieder nicht, die sich ins Privatleben zurückzogen oder ihre Parteiarbeit gezwungen oder freiwillig einstellten. Nur wenige Sozialdemokraten liefen zu den Nationalsozialisten über und brachen ihre Verbindungen zum alten politischen Freundeskreis völlig ab. Man hielt vielmehr lockere Kontakte zu Gesinnungsgenossen am Arbeitsplatz, im Vereinsleben und in der Nachbarschaft, tauschte Informationen aus und bemühte sich, die Zeit der Diktatur zu überwintern, ohne den eigenen Überzeugungen untreu zu werden. Wie wenig der Nationalsozialismus den Kern dieser Solidargemeinschaft sprengen konnte, zeigte sich 1945/46, als sich die SPD in kurzer Zeit reorganisierte und rasch wieder ihren alten Mitgliederstand von 1932 erreichte.

Die Parteiführung der Sozialdemokratie war nach dem Erlaß des Ermächtigungsgesetzes bemüht, unter den gegebenen Möglichkeiten zu retten, was noch zu retten war. Nach der Liquidation der Gewerkschaften mußte man alle Hoffnungen auf einen schnellen Sturz des Regimes aufgeben und sich auf eine längere Periode der Verfolgung und Unterdrückung einstellen. Am 4. Mai beschloß der auf der Reichskonferenz vom 26. April neugewählte Parteivorstand, einen Teil seiner Mitglieder ins Ausland zu schicken. Mit diesem Schritt wollte man besonders gefährdete Spitzenfunktionäre vor der Verhaftung schützen und der SPD eine Auffangorganisation schaffen. Der Exilvorstand, der sich Ende Mai 1933 in Prag niederließ, sollte zum legitimen Sprachrohr der Partei werden, falls die in Berlin verbliebenen Vorstandsmitglieder nicht mehr handlungsfähig waren.

Die emigrierten Vorstandsmitglieder verstanden ihr Mandat als einen Auftrag zum aktiven Widerstand, dessen Organisation sie sofort in die Wege leiteten. Nach einem Vierteljahr der politischen Unsicherheit und Handlungslähmung erkannten sie, daß ein legales Fortbestehen der Sozialdemokratie im Reichsgebiet aussichtslos geworden war, daß das nationalsozialistische Regime nur noch aus der Illegalität und aus dem Exil bekämpft werden konnte. Dagegen entschieden sich die in Deutschland zurückgebliebenen Vorstandsmitglieder mehrheitlich, weiterhin an der seit Januar 1933 verfolgten Politik des Abwartens festzuhalten, um keine neue nationalsozialistische Terrorwelle zu provozieren und um den bereits inhaftierten Parteimitgliedern durch Beschwichtigungsgesten zur Freiheit zu verhelfen[36].

[36] Vgl. dazu Winkler, Weg, S. 932ff.

Als am 17. Mai 1933 die mittlerweile schon halbierte Reichstagsfraktion der SPD trotz schwerer eigener Bedenken und gegen die ausdrückliche Empfehlung der Exilführung der »Friedensresolution« Hitlers zustimmte[37], kam es zum offenen Konflikt zwischen dem deutschen Rumpfvorstand der SPD und den emigrierten Vorstandsmitgliedern. Die Auseinandersetzungen zwischen Berlin und Prag um den weiteren Weg der SPD, um ihre Rolle im Reich und um ihre Aufgaben im Exil, prägten die letzten Wochen der Partei und wurden zu einem bitteren Abgesang in der Phase des Untergangs.

Der Höhepunkt des Parteistreits, der auch bei verschiedenen Treffen zwischen Mitgliedern des Berliner und des Prager Vorstandteils nicht beigelegt werden konnte, war am 19. Juni 1933 erreicht: Einen Tag, nachdem in Prag die erste Nummer des ›Neuen Vorwärts‹ mit dem Aufruf des Exilvorstandes »Zerbrecht die Ketten« erschienen war, tagte in Berlin eine Reichskonferenz der SPD. Sie wählte ein neues Direktorium und erkannte den ins Ausland gegangenen Vorstandsmitgliedern ihre Parteimandate ab. Auf dieser letzten Reichskonferenz faßte Ernst Heilmann die von seiner Partei seit 1930 immer wieder eingenommene Haltung in dem Satz zusammen: »Wir müssen den Faden der Legalität weiterspinnen, solange er weitergesponnen werden kann.«[38] Drei Tage später, am 22. Juni 1933, riß dieser Faden endgültig. Die nationalsozialistischen Machthaber untersagten der Sozialdemokratie jede weitere Betätigung in Deutschland und kassierten alle ihre Parlamentsmandate. Zum zweitenmal in ihrer Geschichte mußte die SPD eine zwölfjährige Verfolgungszeit überleben. Das Ausmaß des staatlichen Terrors gegen die Mitglieder und Anhänger der deutschen Arbeiterbewegung nahm allerdings Formen an, die jeden Vergleich mit der Zeit des Sozialistengesetzes verbieten.

Damit erlitt die SPD das gleiche Schicksal wie die KPD, die sich weder selbst auflöste noch gezielt verboten wurde, sondern offiziell erst durch das ›Gesetz gegen die Neubildung von Parteien‹ vom 14. Juli 1933 ihre juristische Existenzgrundlage verlor. Faktisch lief die staatliche Verfolgung der Kommunisten aber seit der Reichstagsbrandverordnung vom Februar 1933 auf

---

[37] Die Reichstagsfraktion der SPD hatte sich nach leidenschaftlichen Diskussionen mit 48 zu 17 Stimmen für die Zustimmung entschieden. Die Gruppe der Gegner in der Fraktion führten Kurt Schumacher und Toni Pfülf an, die wenige Wochen später, verzweifelt über das Verhalten der Fraktion, Selbstmord beging.
[38] Zitiert nach Schulze, Anpassung oder Widerstand, S. 195.

Hochtouren. Der gezielte Terror der Staats- und Parteiorgane der NSDAP gegen die Parlamentarier, Funktionäre und Mitglieder der Partei ließ der KPD keine andere Wahl, als im März und April völlig in die Illegalität auszuweichen, um zu versuchen, die durch Verfolgungen und Verhaftungen abgerissenen Kontakte wiederherzustellen und eine Untergrundorganisation aufzubauen. Dabei zeigte sich, daß der Parteiapparat auf die Widerstandsarbeit unzureichend vorbereitet worden war und daß auch die Parteileitung sich theoretisch nur unzulänglich auf die Herrschaft des Nationalsozialismus eingestellt hatte. Unter den massiven Schlägen des NS-Regimes zerbrach die Organisation der KPD. Allein in Bayern – sicherlich keine Hochburg der KPD – wurden im März und April 1933 etwa 3000 kommunistische Funktionäre und Mitglieder verhaftet und in das Konzentrationslager Dachau eingeliefert. Damit war in diesem Land die aktive Kernmitgliedschaft der KPD ausgeschaltet[39]. Regionaluntersuchungen für andere Reichsteile kommen zu ähnlichen Ergebnissen. Im Ruhrgebiet erfaßten die Massenverhaftungen im Frühjahr 1933 bis zur Hälfte der KPD-Mitgliedschaft und fast immer die prominentesten Funktionäre, die ebensowenig für längere Zeit untertauchen konnten wie der Parteivorsitzende Thälmann[40]. Dies erzwang einen Neuaufbau der KPD in der Illegalität.

An diese Aufgabe ging die Führung der KPD, die Mitte Mai eine im Untergrund operierende Reichsleitung bestimmte, mit einem beinahe verzweifelten Optimismus heran. Immer noch glaubte man, der Faschismus sei eine Übergangserscheinung und er werde innerhalb weniger Monate an seinen eigenen inneren Widersprüchen zerbrechen. Daraus erklärt sich auch die Risikobereitschaft, mit der die KPD den Kampf gegen den Nationalsozialismus aufnahm und ihre Parteikader für die Untergrundarbeit mobilisierte. Schätzungen gehen davon aus, daß etwa 150 000 Kommunisten während der NS-Herrschaft in Gefängnissen, Zuchthäusern und Konzentrationslagern inhaftiert wurden oder gezwungen waren, aus Deutschland zu flüchten. Die Zahl der ermordeten oder hingerichteten Kommunisten ge-

[39] Vgl. dazu Hartmut Mehringer, Die KPD in Bayern 1919–1945. Vorgeschichte, Verfolgung und Widerstand. In: Martin Broszat, Hartmut Mehringer (Hrsg.), Bayern in der NS-Zeit. Bd. V, München, Wien 1983, S. 1–286, insbesondere S. 73 ff.
[40] Vgl. Detlev Peukert, Die KPD im Widerstand. Verfolgung und Untergrundarbeit an Rhein und Ruhr 1933 bis 1945. Wuppertal 1980, S. 83 ff.

ben Parteiquellen mit 9000 bis 30000 Personen an[41]. Die Kommunisten waren ohne Zweifel die Hauptopfer des Nationalsozialismus in den ersten Regimejahren. Ihr Massenwiderstand, der 1933/34 konspirativ kaum abgesichert war, führte zu Massenverhaftungen und forderte einen hohen Blutzoll. Er erlahmte 1934/35, als sich das Regime konsolidiert hatte und auch die KPD-Führung erkennen mußte, daß ihre opferreiche Offensive aus der Illegalität auf falschen theoretischen Prämissen beruhte.

Bis dahin sah die Parteileitung keinen Anlaß, ihre ultralinke Politik zu korrigieren. Noch im Frühjahr und Sommer 1933 setzte sie ihren ideologischen Stellvertreterkrieg gegen die Sozialdemokratie fort und war nicht bereit, einen Unterschied zwischen demokratischem Sozialismus und Faschismus zu machen. Ihre illegalen Rundschreiben beschworen die »große revolutionäre Kraft« der KPD, riefen zum »Massenkampf des Proletariats« auf und betonten zugleich, man werde weder die eigenen Prinzipien preisgeben noch eine »Verwässerung« der Generallinie zulassen[42]. Einheitsfront-Angebote an die Führung der SPD blieben Lippenbekenntnisse, ohne die Bereitschaft, die Sozialfaschismusdoktrin zu revidieren. In einem nach der Zerschlagung der Gewerkschaften verfaßten Bericht an das Exekutivkomitee der Kommunistischen Internationale stellte der KPD-Vertreter Heckert fest, die Faschisten prügelten die SPD nun nur wie »einen getreuen, aber invalid gewordenen Hund«. Sie wüßten nämlich, daß die Sozialdemokratie »nach einer Tracht Prügel schneller in die Dienste der bürgerlichen Diktatur treten werde, sogar in ihrer offenen faschistischen Form«[43]. Weniger emotionsgeladen, aber ebenso realitätsblind und rechthaberisch erklärte das Zentralkomitee der KPD im Mai 1933: »Die völlige Ausschaltung der Sozialfaschisten aus dem Staatsapparat, die brutale Unterdrückung auch der sozialdemokratischen Organisation und ihrer Presse ändern nichts an der Tatsache, daß sie nach wie vor die soziale Hauptstütze der Kapitalsdiktatur darstellen.«[44] Derartige Äußerungen waren nicht geeignet, eine Zusammenarbeit von KPD und SPD im Widerstand gegen den Nationalsozialismus anzubahnen.

[41] Angaben nach Duhnke, KPD, S. 525.
[42] So ein Rundschreiben vom 13. März 1933, zitiert nach Weber, Generallinie, S. 671 ff.
[43] Zitiert nach Duhnke, KPD, S. 69.
[44] Zitiert nach Weber, Hauptfeind, S. 63.

Alle drei Großorganisationen der gespaltenen Arbeiterbewegung – KPD, SPD und ADGB – blieben also auch nach der nationalsozialistischen Machtergreifung zunächst in ihrer traditionellen Vorstellungswelt fest verankert. Die Kommunisten dachten in revolutionären Kategorien und orientierten sich am sowjetrussischen Vorbild, das sie in Deutschland kopieren wollten; die Sozialdemokraten waren nicht bereit, den vertrauten Boden der parlamentarischen Legalität zu verlassen, weil sie dann auch ihre über Jahrzehnte hinweg tradierte aufklärerische Sozialmoral hätten aufgeben müssen; die Gewerkschaften hofften, durch Konzessionen an den autoritären Staat ihr organisatorisches Überleben zu sichern und rechneten – wie im Ersten Weltkrieg – mit staatlichen Gegenleistungen für ihre Kooperationsangebote. Daß eine moderne Industriegesellschaft ohne Gewerkschaften auskommen wollte, war für die Gewerkschaftsführer unvorstellbar. Die abschüssige Bahn der Anpassung, auf die sie sich begaben, endete jedoch am gleichen Punkt wie der legalistische Weg der Sozialdemokratie und der kommunistische Konfrontationskurs gegen Republik und Reaktion: in den Gefängnissen, Zuchthäusern und Konzentrationslagern des NS-Regimes, im Exil und im Widerstand, im Rückzug in den politischen Ruhe- oder Wartestand – in Lebenssituationen, in denen Solidarität und Tapferkeit mit Verzweiflung und Resignation nahe beieinander wohnten.

Dokumente

I. Revolution und Republikgründung

1. Eduard Bernstein über die Vorgeschichte der Regierungsbildung am 9. und 10. November 1918

In den Mittagstunden am 9. November 1918 verhandelte eine fünfköpfige Delegation der Mehrheitssozialdemokraten, deren Wortführer Friedrich Ebert war, mit Reichskanzler Max von Baden über die Neubildung der Reichsregierung. Der Text Bernsteins schildert die sich daran anschließenden Besprechungen, als deren Ergebnis die Regierung der Volksbeauftragten aus MSPD und USPD entstand. Bernstein verstand sich als Mittler zwischen den beiden Parteien und bemühte sich deshalb auch in seiner rückblickenden Darstellung um eine ausgewogene Schilderung der Ereignisse.
Quelle: Eduard Bernstein, Die deutsche Revolution. 1. Bd.: Geschichte der Entstehung und ersten Arbeitsperiode der deutschen Republik. Berlin 1921, S. 32–35 (Auszüge).

Von der Deputation der Mehrheitssozialisten eilten Scheidemann und Otto Braun in den Reichstag zurück. Die andern waren gerade im Begriff, das Gebäude der Reichskanzlei zu verlassen, als sie auf die eben in es eingetretenen Abgeordneten der Unabhängigen Sozialdemokratie Oskar Cohn, W. Dittmann und Ewald Vogtherr stießen. Sie machten ihnen von dem Geschehenen Mitteilung, und Ebert schlug ihnen vor, es solle ein zu gleichen Teilen aus Mehrheitlern und Unabhängigen zusammengesetztes Kabinett gebildet werden, dem Mitglieder der bürgerlichen Parteien der Linken als Fachminister zur Seite stehen könnten; Deutschland solle als Republik mit tiefgreifendem sozialistischem Programm und dem Ziel der Erstellung einer sozialistischen Republik ausgerufen werden. Damit erklärten sich die genannten Abgeordneten grundsätzlich einverstanden, setzten aber hinzu, daß sie keine Vollmacht hätten, eine ihre Partei bindende Abmachung zu treffen, sondern dies dem Zentralvorstand überlassen müßten. Sie schlugen für diesen eine Bedenkzeit bis Nachmittag vier Uhr vor, worauf die andern willig eingingen.
Das Anerbieten von Ebert und Genossen an die Unabhängigen hat auf eine gerechte Würdigung Anspruch. Als es gemacht

wurde, hatten die Mehrheitssozialisten nicht nur im Lande die übergroße Mehrheit der sozialistischen Arbeiter hinter sich, selbst in Berlin war ihnen die Unterstützung der Mehrheit des sozialistischen Proletariats noch sicher. Da war es ein Beweis großer Einsicht in die Erfordernisse des Augenblicks und ein Beispiel versöhnlichen Entgegenkommens, daß sie von jedem Gedanken einer Verteilung der Stellungen im Kabinett nach den Stärkeverhältnissen der Reichstagsvertretung oder der Mitgliederzahl der sozialistischen Parteien ohne weiteres Abstand nahmen und der organisatorisch noch sehr viel schwächeren sozialistischen Rivalin die gleiche Zahl Mitglieder der Regierung anboten, die sie für ihre Partei beanspruchten. Auch unterließen sie jeden Versuch, ihr hinsichtlich der Auswahl der Vertreter Bedingungen zu stellen. Auf die Frage Oskar Cohns: »Wie denken Sie über den Eintritt noch weiter links stehender Sozialisten in das Kabinett? Ich will ganz offen reden: wie denken Sie über den Eintritt von Karl Liebknecht?« antwortete Ebert: »Bitte, bringen Sie uns Karl Liebknecht, er soll uns angenehm sein. Von Personenfragen machen wir die Bildung der Regierung nicht abhängig.« Trotzdem stieß ihr Anerbieten in der Leitung der Unabhängigen Sozialdemokratie keineswegs auf einhellige Annahme.

Mittlerweile rückte der Nachmittag heran. Auf dem Platz vor dem Reichstag hatten sich ungeheure Züge von Arbeitern und Soldaten, denen sich ein nicht minder zahlreiches gemischtes Publikum zugesellt hatte, mit wehenden roten Fahnen und Plakaten, auf denen die Worte »Frieden! Freiheit! Brot!« standen, aufgestellt, eine unabsehbare singende und rufende Menschenmenge. Vor sie tritt an einem Fenster des Reichstags Philipp Scheidemann, gibt ein Zeichen, das Ruhe eintreten läßt, und verkündet dann:

»Mitbürger! Arbeiter! Genossen!

Das monarchische System ist zusammengebrochen. Ein großer Teil der Garnison hat sich uns angeschlossen. Die Hohenzollern haben abgedankt. Es lebe die große deutsche Republik! Fritz Ebert bildet eine neue Regierung, der alle sozialdemokratischen Richtungen angehören. Dem Militäroberbefehlshaber ist der sozialdemokratische Abgeordnete Göhre beigeordnet, der die Verordnungen mit unterzeichnen wird; jetzt besteht unsere Aufgabe darin, den vollen Sieg des Volkes nicht beschmutzen zu lassen, und deshalb bitte ich Sie, sorgen Sie dafür, daß keine Störung der Sicherheit eintrete. Sorgen Sie dafür, daß die Republik, die wir errichten, von keiner Seite gestört werde. Es lebe die freie deutsche Republik!«

Nachdem schon an verschiedenen Stellen der Ansprache stürmische Beifallsrufe die Ankündigung unterbrochen hatten, löste der Schlußruf brausende, sich immer wiederholende Hochs aus, denen dann erneutes Absingen sozialistischer Lieder folgte.

Im Reichstag selbst hielten nun die beiden sozialdemokratischen Fraktionen Sonderberatungen ab, um zu dem Vorschlag der Bildung eines paritätischen Kabinetts Stellung zu nehmen, und bejahendenfalls ihre Vertreter in diesem zu bestimmen. Die große Mehrheitsfraktion brauchte dazu keine lange Zeit. Sie erklärte sich ohne Zaudern mit dem Vorschlag einverstanden und ernannte zu ihren Vertretern im Kabinett die beiden Vorsitzenden der Partei Fritz Ebert und Philipp Scheidemann, der eine als Sattler, der andere als Schriftsetzer aus der Arbeiterklasse hervorgegangen, und den als Juristen hochgeschätzten Otto Landsberg. Alle drei seit Jahrzehnten Mitglieder der Sozialdemokratie.

Nicht so einfach spielten sich die Dinge in der Leitung der Unabhängigen Sozialdemokratie ab, die, Vorstand und Reichstagsfraktion, im Sitzungszimmer der letzteren sich versammelt hatte. Hier stieß schon der bloße Gedanke eines Zusammenarbeitens mit den von den Mehrheitssozialisten ausgewählten Personen auf den leidenschaftlichen Widerstand eines Teils der führenden Parteivertreter, dessen energischster Sprecher Georg Ledebour war. Nach ihm und Gleichdenkenden waren die Führer der Mehrheitler, die Ebert, Scheidemann, Landsberg und Genossen, Verräter am Sozialismus, mit denen man unter keinen Umständen eine Regierung bilden dürfe. Diese Leute müßten von vornherein abgelehnt werden. Das hätte nun faktisch die Ablehnung der Zusammenarbeit mit den Mehrheitlern überhaupt geheißen. Denn die Partei der Unabhängigen konnte diesen um so weniger Vorschriften über die Auswahl ihrer Vertreter machen, als gerade ihre Wortführer stets auf das Schärfste den Standpunkt vertreten hatten, daß die Partei bei Entsendung von Mitgliedern in eine gemischte Kommission unter keinen Umständen von Außenstehenden sich in die Auswahl hineinreden lassen dürfe. Auch hätten die Mehrheitler sich schwerlich die Ablehnung ihrer anerkanntesten Führer gefallen lassen. Ein Teil der Unabhängigen trat deshalb dafür ein, daß der Grundsatz des Selbstbestimmungsrechts der Parteien in bezug auf die Auswahl ihrer Vertreter festgehalten werden müsse und nur das

Grundsätzliche der Kabinettsbildung den Gegenstand der Verhandlung zu bilden habe. Die Debatte darüber nahm viel Zeit in Anspruch, so daß Sendboten der Mehrheitler, die erfragen sollten, ob man zu einer Entscheidung gekommen sei, wiederholt unverrichteter Sache den Rückzug antreten mußten. Indes endete sie mit einem Sieg der letzteren Anschauung. Als man darauf dazu überging, das politische Grundprinzip der neuen Republik zu erörtern, nahm der kurz vorher mit einigen seiner Anhänger ins Zimmer getretene Karl Liebknecht das Wort und diktierte dem Schriftführer der Fraktion fast befehlenden Tones die Worte: »Alle exekutive, alle legislative, alle richterliche Gewalt bei den Arbeiter- und Soldatenräten.« Er hatte am Nachmittag an der Spitze seines Anhangs auf dem Berliner Schloß die rote Fahne aufziehen lassen und von einem Fenster des Schlosses herab an die unten versammelte, Kopf an Kopf gedrängte Menge eine revolutionäre Ansprache gehalten, die jubelnden Beifall fand und endlose Hochs auslöste. Jetzt folgte auf seine Worte zunächst eine seltsame Pause. Keiner schien ihm rückhaltlos zuzustimmen, keiner sich mit ihm in eine Debatte einlassen zu wollen.* Noch war diese nicht wieder aufgenommen, als Philipp Scheidemann, der Hauptsprecher der ob des langen Wartens immer ungeduldiger werdenden Mehrheitler, begleitet von Brolat und Heller selbst in das Fraktionszimmer der Unabhängigen kam und an diese halb vorwurfsvoll die Frage richtete: »Seid ihr nun endlich zu einem Entschluß gekommen?« Man sagte ihm, es handle sich noch um die grundsätzlichen Bedingungen des Zusammenarbeitens. Auf die weitere Frage, ob denn ein Vorschlag vorliege, ward ihm die Niederschrift des Liebknechtschen Diktats gereicht. Er betrachtete sie lange und sagte dann in fast väterlichem Tone: »Ja, aber Leute, wie denkt ihr euch denn das?« Liebknecht antwortete schroff, es müsse sein, und es entspann sich eine Diskussion zwischen ihm, den zur Linken der Partei zählenden unabhängigen Arbeitern Emil Barth und Richard Müller einerseits und Scheidemann, Brolat und Heller andererseits. [...] Die gemäßigten Mitglieder der Partei schwiegen, weil sie Liebknecht nicht beipflichten konn-

---

* Der Schreiber dieses Berichts kann hier eine persönliche Bemerkung nicht unterdrücken. Ich hatte bis dahin trotz weitgehender Meinungsverschiedenheiten zwischen uns viel Sympathie für Karl Liebknecht gehabt. Als er aber in der geschilderten Weise der Partei das Bolschewistensystem aufzudiktieren sich anschickte, zuckte es mir wie ein Blitz durch den Kopf: »Er bringt uns die Konterrevolution.«

ten, ihm aber auch nicht vor andern entgegentreten mochten, bevor nicht die Parteileitung unter sich zu einer bestimmten Stellungnahme gelangt war.

2. Rede Theodor Leiparts am 3. Dezember 1918 vor der Konferenz der Verbandsvorstände der Freien Gewerkschaften

In der Konferenz der Verbandsvorstände am 3. Dezember 1918 stand das am 15. November 1918 zwischen den Gewerkschaften und Unternehmerverbänden abgeschlossene Abkommen über die Zentralarbeitsgemeinschaft im Mittelpunkt der Diskussion. Leipart, der engste Vertraute von Carl Legien, des Vorsitzenden der Generalkommission der Gewerkschaften Deutschlands, verteidigte in seiner Rede dieses Abkommen und plädierte zugleich für eine Zusammenarbeit mit den Arbeiterräten, die ein Teil der Gewerkschaftsvorsitzenden heftig bekämpfte.
Quelle: Klaus Schönhoven (Bearb.), Die Gewerkschaften in Weltkrieg und Revolution 1914–1919. Köln 1985, S. 568–573 (Auszüge).

LEIPART: Die Darstellung, die Genosse Bauer von der Geschichte der Vereinbarung vom 15. November gegeben hat, war nicht ganz korrekt. Am Freitag vor der Revolution [8. 11.] war die letzte Sitzung vor der Revolution mit den Arbeitnehmervertretern. Da haben die Arbeitgebervertreter es abgelehnt, unsere Forderungen, daß die Anerkennung der Gewerkschaften in der Vereinbarung von Tarifverträgen bestehen müsse, zu akzeptieren. Sie erklärten, die Gewerkschaften würden sie und wollten sie anerkennen, aber daß jetzt allgemeine Tarifverträge abgeschlossen werden könnten, sei praktisch unmöglich. Ebenso war in den Verhandlungen vor dem 9. November von dem Achtstundentag noch keine Rede, dagegen hatten die Arbeitgebervertreter bereits zugestanden, daß der Arbeitsnachweis gemeinsam auf paritätischer Grundlage errichtet werden sollte. Der Hauptgegenstand der Verhandlungen vor der Revolution war die Bildung der Arbeitsgemeinschaft; dann kamen die Revolutionstage.

Am Montag, dem 11., war eine weitere Sitzung vereinbart. Am Morgen des 11. November habe ich mit Legien telephonisch gesprochen und ihm gesagt, daß nach meinem Dafürhalten die Verhandlungen jetzt ein anderes Gesicht bekommen müßten; wir würden jetzt nicht nur einfach die Arbeitsgemeinschaft zu bilden haben und eventuell, wie die Unternehmer das auch am Freitag in Aussicht gestellt hatten, ein paritätisches Schlichtungsorgan zugestehen unter Ablehnung von tariflichen Vereinbarungen, sondern wir würden jetzt erheblich weitergehende Forderungen zu stellen haben: den Achtstundentag, allgemeine Vereinbarungen von Tarifverträgen für sämtliche Berufe und vor allem auch die Forderung, daß die Arbeitgeber die Gesamtheit der Arbeitgeberverbände zu diesen Verhandlungen zuziehen müßten. Bis dahin waren nur die Metall- und die Schwerindustriellen aus dem Rheinland vertreten. Legien erklärte sich mit dieser Anregung sofort einverstanden. Wir vereinbarten, daß wir uns im Laufe des Vormittags dieserhalb mit Stegerwald in Verbindung setzen wollten, dieser war auch einverstanden. Inzwischen hatte ich schon einen vorläufigen Entwurf aufgestellt, und dann sind wir tatsächlich am 11. November mit der Forderung des Achtstundentages, mit der Forderung, daß die sämtlichen Berufe und Betriebe tarifliche Kollektivvereinbarungen abzuschließen hätten usw., vor die Unternehmer getreten, so daß das richtig ist, was Legien einem Ausfrager ja schon zugestanden hat, daß tatsächlich die Revolution insoweit einen Einfluß auf die Verhandlungen mit den Unternehmervertretern ausgeübt habe, daß wir nach der Revolution naturgemäß weitergehende Forderungen gestellt haben.

Nun habe ich mich hauptsächlich zu Wort gemeldet, um meiner Meinung dahin Ausdruck zu geben, daß uns, den Gewerkschaften, sehr wenig damit gedient ist, wenn wir hier scharfen und allerschärfsten Protest beschließen, wie das Paeplow verlangt hat, gegen die Anmaßungen der Arbeiterräte, gegen die Ausschaltung der Gewerkschaften durch die Arbeiterräte. Ich bin dagegen, einen solchen Protest hier zu beschließen. Ich bin überhaupt gegen einen Protest, weil ich mir sage, daß damit so gut wie gar nichts erreicht wird. Unsere Aufgabe ist es, durch unsere praktische Arbeit den Beweis zu liefern, daß wir tatsächlich notwendig, unentbehrlich sind. Die Stimmung, die hier und da in den Arbeiterkreisen vorhanden ist und sich jetzt so kraß äußert, ist ja nicht eine neue Erscheinung. Sie war vor dem Kriege teilweise schon vorhanden und hat sich insbesondere während des Krieges in den Angriffen gegen die Politik der Generalkommission wiederholt geäußert. Zu einem gewissen Teil hat diese Mißstimmung gegen die Gewerkschaftsführer auch ihre – ich möchte beinahe sagen – berechtigte Seite; denn, mag sich jeder einzelne von den werten Genossen an die Nase fassen, wir haben auch einen Teil schuld, und wenn selbst heute noch gesagt wird, wie das Paeplow getan hat, er hätte gewünscht, daß wir von der Revolution überhaupt verschont geblieben wären – wenn solche Äußerungen aus dem Gehege unserer Zähne entschlüpfen und das kommt zu den Ohren unserer Mitglieder, ist es dann ein Wunder, daß sich so ein gewisses Mißtrauen – wenn ich nicht weitergehen will – gegen die Gewerkschaftsführer äußert? Derartige unbedachte Äußerungen soll man eben unterlassen. Ich habe das an anderer Stelle auch schon einmal zum Ausdruck gebracht.

Diese abfällige, zum Teil höhnische Kritik der Unbeholfenheit unserer Arbeiterbetriebsausschüsse seitens der erfahrenen Gewerkschaftsführer ist auch nicht der richtige Ton und auch nicht die richtige Taktik. Auf diese Weise erwerben wir uns die Sympathie und die Gefolgschaft der mißgestimmten und verärgerten Gewerkschaftsmitglieder nicht, ganz abgesehen von denen, die außerhalb stehen, die ja noch viel mehr räsonnieren und schimpfen als unsere Mitglieder. Wir müssen in der gegenwärtigen Zeit fleißig im Arbeiten sein, und so, wie Paeplow das für seinen Verband [Bauarbeiter] erfreulicherweise gesagt hat, daß er sich nicht fürchtet, keine Angst hat, diese Vereinbarung, die uns heute vorliegt, zu beschließen, die Arbeitsgemeinschaft zu bilden, wie er sich seiner Mitglieder im Bauarbeiterverband sicher ist, so kann ich das auch von unserem Verband [Holzarbeiter] sagen. Ich habe keinerlei Anlaß, irgendwie in diesen Pessimismus einzustimmen, als wenn wir, unsere Gewerkschaften, irgendwie in Gefahr wären. Im Gegenteil, ein so starker Zustrom neuer Mitglieder hat noch niemals stattgefunden, wie in der gegenwärtigen Zeit. In unserem Verband hat sich bisher nicht die geringste Mißstimmung geäußert gegen die Verbandsleitung. Wir arbeiten in Harmonie zusammen, und ich wüßte nicht, was mir Anlaß geben könnte zu sagen: wir befinden uns gegenwärtig in Gefahr. [...]

Das ist viel wirksamer und erfolgreicher, als wenn wir nur Kritik üben an den Arbeiterräten, die es sicher ganz gut meinen, von denen man nicht anzunehmen braucht, daß sie alle durch die Bank aus bösem Willen gegen die Gewerkschaften losgehen. Daß sich da sehr viel Unbeholfenheit und Wirrwarr zeigt, ist ganz natürlich. Wir hatten gestern abend eine Sitzung im Demobilmachungsamt; da war es recht nett, was auf mehrere Beschwerden der Arbeitgebervertreter über den Wirrwarr in den Betrieben Herr Koeth sagte: Meine Herren, vergessen Sie doch nicht, daß wir uns in der Revolution befinden! Schon drei Wochen haben wir Revolution, und ich muß schon sagen, sagte er, daß ich mir eine Revolution noch viel bösartiger vorstellen kann. Bei uns geht es doch eigentlich verhältnismäßig anständig zu.

Das gilt auch für uns. Im allgemeinen darf man sehr wohl zufrieden sein mit der Entwicklung, auch der politischen, und der Stellungnahme der einzelnen Arbeiterräte. Daß es hier in Berlin besonders durcheinandergeht, ist begreiflich, ist eine Folge der politischen Zerwürfnisse in der Arbeiterschaft, und, wie ich auch gern zugeben will, einer gewissen Verhetzung, die von außerhalb der Arbeiterschaft stehenden Personen hineingetragen worden ist und immer wieder hineingetragen wird.

Dann bin ich der Meinung, daß Paeplow ganz im Irrtum war, wenn er davon gesprochen und für seinen Verband eine Erklärung abgegeben hat, er würde es ablehnen, eine Arbeitsgemeinschaft mit dem Arbeitgeberbund für das Baugewerbe zu bilden zur Förderung der Arbeitgeberinteressen. Das ist ein großer Irrtum. Vor allem muß es zurückgewiesen werden, wenn selbst ein Verbandsvertreter diesen Sinn hineinlegt, als solle durch die Arbeitsgemeinschaft das Interesse der Arbeitgeber wahrgenommen und gefördert werden. Davon kann selbstverständlich gar keine Rede sein. Wir, die wir schon seit Jahr und Tag unsere Arbeitsgemeinschaft haben, weisen eine solche Unterstellung auf das schärfste zurück. Daß davon keine Rede ist, sehen aber auch unsere Mitglieder längst ein. Bei uns im Holzarbeiterverband ist mir keine einzige Stimme bekannt geworden, die bei der Gründung unserer Arbeitsgemeinschaft ihr diese Bedeutung beigemessen hat. Im Gegenteil wird anerkannt, und das muß nun auch jetzt bei Gründung der großen Arbeitsgemeinschaft, die wir bekanntlich schon Anfang 1915 gefordert haben, betont werden, daß nunmehr die Arbeitgeber im allgemeinen ihren Herrenstandpunkt fallen lassen und in allen Dingen die Arbeiter mitreden können. Es handelt sich also nicht um die Wahrnehmung von Arbeitgeberinteressen, sondern mindestens in gleichem, wenn nicht in höherem Maße um die Wahrnehmung der Arbeiterinteressen. Diese Arbeitsgemeinschaften werden in Zukunft von uns benutzt werden können, um die Interessen der Arbeiterschaft noch nachdrücklicher und wirksamer zu vertreten.

Ich möchte also den Genossen empfehlen, sich mehr auf diesen wirklich praktischen Gewerkschaftsstandpunkt zu stellen, nicht zu kritisieren und zu räsonieren über das, was die anderen ungeschickt und unrichtig machen, sondern ihnen an die Hand zu gehen, ihnen zu helfen. Diese Hilfe wird nicht immer zurückgewiesen. An einem praktischen Beispiel könnte ich Ihnen das deutlich machen. Vor einigen Tagen ist hier eine große Zusammenkunft von Vertretern von Arbeiterräten und Arbeitern einer Großindustrie im Demobilmachungsamt gewesen. Der Vertreter unseres Verbandes, der auch dabei beteiligt war, hat sich zum Parteiführer der Beschwerden der Arbeitervertreter aufgeworfen, hat erklärt, daß diese zum Teil auch übertriebenen Forderungen der Arbeiter ihre Erklärung darin finden, daß sie bis dahin von ihren Unternehmern so und so behandelt worden sind und daß das Demobilmachungsamt sich nicht an die Arbeiterräte und an die Arbeiterschaft mit Vorwürfen wenden sollte, sondern daß sie an die Unternehmer das Verlangen stellen müßten, sich nunmehr endlich mit den Arbeitervertretern zusammen an einen Tisch zu setzen, um die Beschwerden zu bearbeiten und zu Vereinbarungen zu kommen. Der Vertreter eines anderen Verbandes hat meinem Kollegen sehr deutlich zu verstehen gegeben, daß er diesen Standpunkt nicht billigen könne; die wollten doch weiter nichts als die Gewerkschaften ausschalten; also dann laßt sie mal hier hineinfallen. Warum sollen die hereinfallen? Damit ist uns gar nicht gedient. Im Gegenteil, wenn wir uns an die Spitze der Bewegung zu stellen versuchen mit unseren Erfahrungen, den Leuten den richtigen Weg zeigen, so werden wir auch leichter die Führung bekommen, soweit wir sie verloren haben, als wenn wir uns auf den entgegengesetzten Standpunkt stellen.

3. Rede Rosa Luxemburgs auf dem Gründungsparteitag der
   KPD am 30. Dezember 1918

In ihrer Rede setzte sich Rosa Luxemburg mit Nachdruck – wie schon vor ihr Paul Levi – für eine Beteiligung der KPD an den Wahlen zur Nationalversammlung ein. Der Parteitag lehnte nach stürmischen Debatten mit 62 gegen 23 Stimmen eine Beteiligung der KPD an den Wahlen ab und folgte damit einem Antrag von Otto Rühle, einem Führer der Linksradikalen.

Quelle: Hermann Weber (Hrsg.), Der Gründungsparteitag der KPD. Protokoll und Materialien. Frankfurt 1969, S. 99–104.

GEN. ROSA LUXEMBURG: (von lebhaftem Beifall begrüßt) Jeder von uns, einschließlich des Genossen Levi, betrachtet vor allem den stürmischen Widerspruch und die Stimmung, die sich hier während seines Referats entwickelte, mit der inneren Freude über die Quelle, aus der dieser Widerspruch kommt. Wir verstehen alle und schätzen ungeheuer hoch den revolutionären Elan und die Entschlossenheit, die aus Euch allen spricht, und wenn Genosse Rühle Euch alle vor unserem Opportunismus warnte, so lassen wir diese Rüge über uns gehen. Wir haben vielleicht nicht umsonst gearbeitet, wenn wir so entschlossene Parteigenossen finden. Die Gefahr unseres Opportunismus ist nicht so groß, wie sie Genosse Rühle hier ausgemalt hat. Ich habe die Überzeugung, daß es unsere Pflicht ist, auch dann zu Euch laut und deutlich zu sprechen, wenn wir eine Meinung zu vertreten haben, die der Euren entgegengeht. Wir wären traurige Vertreter des Spartakusbundes, der gegen die ganze Welt im Trotz auftritt, wenn wir nicht den Mut hätten, unseren eigenen Genossen entgegenzutreten.

Die Freude, der ich soeben Ausdruck gegeben habe über die Stimmung, die Ihr so stürmisch ausdrückt, ist nicht ungemischt. Ich betrachte sie mit einem lachenden und einem weinenden Auge. Ich habe die Überzeugung, Ihr wollt Euch Euren Radikalismus ein bißchen bequem und rasch machen, namentlich die Zurufe »Schnell abstimmen!« beweisen das. Es ist nicht die Reife und der Ernst, die in diesen Saal gehören. Es ist meine feste Überzeugung, es ist eine Sache, die ruhig überlegt und behandelt werden muß. Wir sind berufen zu den größten Aufgaben der Weltgeschichte, und es kann nicht reif und gründlich genug überlegt werden, welche Schritte wir vor uns haben, damit wir sicher sind, daß wir zum Ziele gelangen. So schnell übers Knie brechen kann man nicht so wichtige Entscheidungen. Ich vermisse das Nachdenkliche, den Ernst, der durchaus den revolutionären Elan nicht ausschließt, sondern mit ihm gepaart werden soll. Ich will ein kleines Beispiel dafür geben, wie unüberlegt Sie entschließen wollen über Dinge, die einer reifen Überlegung bedürfen. Einer von den Genossen, der besonders heftig und von revolutionärer Ungeduld getrieben hier Zwischenrufe macht, verlangt, man solle überhaupt keine Zeit verschwenden. Eine Diskussion über eine der wichtigsten Fragen nennt man Zeitverschwendung. Dieser Genosse hat sich auf Rußland berufen, und dieses Beispiel kann Euch zeigen, daß man sich keine Zeit nimmt, die Argumente, die man vorbringt, auf ihre Richtigkeit zu prüfen. In Rußland war die Situation, als man die Nationalversammlung ablehnte, ein bißchen ähnlich der heutigen in Deutschland. Aber habt Ihr vergessen, daß vor Ablehnung der Nationalversammlung im November etwas anderes stattgefunden hat, die Machtergreifung durch das revolutionäre Proletariat. Habt Ihr vielleicht heute schon eine sozialistische Regierung, eine Trotzki-Lenin-Regierung? Rußland hatte vorher eine lange Revolutionsgeschichte, die Deutschland nicht hat. In Rußland beginnt die Revolution nicht im März 1917, sondern bereits im Jahre 1905. Die letzte Revolution ist doch nur das letzte Kapitel, dahinter liegt die ganze Periode von 1905 an. Da erreicht man eine ganz andere Reife der Massen, als heute in Deutschland. Ihr habt nichts hinter Euch, als die elende halbe Revolution vom 9. November. Wir haben sehr reif zu überlegen, was der Revolution jetzt am meisten frommt und wie ihre nächsten, taktischen Aufgaben aussehen und zu formulieren sind.

Nicht so eilig, habt Geduld, zu Ende zu hören. Im Parlament mit Schlagworten will man arbeiten. Nicht das ist das Entscheidende, welcher Weg ist der Sicherste, um die Massen in Deutschland zu erziehen, zu den Aufgaben, die sie haben. Ihr geht aus in Eurer Taktik von der Konstellation, daß man in 14 Tagen, wenn die Leute aus Berlin herausgehen, in Berlin eine neue Regierung machen kann. »Wir machen in 14 Tagen hier eine neue Regierung.« Ich würde mich freuen, wenn das der Fall wäre. Aber als ernster Politiker kann ich meine Taktik nicht auf eine Spekulation aufbauen. Es sind allerdings alle Möglichkeiten nicht ausgeschlossen. Ich werde Ihnen zu entwickeln haben, daß überhaupt durch die neue Wendung in der Regierung die nächste Phase eine sehr starke Auseinandersetzung mit sich bringen wird. Aber ich bin verpflichtet, die Wege zu gehen, die sich aus meiner Auffassung über die Zustände in Deutschland ergeben. Die Aufgaben sind gewaltig, sie münden in die sozialistische Weltrevolution. Aber was wir bisher in Deutschland sehen, das ist noch die Unreife der Massen. Unsere nächste Aufgabe ist, die Massen zu schulen, diese Aufgaben zu erfüllen. Das wollen wir durch den Parlamentarismus erreichen. Das Wort soll entscheiden. Ich sage Ihnen, gerade dank der Unreife der Massen, die bis jetzt nicht verstanden haben, das Rätesystem zum Siege zu bringen, ist es der Gegenrevolution gelungen, die Nationalversammlung als ein Bollwerk gegen uns aufzurichten. Nun führt unser Weg durch dieses Bollwerk hindurch. Ich habe die Pflicht, alle Vernunft dagegen zu richten, gegen dieses Bollwerk anzukämpfen, hineinzuziehen in die Nationalversammlung, dort mit der Faust auf den Tisch zu schlagen. Des Volkes Wille ist das höchste Gesetz. Hier haben wir zu entscheiden. Wenn die Masse so reif ist, so wird sich ja das kleine Häuflein, die Minderheit zur herrschenden Macht gestalten, so werden sie uns die Macht geben, von innen heraus diejenigen aus dem Tempel zu weisen, die nichts darin zu suchen haben, unsere Gegner, die Bourgeoisie, die Kleinbürger usw. Dazu kommen sie nicht.

Sie müssen konsequent sein. Auf der einen Seite spekulieren Sie auf eine solche Reife der Verhältnisse, auf eine solche revolutionäre Macht und Bewußtsein der Massen, daß Sie in 14 Tagen versprechen, an Stelle der Nationalversammlung eine sozialistische Regierung zu setzen, auf der anderen Seite sagen Sie, kommt die Nationalversammlung zustande, so wird der Druck der Straße sie hinwegfegen. Bilden Sie sich doch nicht ein, daß, wenn wir ihnen [den Massen] vorschlagen, ihren Stimmzettel nicht in die Urne zu werfen, daß dann die Wahlen anders aussehen werden. Die Wahlen stellen ein neues Instrument des revolutionären Kampfes dar. Sie sind befangen in der alten Schablone. Für Sie existiert nur das Parlament des deutschen Reichstags. Sie können sich nicht vorstellen, dieses Mittel zu gebrauchen im revolutionären Sinne. Sie verstehen: entweder Maschinengewehre oder Parlamentarismus. Wir wollen etwas verfeinerten Radikalismus. Nicht bloß dieses grobkörnige Entweder-Oder. Es ist bequemer, einfacher, aber das ist eine Vereinfachung, die nicht der Schulung und Erziehung der Massen dient.

Aus rein praktischen Gesichtspunkten heraus: könnt Ihr wirklich mit ruhigem Gewissen sagen, wenn Ihr den Boykott beschließt – Ihr seid der beste Kern der deutschen Arbeiterschaft als Vertreter der revolutionärsten Schicht – habt Ihr die Möglichkeit, mit ruhigem Gewissen zu versichern, die gewaltigen Massen der Arbeiterschaft werden wirklich Eurer Boykottparole folgen und sich nicht beteiligen? Ich spreche von den gewaltigen Massen, nicht von den Gruppen, die zu uns gehören. Es kommen Millionen in Betracht, Männer, Frauen, junge Leute, Soldaten. Ich frage klar, ob Sie mit ruhigem Gewissen sagen können, daß diese Massen, wenn wir hier beschließen, die Nationalversammlung zu boykottieren, den Wahlen den Rükken kehren werden, oder noch besser, ihre Fäuste gegen die

Nationalversammlung richten werden. Das könnt Ihr nicht mit gutem Gewissen behaupten.

Wir kennen die Zustände, die in den Massen herrschen, wie sehr sie noch unreif sind. Die Tatsache besteht, daß Sie uns gerade, die wir in diese Hirne revolutionären Geist hineintragen wollen, ausschalten von der Möglichkeit, der Gegenrevolution die Herrschaft zu entreißen. Während wir für die Aktivität im revolutionären Sinne sind, macht Ihr es Euch bequem, wendet den gegenrevolutionären Machenschaften den Rücken, überlaßt die Massen den gegenrevolutionären Einwirkungen. Sie fühlen selbst, daß Sie das nicht können.

In welcher Weise wollen Sie die Wahlen beeinflussen, wenn Sie von vornherein erklären, wir halten die Wahlen für null und nichtig. Wir müssen den Massen zeigen, daß es keine bessere Antwort gibt auf den gegenrevolutionären Beschluß gegen das Rätesystem, als eine gewaltige Kundgebung der Wähler zustande zu bringen, indem sie gerade Leute wählen, die gegen die Nationalversammlung und für das Rätesystem sind. Das ist die aktive Methode, um die gegen uns gerichtete Waffe gegen die Brust des Gegners zu richten. Sie müssen begreifen, daß derjenige, der den Verdacht des Opportunismus gegen uns ausspricht, sich im Drängen der Zeit und Arbeit nicht Zeit genommen hat, ruhig und gründlich zu prüfen, sowohl seine wie unsere Auffassung.

Es kann sich nur darum handeln, welche Methode die zweckmäßigere ist zu dem gemeinsamen Zweck der Aufklärung der Massen. Von Opportunismus ist in diesem Saale keine Rede, merken Sie sich das, Genosse Rühle! Es liegt ein tiefer Widerspruch in Ihrer eigenen Argumentierung, wenn Sie sagen, ich fürchte die nachteiligen Folgen des Parlamentarismus auf die Massen. Auf der einen Seite sind Sie der revolutionären Reife der Massen so sicher, daß Sie darauf bauen, in 14 Tagen bereits eine sozialistische Regierung hier aufzurichten, also bereits den endgültigen Sieg des Sozialismus. Auf der anderen Seite befürchten Sie für dieselben so reifen Massen die gefährlichen Folgen des Wählens. Ich muß Ihnen offen sagen, ich fürchte mich überhaupt vor gar nichts. Ich bin überzeugt, daß die Masse von vornherein durch die gesamte Lage dazu geschaffen und geboren ist, daß sie richtig verstehen wird unsere Taktik. Wir müssen die Masse im Sinne unserer Taktik erziehen, daß sie versteht, das Instrument des Wählens zu gebrauchen, nicht als eine Waffe der Gegenrevolution, sondern als klassenbewußte revolutionäre Massen zur Niederschmetterung mit derselben Waffe derjenigen, die sie uns in die Hand gedrückt haben.

Ich schließe mit der Formulierung: Es ist zwischen uns, im Zweck und in der Absicht gar kein Unterschied, wir stehen alle auf demselben Boden, daß wir die Nationalversammlung als ein gegenrevolutionäres Bollwerk bekämpfen. Daß wir die Massen aufrufen und erziehen wollen, um die Nationalversammlung zunichte zu machen. Es ist die Frage der Zweckmäßigkeit und der besseren Methode. Die Eure ist die einfachere, die bequemere, die unsere ist etwas komplizierter und gerade deshalb schätze ich sie, um die geistige Revolutionierung der Massen zu vertiefen. Außerdem, Eure Taktik ist eine Spekulation auf die sich überstürzenden Verhältnisse der nächsten Wochen, unsere behält im Auge den noch weiten Weg der Erziehung der Massen. Unsere Taktik berechnet die nächsten Aufgaben im Zusammenhang mit den Aufgaben der ganzen uns bevorstehenden Revolution, bis die deutschen proletarischen Massen so reif sind, um die Zügel zu ergreifen. Sie kämpfen gegen Windmühlen, wenn Sie mir solche Argumente unterstellen. Wir werden dann doch zur Straße greifen müssen, unsere Taktik fußt darauf, daß wir auf der Straße die Hauptaktion entwickeln. Dies beweist also, daß Sie entweder Maschinengewehre anwenden wollen, oder in den deutschen Reichstag einziehen. Umgekehrt! Die Straße soll überall zur Herrschaft und zum Triumph kommen. Wir wollen innerhalb der Nationalversammlung ein siegreiches Zeichen aufpflanzen, gestützt auf die Aktion von außen. Wir wollen dieses Bollwerk von innen heraus sprengen. Wir wollen die Tribüne der Nationalversammlung, und auch diejenige der Wählerversammlungen. Ob Sie so oder anders beschließen, Sie stehen auf dem gemeinsamen Boden mit uns, auf dem Boden des revolutionären Kampfes gegen die Nationalversammlung.

4. Programmatische Kundgebung des Parteitags der USPD
   im März 1919

Diese als »Revolutionsprogramm« bezeichnete Kundgebung beschloß ein außerordentlicher Parteitag der USPD, der vom 2. bis 6. März 1919 in Berlin stattfand. Ihm lagen zwei Entwürfe vor, die während des Parteitags zu einer Resolution zusammengefaßt wurden, obwohl sie sachlich von kontroversen Positionen ausgingen. Ein Ergänzungsantrag von Ernst Däumig, der forderte, Wahlkämpfe »zur revolutionären Aufrüttelung der Massen« zu nutzen und die Parlamentsarbeit darauf auszurichten, »die bürgerlichen Parteien und den Reformsozialismus als Feinde der sozialen Revolution bloßzustellen«, wurde mit 68 gegen 67 Stimmen denkbar knapp abgelehnt.

Quelle: Protokoll über die Verhandlungen des außerordentlichen Parteitages vom 2. bis 6. März 1919 in Berlin. o.O., o.J., S. 3f.

Unter Aufrechterhaltung der leitenden Gedanken des grundsätzlichen Teils des Erfurter Programms [von 1891] erklärt der Parteitag:

Im November 1918 haben die revolutionären Arbeiter und Soldaten Deutschlands die Staatsgewalt erobert. Sie haben aber ihre Macht nicht befestigt und die kapitalistische Klassenherrschaft nicht überwunden. Die Führer der Rechtssozialisten haben den Pakt mit den bürgerlichen Klassen erneuert und die Interessen des Proletariats preisgegeben. Sie treiben eine Verwirrungspolitik mit den Worten »Demokratie« und »Sozialismus«.

In der kapitalistischen Gesellschaftsordnung sind demokratische Rechtsformen Truggebilde. Solange der politischen Befreiung nicht auch die wirtschaftliche Befreiung und Unabhängigkeit gefolgt ist, besteht keine wahre Demokratie. Die Sozialisierung, wie die Rechtssozialisten sie betreiben, ist ein Gaukelspiel. Sie begnügen sich, unter Schonung der kapitalistischen Interessen, mit einer »gemischt-wirtschaftlichen« Bewirtschaftung und sogar nur mit der »öffentlichen Kontrolle« der nach ihrem eigenen Urteil für die sofortige Vergesellschaftung reifen Betriebe.

Das klassenbewußte Proletariat hat erkannt, daß sein Befreiungskampf nur von ihm allein und nicht nur mit den bisherigen Organisationen durchgeführt werden kann, sondern daß dazu auch eine neue proletarische Kampforganisation erforderlich ist.

Im Rätesystem hat sich die proletarische Revolution diese Kampforganisation geschaffen. Sie faßt die Arbeitermassen in den Betrieben zu revolutionärem Handeln zusammen. Sie schafft dem Proletariat das Recht der Selbstverwaltung in den Betrieben, in den Gemeinden und im Staate. Sie führt die Umwandlung der kapitalistischen Wirtschaftsordnung in die sozialistische durch.

In allen kapitalistischen Ländern entwickelt sich das Rätesystem aus den gleichen wirtschaftlichen Bedingungen und wird zum Träger der proletarischen Weltrevolution.

Die geschichtliche Aufgabe der USP ist es, die Bannerträgerin des klassenbewußten Proletariats in seinem revolutionären Befreiungskampf zu sein. Die Unabhängige Sozialdemokratische Partei stellt sich auf den Boden des Rätesystems. Sie unterstützt die Räte in ihrem Ringen um die wirtschaftliche und politische Macht. Sie erstrebt die Diktatur des Proletariats, des Vertreters der großen Volksmehrheit, als notwendige Vorbedingung für die Verwirklichung des Sozialismus. Erst der Sozialismus bringt die Beseitigung jeder Klassenherrschaft, die Beseitigung jeder Diktatur, die wahre Demokratie.

Um dieses Ziel zu erreichen, bedient sich die USP aller politischen und wirtschaftlichen Kampfmittel, einschließlich der Parlamente. Sie verwirft planlose Gewalttätigkeiten. Ihr Ziel ist nicht die Vernichtung von Personen, sondern die Beseitigung des kapitalistischen Systems.

Die nächsten Forderungen der USPD sind:

1. Einordnung des Rätesystems in die Verfassung. Entscheidende Mitwirkung der Räte bei der Gesetzgebung, Staats- und Gemeindeverwaltung und in den Betrieben.

2. Völlige Auflösung des alten Heeres. Sofortige Auflösung des durch Freiwilligenkorps gebildeten Söldnerheeres. Entwaffnung des Bürgertums. Errichtung einer Volkswehr aus den Reihen der klassenbewußten Arbeiterschaft. Selbstverwaltung der Volkswehr und Wahl der Führer durch die Mannschaft. Aufhebung der Militärgerichtsbarkeit.

3. Die Vergesellschaftung der kapitalistischen Unternehmungen ist sofort zu beginnen. Sie ist unverzüglich durchzuführen auf den Gebieten des Bergbaues und der Energie-Erzeugung (Kohle, Wasser, Kraft, Elektrizität), der konzentrierten Eisen- und Stahlproduktion, sowie anderer hochentwickelter Industrien und des Bank- und Versicherungswesens. Großgrundbesitz und große Forste sind sofort in gesellschaftliches Eigentum zu überführen. Die Gesellschaft hat die Aufgabe, die gesamten wirtschaftlichen Betriebe durch Bereitstellung aller technischen und wirtschaftlichen Hilfsmittel sowie Förderung der Genossenschaft zur höchsten Leistungsfähigkeit zu bringen. In den Städten ist das private Eigentum an Grund und Boden in Gemeindeeigentum zu überführen, und ausreichende Wohnungen sind von der Gemeinde auf eigene Rechnung herzustellen.

4. Wahl der Behörden und der Richter durch das Volk. Soforti-

ge Einsetzung eines Staatsgerichtshofes, der die Schuldigen am Weltkriege und an der Verhinderung eines zeitigeren Friedens zur Verantwortung zu ziehen hat.

5. Der während des Krieges geschaffene Vermögenszuwachs ist voll wegzusteuern. Von allen größeren Vermögen ist ein Teil an den Staat abzuführen. Im übrigen sind die öffentlichen Ausgaben durch stufenweis steigende Einkommens-, Vermögens- und Erbschaftssteuern zu decken. Die Kriegsanleihen sind zu annullieren unter Entschädigung der Bedürftigen, der gemeinnützigen Vereine, Anstalten und der Gemeinden.

6. Ausbau der sozialen Gesetzgebung. Schutz und Fürsorge für Mutter und Kind. Den Kriegerwitwen und -waisen und den Verletzten ist eine sorgenfreie Existenz sicherzustellen. Den Wohnungsbedürftigen sind überflüssige Räume der Besitzenden zur Benutzung zu übergeben. Grundlegende Neuordnung des öffentlichen Gesundheitswesens.

7. Trennung von Staat und Kirche und Trennung von Kirche und Schule. Öffentliche Einheitsschule mit weltlichem Charakter, die nach sozialistisch-pädagogischen Grundsätzen auszugestalten ist. Anspruch jedes Kindes auf die seinen Fähigkeiten entsprechende Ausbildung und die Bereitstellung der hierzu erforderlichen Mittel.

8. Einführung eines öffentlich-rechtlichen Monopols für Inserate und Übertragung an die Kommunalverbände.

9. Herstellung freundschaftlicher Beziehungen zu allen Nationen. Sofortige Aufnahme der diplomatischen Beziehungen zur russischen Räterepublik und zu Polen. Wiederherstellung der Arbeiter-Internationale auf dem Boden der revolutionären sozialistischen Politik im Geiste der internationalen Konferenzen von Zimmerwald und Kienthal.

Die USPD ist der Überzeugung, daß durch die Zusammenfassung aller proletarischen Kräfte, die sie erstrebt, der vollständige und dauernde Sieg des Proletariats beschleunigt und gesichert wird. Das Bekenntnis in Wort und Tat zu den Grundsätzen und Forderungen dieser Kundgebung ist aber die notwendige Voraussetzung der Einigung der Arbeiterklasse.

5. Rede Ernst Däumigs auf dem Vereinigungsparteitag der USPD (Linke) und der KPD (Spartakusbund) am 4. Dezember 1920

Dieser Parteitag in Berlin vollzog offiziell den Zusammenschluß des linken Flügels der USPD mit der KPD. Damit begann der Prozeß des Zerfalls der USPD und des Aufstiegs der KPD zur Massenpartei. Däumig, einer der beiden Vorsitzenden der USPD-Linken, wurde vom Vereinigungsparteitag zusammen mit Paul Levi (KPD) einstimmig zum gleichberechtigten Parteivorsitzenden gewählt.

Quelle: Bericht über die Verhandlungen des Vereinigungsparteitages der USPD (Linke) und der KPD (Spartakusbund). Abgehalten in Berlin vom 4. bis 7. Dezember 1920. Berlin 1921, S. 39–51 (Auszüge).

Zwei Jahre deutscher Revolution liegen hinter uns, und nur wenige Tage trennen uns von dem Jahrestag, an dem vor zwei Jahren das revolutionäre deutsche Proletariat auf eine Machtstellung verzichtete, die ihm in den Novembertagen in den Schoß gefallen war; verzichtete auf die Diktatur des Proletariats, die ihm die Novembertage gebracht hatte. Denn bei aller kritischen Würdigung der Ereignisse des Novembers 1918 steht doch fest, daß das, was sich nach dem Zusammenbruch auf den Schlachtfeldern und nach der Flucht der deutschen Dynastien vollzog, sich zuerst als die Form der Diktatur des Proletariats darstellte. Ich will im einzelnen die Vorgänge nicht aufrollen, die diesen kurzen Frühlingstraum der deutschen proletarischen Diktatur bald verwehen ließen. Aber ich bin der Auffassung, daß es nicht genügt, nun Anklage zu erheben gegen die Männer, die sich Sozialdemokraten nannten und diese Diktatur des Proletariats verrieten, sondern daß wir auch noch tiefer zu ergründen haben, *warum* diese Männer, wie Scheidemann, Haase und wie sie alle heißen mögen, die Diktatur des Proletariats nach wenigen Wochen in das trügerische demokratische Fahrwasser hineinsegeln lassen konnten. Sie konnten es, weil die große Masse Deutschlands damals nicht reif war für den Gedanken der proletarischen Diktatur. Die Arbeiter- und Soldatenräte, die mit elementarer Gewalt damals an allen Orten Deutschlands in die Erscheinung traten, waren Gebilde, die z. T. befruchtet waren durch das Vorbild Rußlands, aber sie waren doch nicht fest verwurzelt in dem Bewußtsein der proletarischen Massen.

Sonst wäre es nicht möglich gewesen, daß im Dezember 1918 auf dem ersten Rätekongreß, auf dem ersten revolutionären Parlament Deutschlands, die erdrückende Mehrheit der proletarischen Vertreter mit Jubel für die Nationalversammlung stimmten. (Zustimmung.) Und gerade diese Tatsache und all das, was sich dann im Verlaufe der zwei Jahre abgespielt hat, zeigt uns, daß das Wesen und die harte Notwendigkeit der proletarischen Diktatur mit viel größerer Eindringlichkeit und mit viel größerer Klarheit in die Köpfe und in die Herzen der Proletarier hineingetragen werden muß. So notwendig kurze und knappe schlagende Worte sind, so notwendig es ist, bestimmte politische Situationen in bestimmte politische Schlagworte zusammenzufassen, so notwendig ist es aber dann auch, die Parolen in zäher Kleinarbeit in die praktische Erkenntnis der Massen zu übertragen und durch diese praktische Erkenntnis die Massen zu Taten zu veranlassen. Und das ist eine der Hauptaufgaben, die von dieser unserer Vereinigten Kommunistischen Partei Deutschlands zu erfüllen ist. [...]

Die großen Proletariermassen, die noch hinter der sozialdemokratischen Partei und hinter der rechtsunabhängigen Partei hergehen, sind noch befangen in dem Glauben an die Triebkraft des demokratischen Systems. Sie glauben, daß tatsächlich einmal durch eine sozialistische Mehrheit und durch ein aus dieser Mehrheit hervorgehendes Ministerium doch eine Wendung zum Besseren, ja, sogar ein Uebergang zum Sozialismus möglich sei. Auch da haben ja zwei Jahre republikanisch-demokratischer Freiheit ungeheuer aufklärend gewirkt, aber immer noch sind genügend Proletariermassen vorhanden, in denen diese Illusionen noch lebendig sind. Die sozialdemokratische Partei und auch die rechtsunabhängige Partei halten unseren Forderungen, unserer Propaganda, unserem Ringen um die politische Macht und um die Stellung des Proletariats sehr häufig die Einwendung entgegen, das Proletariat sei noch nicht reif, die politische Macht zu übernehmen und den Sozialismus durchzuführen. Es bedürfe noch einer sehr langen, planmäßigen Schulung des Proletariats, ehe wir an die Verwirklichung des Sozialismus herangehen könnten.

Mit diesen Thesen, mit dieser Behauptung schafft man auf der anderen Seite alle Voraussetzungen und alle Möglichkeiten das Proletariat erst recht nicht reif werden zu lassen. (Sehr richtig!) Denn wenn das Proletariat nicht reif ist, wenn man ihm in seinem Drange zum Sozialismus in den Arm fallen muß, wenn man das auf der einen Seite tut, so muß man auf der anderen Seite den kapitalistischen Mächten freie Hand und Ellenbogenfreiheit lassen, sich wieder gründlich in dieser Welt einzubürgern und daraus die Konsequenzen ziehen. Mit dieser Theorie, diesen Thesen von der Unreife des Proletariats wird das Proletariat niemals zum Sozialismus kommen. (Sehr richtig!) Es erinnert das so lebhaft an die Tendenzen, die in der Vorkriegszeit innerhalb der deutschen Arbeiterschaft lebendig waren, an die Tendenzen, die da sagten, wir müssen organisieren, damit wir die Massen des Proletariats in unsere Partei hineinbekommen. Wir müssen Wahlagitation treiben, damit wir die Mehrheit im Parlament bekommen und damit wir dann durch Parlamentsbeschlüsse den Sozialismus einführen. Und neben diesen Thesen stand die These: wir müssen die gewerkschaftliche Arbeit durchführen; dann unterhöhlen wir nach und nach, schrittweise, dem Unternehmertum sein Mehrwertsrecht, und dann kommen wir auch eines schönen Tages in die sozialistische Welt hinein. Und in ähnlicher Weise machten ja die Nur-Genossenschaftler auch ihre Theorie auf und wollten auf genossenschaftlichem Wege den Sozialismus in die Welt einführen. Das sind dieselben Auffassungen, die heute noch lebendig werden in Aeußerungen: das Proletariat ist nicht reif für den Sozialismus. Hinter dieser These verbirgt sich aber auch gleichzeitig der Machtwille und das Machtbewußtsein der bureaukratischen Instanzen der Arbeiterbewegung. Solange das Proletariat nicht reif ist, solange die Massen zu dumm sind, die Geheimnisse der Politik zu begreifen, müssen natürlich die Parlamentsfraktionen, muß die Gewerkschaftsbureaukratie selbstverständlich die Geschicke des Proletariats in die Hand nehmen. Dies sind die Leute, die die Dinge durchzuführen haben. Zwei Jahre lang haben wir Anschauungsunterricht in der deutschen Republik gehabt. Zwei Jahre lang annähernd haben wir im Zeichen des Partei- und Gewerkschaftssekretärs gestanden, und wir haben sehen müssen, was dabei für den Sozialismus herausgekommen ist: schöne Redensarten und viele Millionen von Plakaten: die Sozialisierung marschiert! Aber zu sehen ist nichts, und es wird nichts zu sehen sein unter diesem Regime, weil die Sozialisierung, so wie sie notwendig ist, im Sinne des Kommunismus, durch das Proletariat geschieht, weil diese Sozialisierung niemals kommen wird im Zeichen des Parteisekretärs. Das ist uns allen klar. Wir haben das erkannt. Wir haben es theoretisch erfaßt und praktisch durchlebt. Aber es gibt noch Proletariermassen, die an diese Sozialisierungsmärchen glauben. Sonst hätte ein Hilferding es nicht wagen können, jetzt noch mit einem solchen Sozialisierungsplan vor die proletarische Oeffentlichkeit zu treten. Und alle diese Sozialisierungspläne, die im Laufe der letzten zwei Jahre aufgetaucht sind – ob nun nach Hilferdingschem oder Wissellschem Muster – sind dazu bestimmt, dem proletarischen Drängen nach Sozialisierung im proletarisch-revolutionären Sinne ein Schnippchen zu schlagen. Auch das muß den proletarischen Massen noch klargemacht werden. Und wenn jetzt von rechtsunabhängiger Seite ein planmäßiger Feldzug in den Betriebsversammlungen und den öffentlichen Versammlungen über ganz Deutschland für diesen Sozialisierungsschwindel gemacht wird, so hat unsere Partei jetzt anzufangen, einen Feldzug dagegen zu eröffnen. Unsere Parteileitung hat unsere Genossen zu schulen schon in den nächsten Wochen, damit sie in der Lage sind, dieser neuen Sozialisierungsillusion mit aller Kraft entgegenzutreten. Jeder unter den 500 000 muß in die Lage gesetzt werden, nicht bloß in die Versammlung hineinzugehen, sondern auch diesen Bestrebungen auf der anderen Seite mit aller Kraft und mit allem Nachdruck entgegenzutreten.

Parteigenossinnen und -Genossen! Wir Kommunisten stellen und müssen unter den harten Lehren der letzten Jahre die These aufstellen: die kapitalistische Produktion ist überreif, sie muß hinweggefegt werden. Das Proletariat ist in seinem eigenen Lebensinteresse gezwungen, die kapitalistische Produktion in die sozialistische umzustellen. Und es wird reif werden im Kampfe für diese sozialistische Produktion. Man lernt nicht fechten ohne Schwert, man lernt nicht reiten ohne Pferd! Dies Wort gilt für das deutsche Proletariat heute. [...]

Kampf auf der ganzen Linie! Das wird das Los der neuen Partei sein. Ich stehe nicht an, was ich so oft gesagt habe, zu erklären, daß Sie als Delegierte und wir als Parteileitung – und darüber dürfen wir unsere Mitglieder gar nicht im Zweifel lassen – in dieser Vereinigten Kommunistischen Partei kein beschauliches Dasein und kein ruhiges und gefahrloses Leben führen werden. Wir haben zu sagen: Wer das nicht will, soll ruhig unsere Reihen verlassen! (Lebhafte Zustimmung.) Wir können nur anfangen mit einer Kämpferschar, von der wir wissen, daß sie weiß, worum der Kampf geht und welche Opfer gebracht werden müssen. Wir können aber nur kämpfen, wenn wir jetzt Mitglieder hinter uns haben, von denen man zu jeder Zeit die

Gewißheit hat, daß sie mit einschwenken in die Kampffront, wenn sie irgendwo in Aktion gesetzt werden muß.

Für die Vereinigte Kommunistische Partei und für jedes Mitglied wird für die nächste Zeit das Wort gelten:

»Nur der verdient die Freiheit und das Leben, der täglich sie erkämpfen muß!« (Lebhafter Beifall.)

6. Paul Levi: »Warum gehen wir zur Vereinigten Sozialdemokratischen Partei?«

In diesem, unter dem Eindruck der Ermordung von Reichsaußenminister Walther Rathenau 1922 verfaßten Artikel begründete Levi, warum er für einen Anschluß der Rest-USPD an die SPD eintrat. Er selbst war nach seinem Parteiausschluß aus der KPD im September 1921 Gründungsmitglied der Kommunistischen Arbeitsgemeinschaft gewesen, bevor er sich im April 1922 der USPD anschloß. Nach der Wiedervereinigung von Rest-USPD und SPD im September 1922 wurde er zum Wortführer der SPD-Linken.
Quelle: Paul Levi, Zwischen Spartakus und Sozialdemokratie. Schriften, Aufsätze, Reden und Briefe. Hrsg. und eingel. von Charlotte Beradt. Wien 1969, S. 169–182 (Auszüge).

Die ausbrechende Revolution hat, mehr als der ausgebrochene Krieg, die deutschen Proletarier getrennt. War ehedem ein Kampf der Meinungen, so ward jetzt vielfach ein Kampf der Waffen. Viele von uns haben geglaubt, daß der zu Ende gegangene Krieg der internationalen Kapitalisten gegen die Arbeiter umschlagen müsse in den Krieg der Arbeiter gegen die Kapitalisten; sie haben geglaubt, daß es proletarische Pflicht sei, trauend auf die große internationale Welle der proletarischen Revolution, für die Erreichung der Ziele des Sozialismus vorangehen zu müssen: sie haben diesem ihrem Glauben ihre Bahn und oft ihr Leben geopfert. Müßig ist, heute zu prüfen, wie das kam. Wir, die wir dieses Glaubens waren, sind in Deutschland unterlegen. Niemand kann sagen, ob, hätten wir hier in Deutschland gesiegt, die internationale Kraft, der Sozialismus, groß genug gewesen wäre, das Schicksal zu wenden, das heute über Deutschland und der Welt lastet, ob es möglich gewesen wäre, auch die Proletarier anderer Länder zu wecken, dem Beispiel nachzufolgen. Nur eins können wir sagen: auch die, die anderer Meinung waren als wir, haben das Ziel ihrer Hoffnungen nicht erreicht. Die deutsche Republik, geschweige denn die deutsche Demokratie, ist nicht fest gegründet. Der deutsche Einheitsstaat ist durch monarchistische Reichsrebellen bedroht. Eine konterrevolutionäre Reichswehr raubt der deutschen Republik den freien Atem. Ein aufsässiges Beamtentum lähmt sie an Armen und Beinen. Feiger Meuchelmord schleicht wie Gift durch ihre Adern. Allüberall lauern geheime und offene Monarchisten des Augenblicks, wo die Erleichterung der äußeren Lage den Staatsstreich ihnen ermögliche. [...]

Wir wissen: nicht mehr in dem Maße, in dem das vor 1914 war, wird die deutsche Arbeiterklasse entscheidend sein können für die Internationale der Arbeiter. Die Rolle hat sie ausgespielt. Aber ihre Autorität, ihr Ansehen ist groß. Die eigene Reaktion bekämpfend, das Schicksal der Schaffenden in Deutschland, der Bauern wie der Arbeiter, kühn gestaltend, ihre Reihen neu formierend, kann sie heute noch starken und nachhaltigen Einfluß ausüben in den Reihen des internationalen Proletariats, dessen Willen allein die Leiden des deutschen Proletariats mildern und der Welt den Frieden geben kann. Möge die Vereinigte Sozialdemokratische Partei sich der Aufgabe gewachsen zeigen, die die Geschichte ihr auferlegt hat.

Das, glauben wir, ist der Rahmen, in dem die Politik der Vereinigten Sozialdemokratischen Partei sich in diesen Jahren zu bewegen habe. Es ist das ein Programm, es ist nicht die Rede von theoretischen Fragen: es ist lediglich der Versuch, die Nöte des Proletariats, die drängend sind, zu erkennen und den Kampf um diese Nöte zu verbinden mit dem großen Kampfe um die Erfüllung der Proletarieraufgaben, um den Sozialismus. Besteht, so werden viele fragen, in der Vereinigten Sozialdemokratischen Partei eine Möglichkeit, solch ein Programm, das nicht die Räterepublik für morgen will, aber doch voraussetzt die beständige lebendige Tätigkeit der proletarischen Massen und ihrer Partei, der Verwirklichung zuzuführen? Wir wissen, daß viele diese Frage stellen und manche sie verneinen und einige selbst den Verzicht auf eine Vergangenheit darin sehen, die Frage zu bejahen. Da sind, so wird gesagt, in der Sozialdemokratischen Partei die und jene, die dies und jenes uns angetan haben. Das ist nicht zu leugnen und noch nicht einmal zu beschönigen, aber es macht die Entscheidung über das Schicksal einer Klasse abhängig von der Entscheidung über das Schicksal von Personen. Es könnte sein, daß die Personen, die in diesen Jahren gegeneinander gestanden haben, nicht mehr zusammen wirken könnten: dann müßten die Personen weichen, auf daß die Arbeiterklasse lebe. Und wenn die Arbeiterklasse leben will, so muß sie sich zusammenschließen. Wir haben vor Jahren schon, als die Revolution mächtig und stark einherschritt und noch weiter zu wachsen schien, warnend gesagt: Kommt eine Reaktion, die die Arbeiterklasse niederbeugt, so darf sie nicht zur sektenhaften Spaltung, so muß sie zur Konzentration der Arbeitermassen und Arbeiterparteien führen. Die Reaktion kam und drückte die Arbeiterklasse tiefer als wir fürchteten. Wir glauben, im letzten Arbeiterherzen zittert heute der Gedanke: werden die Arbeiterparteien nicht einig, so gehen sie mitsamt zugrunde. Aber ist das nicht »Einigung um jeden Preis«, Einigung in der Sünde, statt Einigung im Guten? Die Arbeiterklasse und auch nicht die Arbeiterpartei ist kein feststehendes Produkt, keine gare Sache. Sie zu dem zu machen, ist in der Geschichte nur ein einziges Mal versucht worden in den famosen 21 Bedingungen, dem »Advokatenwerk«, wie wir es damals nannten und heute nennen. Die Arbeiterklasse und die Arbeiterpartei sind Produkte, die geschichtlich sich wandeln, und sind Lebewesen, die ihr eigenes Leben leben und die das sind, was die sind, die in ihr stehen. Wer will behaupten, daß die Arbeiter in Deutschland, die in der SPD und die in der USPD, dieselben seien wie die von 1914? Wer will behaupten, daß die in der KPD noch dieselben seien wie 1918? Die Schule dieser Jahre war eine rauhe und schwere und an keinem ist sie spurlos vorübergegangen. Die deutsche Arbeiterklasse, trotz allem, hat in diesen Jahren Größeres erlebt als die zwei Generationen, die vor ihr am Werke des Sozialismus wirkten. Dieses Erleben mit den Traditionen der Vergangenheit, mit den Erwartungen der Zukunft zu verbinden, wirkend im Verständlichen, weisend zum Unendlichen, das ist die Aufgabe der Sozialdemokratischen Partei.

7. Entschließung des SPD-Parteitags im Mai 1927 zur Koalitionspolitik

Auf dem SPD-Parteitag in Kiel, der Ende Mai 1927 tagte, referierte Rudolf Hilferding über die ›Aufgaben der Sozialdemokratie in der Republik‹. In dieser Rede plädierte er für eine Koalitionspolitik der »freie(n) Beweglichkeit«. Eine Zusammenfassung seiner Aussagen, die der Vorstand als Entschließung eingebracht hatte, verabschiedete der Parteitag und bahnte damit ideologisch den Weg für eine Rückkehr der SPD in die Reichsregierung. Gleichzeitig verwarf er mit 255 gegen 83 Stimmen eine Resolution des linken Flügels der Partei, der »Opposition statt Koalition« forderte.

Quelle: Sozialdemokratischer Parteitag 1927 in Kiel. Protokoll mit dem Bericht der Frauenkonferenz, Berlin 1927, S. 265 f.

I.

Nachdem die Versuche, die demokratische Republik gewaltsam zu beseitigen, an dem wachsenden Widerstand der arbeitenden Massen gescheitert sind, versucht die politische und soziale Reaktion unter Führung der Deutschnationalen Partei, die alte Herrschaft von Großgrundbesitz und Großkapital durch Ausnützung der Regierungsmacht wieder herzustellen. Die Deutschnationalen verbergen vorübergehend ihre monarchistischen, republik- und demokratiefeindlichen Bestrebungen, um sich die Hilfe anderer bürgerlicher Parteien zur Durchführung der materiellen, sozialreaktionären Ziele des Großbesitzes zu sichern.

Zugleich wächst mit der fortschreitenden Konzentration des Kapitals die Organisierung der Wirtschaft unter der Leitung und zum Nutzen der Kapitalistenklasse. Der Kampf um die Beseitigung des Besitzprivilegs, um die wachsende Anteilnahme der Arbeiter und Angestellten an der Leitung und den Ergebnissen der Wirtschaft, um die fortschreitende Umwandlung der kapitalistisch-oligarchischen in die sozialistisch-demokratische Wirtschaftsorganisation wird damit zur unmittelbaren Aufgabe der Arbeiterbewegung.

Der Kampf um die Behauptung der Republik und die Ausgestaltung der Demokratie, die Abwehr der sozialen Reaktion und die Erringung der Wirtschaftsdemokratie erfordert die

Vereinigung aller Arbeitenden in *einer* politischen Partei, in der Sozialdemokratie.

Als politische Partei lehnt die Sozialdemokratie jede Spaltung der Arbeiterbewegung aus konfessionellen Gründen ab. Die politischen und sozialen Ziele der Arbeiterbewegung sind völlig unabhängig von der religiösen Überzeugung und den weltanschaulichen Meinungen ihrer einzelnen Glieder. Der Parteitag erhebt deshalb Protest gegen die Entfesselung eines sogenannten Kulturkampfes. Er erblickt darin nur den Versuch sozialreaktionärer Kreise, die Trennung zwischen den Arbeitern aufrechtzuerhalten und zu erweitern, um über die Getrennten die politische und soziale Herrschaft leichter ausüben zu können; eine Ablenkung der Arbeiterbewegung von ihren wirklichen Aufgaben. Der Kampf um die Schule ist für die Sozialdemokratie ein Teil des Befreiungskampfes der Arbeiterklasse. Sein Ziel ist die Beseitigung des Bildungsprivilegs, die Aufstiegsmöglichkeit für alle Befähigten ohne Unterschied des Besitzes, die Hebung des Bildungsniveaus und des Kulturgrades der Massen. Die Überwindung des Bildungsprivilegs ist aber eine gemeinsame Angelegenheit aller arbeitenden Schichten. Nicht Trennung durch die Religion, sondern gemeinsamer Kampf um Teilnahme an allen Errungenschaften der Kultur ist der wahre Kulturkampf.

II.

Der Kampf um die Eroberung der Staatsmacht macht die Erringung und Behauptung möglichst zahlreicher Machtpositionen in Gemeinde, Staat und Reich notwendig. Allein durch die aktive Betätigung in der Verwaltung kann die notwendige Republikanisierung und Demokratisierung der Verwaltung erreicht werden. Schon daraus ergibt sich die hohe Bedeutung der Teilnahme der Sozialdemokratie an der Verwaltung der Gemeinden und Länder. Die Beteiligung der Sozialdemokratie an der Reichsregierung hängt allein von der Prüfung der Frage ab, ob die Stärke der Sozialdemokratie im Volke und im Reichstag die Gewähr gibt, durch Teilnahme an der Regierung in einer gegebenen Situation bestimmte, im Interesse der Arbeiterbewegung gelegene Ziele zu erreichen oder reaktionäre Gefahren abzuwehren. Die Entscheidung über die Teilnahme an der Regierung ist eine taktische Frage, deren Beantwortung nicht durch bestimmte Formeln ein für allemal festgelegt werden kann.

III.

Die Losreißung der ihnen noch verbliebenen Arbeiterschichten aus der Gefolgschaft der bürgerlichen Parteien, die Sprengung der reaktionären Gefolgschaft der bürgerlichen Parteien, die Sprengung der reaktionären Koalition und der Sturz der Rechtsregierung steht bei den kommenden Reichstagswahlen zur Entscheidung. Der Zerfall der Kommunistischen Partei, die Selbstentlarvung der bürgerlichen Reaktion machen den Sieg möglich. Der Parteitag ruft alle Vertrauensmänner der Partei auf, in stärkster Geschlossenheit die Vorbereitung für den Wahlkampf zu betreiben. Es geht um die Stärkung der politischen und sozialen Machtstellung der Arbeiterklasse, um das Ziel, in der demokratischen Republik die sozialistische Arbeiterbewegung zur ausschlaggebenden politischen Macht zu erheben.

8. Erik Nölting zum Programm der Wirtschaftsdemokratie

Unmittelbar vor dem im September 1928 zusammentretenden Bundeskongreß des ADGB veröffentlichte der Wirtschaftswissenschaftler Erik Nölting, der als Professor an der Akademie der Arbeit in Frankfurt lehrte, Überlegungen zum Konzept der Wirtschaftsdemokratie. Er selbst hatte seit 1925 in einer wissenschaftlichen Kommission des ADGB mitgearbeitet, deren Vorstellungen in der von Fritz Naphtali 1928 veröffentlichten Denkschrift ›Wirtschaftsdemokratie, ihr Wesen, Weg und Ziel‹ zusammengefaßt sind.
Quelle: Metallarbeiter-Zeitung, Nr. 35 vom 1. September 1928.

Je mehr es der Arbeiterschaft gelingt, ihre politischen und wirtschaftlichen Machtstellungen zu befestigen und auszubauen, um so dringlicher wird die Beschäftigung mit der Frage, welche Organisation der Wirtschaft jenseits der Schwelle des Kapitalismus liegt und wie das darauf zuführende Verbindungsstück beschaffen ist. In diese Erörterung ist seit einiger Zeit mit wachsender Bedeutung ein neuer Begriff hineingetragen, der Begriff der *Wirtschaftsdemokratie*. Nachdem bereits der Gewerkschaftskongreß vom Jahre 1925 sich mit dem Problem der Wirtschaftsdemokratie beschäftigt hatte, hat auch der diesjährige Gewerkschaftskongreß des Allgemeinen Deutschen Gewerkschaftsbundes die Fragen der Wirtschaftsdemokratie in den Mittelpunkt seiner Erörterungen gestellt.

In weiten Kreisen der organisierten Arbeiterschaft hat lange Zeit hindurch und teilweise auch heute noch ein großes Mißtrauen allen wirtschaftsdemokratischen Gedankengängen gegenüber bestanden. Man empfindet Wirtschaftsdemokratie als eine unbefriedigende Abschlagszahlung, als die Verwässerung eines großen Ziels. Es verstärkte den Widerstand, daß man häufig Wirtschaftsdemokratie verwechselte mit jener »Arbeitsgemeinschaft« von Unternehmern und Arbeitern kurz nach der Revolution, die mit Recht wenig angenehme Erinnerungen bei der Arbeiterschaft zurückgelassen hat. Zudem sind mit dem Begriff der Wirtschaftsdemokratie mannigfache Unklarheiten und Widersprüche bei ihren Vertretern verbunden. Es herrscht der Streit der Meinungen darüber, ob Wirtschaftsdemokratie bereits eine im Rahmen der kapitalistischen Wirtschaftsordnung erfüllbare Gegenwartsforderung darstellt oder ob sie ein Zukunftsideal und ein Teil der jenseits des Kapitalismus beginnenden sozialistischen Wirtschaftsordnung sei. So war der Begriff der Wirtschaftsdemokratie lange Zeit mehr ein Fragezeichen als ein Programm.

Wenn hier versucht werden soll, zu diesen Fragen Stellung zu nehmen und die herrschende Meinung über das Wesen und die Ziele der Wirtschaftsdemokratie herauszuarbeiten, so kann dies bei dem heutigen Stand der Dinge nur mit *allem Vorbehalt* geschehen: Wirtschaftsdemokratie ist nicht mehr reiner Kapitalismus und noch nicht sozialistische Wirtschaft. Sie ist Zwischenland zwischen Kapitalismus und Sozialismus, Vorstufe der Sozialisierung und ihr Wegbereiter. Zum Begriff der Wirtschaftsdemokratie kann man auf verschiedene Weise gelangen. Man kann anknüpfen an die Kritik der politischen Demokratie und die Unzulänglichkeit der nur formalen Demokratie des Stimmzettels. Das war ja die große Erfahrung, die wir im Gegensatz zur Meinung der Begründer der sozialistischen Arbeiterbewegung machten, daß die Erkämpfung der politischen Demokratie noch keineswegs die Beseitigung der wirtschaftlichen Unfreiheit bedeutete. Dank der Vorrechte des Besitzes und der Bildung verfügt die besitzende Minderheit heute noch über so gewaltige Beeinflussungs- und Druckmittel, daß die Mehrheit der Bevölkerung bisher nicht widerstehen konnte und ihre Stimmen den bürgerlichen Besitzparteien gab, auch wenn ihre wirtschaftlichen und sozialen Belange sie mit der Arbeiterbewegung verbanden. So bedeutete Freiheitserklärung auf dem staatsbürgerlichen Gebiet noch nicht Freiheitsgewinn auf dem wirtschaftlich-gesellschaftlichen Gebiet. Hinzu kam, daß das Kraftbewußtsein der ständig mehr erstarkenden Arbeiterorganisation nach unmittelbarer praktischer Tat drängte, eine Gefühlslage, die ihren Hintergrund aus der Erkenntnis erhielt, daß der Kapitalismus nicht durch jene eherne Unwandelbarkeit charakterisiert sei, wie man lange Zeit hindurch angenommen hatte, daß vielmehr der Kapitalismus im Laufe seiner Entwicklung grundlegende Veränderungen durchmachte, über die man nicht hinwegsehen konnte.

Es ist wichtig, zu erkennen, daß die Entstehung des wirtschaftsdemokratischen Gedankenganges verknüpft ist mit einem bestimmten Zustand der kapitalistischen Entwicklung. Ihr geschichtlicher Standort ist da anzusetzen, wo der Konkurrenzkapitalismus übergeht in den organisierten Monopolkapitalismus, wo das Prinzip der freien Konkurrenz mehr und mehr weicht dem Prinzip der planmäßigen Produktionsregelung und der organisierten Marktbeherrschung. Erst mit dem sich herausbildenden Monopolkapitalismus aber entsteht der Begriff der Wirtschaftsführung, die einem Kapitalismus der freien Konkurrenz mit einer auf dem Wege über Angebot und Nachfrage herbeigeführten automatischen Selbstregulierung noch gänzlich fehlt. Die kapitalistischen Leitungsfunktionen werden in der Spätzeit des Kapitalismus mehr und mehr zusammengefaßt in Kartellen, Syndikaten, Trusts, Konzernen und sonstigen Organen, die die Monopolwirtschaft aus sich herausstellt und die wir als Unternehmensorganisationen zu bezeichnen pflegen. Die Wirtschaftsführung, die durch diese Organe erfolgt, kann nun auf zwei Wegen im Sinne des Allgemeinwohls umgestaltet werden: erstens durch Ausdehnung der staatlichen Kontrollfunktion über die Wirtschaft, zweitens durch *Demokratisierung der die Wirtschaftsführung ausübenden Organe*. Diese Demokratisierung wird erreicht durch Einschaltung von Arbeitervertretern, das heißt von Vertretern der Arbeiterorganisationen in alle Stellen der Wirtschaftsführung, eine Einschaltung, die mit Hilfe des Staates auf gesetzlicher Grundlage zu erfolgen hat und nicht etwa auf der Grundlage freiwilliger und jederzeit kündbarer Verständigung. Hier ist der deutliche Unterschied zu den mit Recht abgelehnten früheren »Arbeitsgemeinschaften«. Diese Entwicklung zur Wirtschaftsdemokratisierung muß aber zugleich unterstützt werden durch die Erhaltung und Mehrung der Wirtschaftsbetriebe der öffentlichen Hand, durch das Vorrücken von gemeinwirtschaftlichen und genossenschaftlichen

Wirtschaftsformen, namentlich der eigenen Wirtschaftsunternehmungen der Arbeiterschaft. In diesem Sinne ist Wirtschaftsdemokratie die Entwicklung zu einer dem allgemeinen Volksinteresse dienenden *Versorgungswirtschaft* durch Demokratisierung aller Organe der wirtschaftlichen Selbstverwaltung sowie durch eine planmäßig durchgeführte Wirtschaftskontrolle und Wirtschaftsführung seitens des demokratischen Staates.

Abschließend ist der gegenwärtige Stand der Dinge wie folgt zu charakterisieren: Noch ist keine Wirtschaftsdemokratie als abgeschlossener Zustand vorhanden, denn noch fehlt das Gemeinwesen Wirtschaft und noch besteht das Bollwerk des Privateigentums an den Produktionsmitteln fort. Wohl aber ist vorhanden und im Fluß ein Prozeß der Wirtschaftsdemokratisierung, eine Entwicklung zur Wirtschaftsdemokratie, für die bereits eine ganze Reihe von Belegen angeführt werden kann (Reichskohlenrat, Reichskalirat, Zentralausschuß der Reichsbank, Reichseisenbahnrat, Verwaltungsrat der Reichspost, Reichswasserstraßen-Beirat, Beirat für das Branntweinmonopol usf.). Dieser Prozeß wird vorangetragen durch die Kraft der Arbeiterbewegung, zusammengefaßt im Machtkampf der Gewerkschaften auf der einen und der organisierten politischen Arbeiterbewegung auf der anderen Seite. Nur darf nicht vergessen werden – und das kann nicht deutlich genug betont und nicht häufig genug wiederholt werden –, daß Wirtschaftsdemokratie nie Ziel, sondern immer nur Weg ist. Wirtschaftsdemokratie als Ersatz der Sozialisierung wäre ein schlechter Trost, für den sich die Arbeiterschaft bald bedanken würde. Wirtschaftsdemokratie *als Weg* zur Wirtschaftssozialisierung, durch den Prozeß der Wirtschaftsdemokratisierung zum Gemeinwesen der sozialistischen Wirtschaft, das ist vielmehr die einzige historische Einordnung und Aufeinanderfolge, die dem großen Emanzipationskampf der Arbeiterschaft nützlich sein kann.

9. Entschließung des Bundestags des ADGB vom September
   1928 zur Wirtschaftsdemokratie

Diese vom Bundestag des ADGB im September 1928 in Hamburg gegen zwei Stimmen verabschiedete Entschließung faßte die Konzeption der Wirtschaftsdemokratie knapp zusammen, über die zuvor Fritz Naphtali ausführlich referiert hatte.

Quelle: Protokoll der Verhandlungen des 13. Kongresses der Gewerkschaften Deutschlands. Abgehalten in Hamburg vom 3. bis 7. September 1928. Berlin 1928, S. 20–22.

Ausgehend von der Erkenntnis, daß das Wohl der Arbeiterklasse neben dem unverändert im Vordergrund der gewerkschaftlichen Aufgaben stehenden Kampf um die Verbesserung der Lohn- und Arbeitsbedingungen entscheidend abhängig ist von der Umwandlung des Wirtschaftssystems, erhebt der 13. Kongreß der Gewerkschaften Deutschlands von neuem die Forderung der Demokratisierung der Wirtschaft.

Die Gewerkschaften erblicken, wie es der Nürnberger Kongreß im Jahre 1919 schon erklärt hat, im Sozialismus gegenüber der kapitalistischen Wirtschaft die höhere Form der volkswirtschaftlichen Organisation. Die Demokratisierung der Wirtschaft führt zum Sozialismus. Diesen Weg deutlich zu zeigen und die ökonomische und gesellschaftliche Entwicklung auf diesem Wege zu führen, ist eine Aufgabe, die in erster Linie den Gewerkschaften zufällt. Nicht als fernes Zukunftsziel, sondern als täglich fortschreitender Entwicklungsprozeß stellt sich die Umwandlung des Wirtschaftssystems dar. In diesem Entwicklungsprozeß sind der organisierten Arbeiterschaft vielfältige Einzelaufgaben erwachsen.

Die Demokratisierung der Wirtschaft bedeutet die schrittweise Beseitigung der Herrschaft, die sich auf dem Kapitalbesitz aufbaut, und die Umwandlung der leitenden Organe der Wirtschaft aus Organen der kapitalistischen Interessen in solche der Allgemeinheit. Die Demokratisierung der Wirtschaft erfolgt schrittweise mit der immer deutlicher sichtbaren Strukturwandlung des Kapitalismus. Deutlich führt die Entwicklung vom kapitalistischen Einzelbetrieb zum organisierten Monopol-Kapitalismus. Damit wurden auch die Gegenkräfte der organisierten Arbeiterschaft und der politisch-demokratisch organisierten Gesellschaft geweckt. Der Gegenstoß gegen die wirtschaftliche Autokratie des Unternehmertums ist bisher schon nicht erfolglos geblieben. Lebenswichtige Zweige der Wirtschaft werden bereits in der kapitalistischen Gegenwart in steigendem Maße von der privaten in die öffentliche Hand übergeführt. Die Arbeitsbedingungen hängen nicht mehr allein von der Freiheit des Marktes ab, die für den Arbeiter schlimmste Unfreiheit bedeutete. Sie werden gestaltet unter dem zunehmenden Einfluß der Gewerkschaften und mitgeformt von Gesetzen, die der demokratisierte Staat gegen die Freiheit der Ausbeutung erlassen muß. Auch eine Wandlung des Eigentumsrechtes ist in ihren Anfängen sichtbar.

Diese Anfänge der Neuordnung erleichtern es der Arbeiterklasse, die Demokratisierung der Wirtschaft weiterhin in schnellerem Tempo zu fördern. Auf zwei Wegen ist die Kraft der Gewerkschaften hierfür einzusetzen. Auf der einen Seite stehen die Forderungen an die Gesetzgebung und die öffentliche Verwaltung. Sie werden sich in dem Maße durchsetzen, als die Gewerkschaften und die politische Macht der Arbeiterschaft im demokratischen Staat sich Geltung und Einfluß erringen. Auf der anderen Seite stehen die Aufgaben des Aufbaues neuer demokratischer Wirtschaftsformen, die unmittelbar von der organisierten Arbeiterschaft selbst, ohne den Umweg über den Staat, zu erfüllen sind.

Zu diesen Aufgaben und Forderungen gehören die Ausgestaltung des kollektiven Arbeitsrechts, des sozialen Arbeitsschutzrechts, der Ausbau und die Selbstverwaltung der Sozialversicherung, die Erweiterung des Mitbestimmungsrechts der Arbeitnehmer im Betrieb, die paritätische Vertretung der Arbeiterschaft in allen wirtschaftspolitischen Körperschaften, die Kontrolle der Monopole und Kartelle unter voller Mitwirkung der Gewerkschaften, die Zusammenfassung von Industrien zu Selbstverwaltungskörpern, die Ausgestaltung der Wirtschaftsbetriebe in öffentlicher Hand, die Produktionsförderung in der Landwirtschaft durch genossenschaftliche Zusammenfassung und Fachschulung, die Entwicklung der gewerkschaftlichen Eigenbetriebe, die Förderung der Konsumgenossenschaften, die Durchbrechung des Bildungsmonopols.

Die Durchführung dieser Aufgaben wird nicht nur die geistigen und materiellen Lebensbedingungen der Arbeiterklasse verbessern, sie wird gleichzeitig durch die Befreiung der Wirtschaft vom privaten Profitstreben die Lebensbedingungen der Gesamtheit auf eine höhere Stufe heben.

Dieser Kampf für eine neue Wirtschaftsordnung wird um so erfolgreicher geführt werden können, je geschlossener die Arbeiterklasse zusammenhält, je einiger sie sich für die Erringung ihrer Ziele einsetzt. Den Rahmen für diesen Befreiungskampf bilden die Verbände, unter deren Banner die Arbeiterschaft schon bisher von Erfolg zu Erfolg geschritten ist, bilden die von der Arbeiterschaft für die Arbeiterschaft geschaffenen Gewerkschaften.

IV. Die Frage der »Einheitsfront«

10. Artikel der ›Roten Fahne‹ vom 18. November 1931

Das Zentralorgan der KPD nahm in diesem Artikel unter der Überschrift ›Einheitsfront und »Einheitsfront«‹ Stellung zu einem Vorschlag Rudolf Breitscheids, des Vorsitzenden der Reichstagsfraktion der SPD. Dieser hatte am 14. November 1931 in einer Rede in Darmstadt erklärt, wenn die KPD dem Terror einzelner Gruppen ein Ende mache, sei ein Hindernis für eine Zusammenarbeit von SPD und KPD gefallen. Breitscheid reagierte mit dieser Äußerung auf einen Beschluß des Zentralkomitees der KPD vom 10. November 1931, der sich scharf gegen »jede Verfechtung oder Duldung der terroristischen Ideologie und Praxis« ausgesprochen hatte. Damit distanzierte sich die KPD-Führung von Gewaltaktionen kommunistischer Gruppen im Sommer und Herbst 1931.
Quelle: Rote Fahne, Nr. 210 vom 18. November 1931.

Als Herr Breitscheid anläßlich der Ereignisse der letzten Monate sich an die Stelle, die sich bei ihm Kopf nennt, faßte und eine Abhilfe suchte, kam er auf die Idee der »Einheitsfront«. Breitscheid deutete in seiner Darmstädter Rede die Möglichkeit einer Einheitsfront von SPD und KPD zur Abwehr des Faschismus an.

Was ist der Faschismus, den es abzuwehren gilt? *Was* ist das für eine Waffe, die Einheitsfront, mit deren Hilfe der Faschismus abgewehrt werden kann?

Ist der Faschismus als Bewegung und Herrschaftsmethode ein Zufall, ist das eine Bewegung, die über und zwischen den Klassen steht? Keineswegs. Der Faschismus ist vielmehr eine von der Bourgeoisie geschaffene und gezüchtete Kraft. Es gibt solche Situationen für die Kapitalistenklasse, wo sie mit den alten Herrschaftsmethoden nicht weiter kann, wo das alte bürgerliche Parteisystem die Massen nicht mehr bei der Stange halten kann und wo sie zum Faschismus greifen muß.

Es wäre lächerlich, in einer Gesellschaft wie der unsrigen, die durch den Klassengegensatz so zerklüftet und gespalten ist, eine große gesellschaftliche Bewegung als Bewegung ohne feste Klassenbindungen anzusehen. Der Faschismus dient genauso wie die Brüningparteien den Interessen der Kapitalistenklasse.

Der *Hitler-Faschismus* unterscheidet sich keineswegs grundsätzlich von dem *Faschismus* der *Brüningparteien.* Dem Bündnis Brüning-Hitler stehen keine unüberwindlichen Hemmnisse entgegen. Im Gegenteil, das System Brüning ist nur die Vorbereitung des Systems Hitler.

Mögen die Politiker der Brüningparteien ab und zu scharfe Worte gegen die Nazis gebrauchen, das System Brüning ist mit dem System Hitler durch tausende Fäden verbunden und verknüpft. Der *Wirtschaftsbeirat*, der vom ADGB bis zur Harzburger Front reicht; der »Bund der drei Gewerkschaften«, vom Sozialdemokraten Eggert bis zum Nationalsozialisten Stöhr. Solche und ähnliche Berührungspunkte zwischen den zwei Systemen – dem System Hitler und System Brüning – bestehen schon jetzt in Hülle und Fülle.

Was ist die Einheitsfront, mit deren Hilfe man den Faschismus bekämpfen kann? Einheitsfront heißt Massenkampf der deutschen Arbeiterklasse.

Wir wollen nur *ein Beispiel* anführen: Der Theoretiker des Zentrums, Prof. Friedrich Dessauer, hat vor kurzem im *Deutschen Volkswirt* eine Zusammenstellung über landwirtschaftliche und industrielle Subventionen veröffentlicht. Danach werden in Deutschland etwa 4,15 Milliarden Mark jährlich für die Unterstützung der Landwirtschaft (lies Großagrarier!) und 1,27 Milliarden jährlich für die Industrie ausgegeben. Das ist zusammen eine nette Summe von 5,42 Milliarden Mark. Diese Gelder werden mit Hilfe von Industriezöllen, durch den öffentlichen Haushalt und mit verschiedenen anderen Methoden aus dem deutschen Volke herausgepumpt und in die Taschen der Großagrarier und Industriellen hineingepumpt. Professor Dessauer schreibt mit Recht, daß diese Gelder »*durch die öffentliche Fürsorge*« aufgebracht werden. Damit wir einen Vergleich über die Größe dieser Summen haben, sei hier angeführt, daß im Jahre 1930 die Zuschüsse der öffentlichen Hand für die Erwerbslosen 1,5 Milliarden betrugen.

Sie wollen Einheitsfront, Herr Breitscheid. Wie wäre es, wenn der Allgemeine Deutsche Gewerkschaftsbund den Kampf gegen die Verschleuderung dieser 5,4 Milliarden Mark, die für 30 000 Großagrarier mit ihren Familien und etwa die gleiche Zahl Großindustrieller mit ihren Familien jährlich ausgegeben werden, aufnehmen würde? Man könnte schlimmstenfalls die Herren Großagrarier und Großindustriellen, nach der Liquidierung der Subventionen, der Erwerbslosenversicherung zuführen und nach den Höchstsätzen dieser Anstalt versorgen. Mit den 5,4 Milliarden Mark aber könnte man die Erwerbslosenversicherung und die gesamte Sozialversicherung in Deutschland erhalten und sogar ausbauen.

Wie wäre es, wenn der ADGB, der doch 5 Millionen Arbeiter umfaßt, den Kampf um diese 5,4 Milliarden aufnähme? Dabei meinen wir unter Kampf natürlich nicht einen Bittgang nach der Wilhelmstraße.

Wie kann man überhaupt Hitler bekämpfen, ohne daß man die Arbeiterschaft im Betrieb und auf der Stempelstelle, im Arbeiterviertel und auf der Straße mobilisiert? Es gibt nur eine Kraft, vor der Hitler zurückweichen wird, und das ist die vereinigte Kraft der deutschen Arbeiterklasse. Nur eine zum Kampf bereite, zum Kampf mobilisierte, in Streiks gegen die Unternehmer gestählte, in der Abwehr gegen die Mordbanden Hitlers geeinte Arbeiterschaft kann den Faschismus vernichten.

Im vorigen Herbst, um ein *anderes Beispiel* zu nennen, war der große Berliner Metallarbeiterstreik. *Das war der größte Streik der letzten Jahre.* Dieser Streik war die große Kraftprobe, die den ersten Anschlag der Unternehmer auf die Tariflöhne abwehren sollte. Der Ausgang dieses Streiks, die Niederlage der Berliner Metallarbeiter, öffnete dem Lohnraub in Deutschland Tür und Tor. Die Lohnbewegungen des Herbstes und Frühjahrs wurden durch den Berliner Metallarbeiterstreik beeinflußt.

War es nicht die Aufgabe einer Organisation, die angibt, im Namen von fünf Millionen organisierter Arbeiter zu sprechen, diesen Streik mit allen Mitteln durchzufechten? Wo blieb die *Einheitsfront?* Die Parteifreunde der Herren Breitscheid, Ulrich und Sinzheimer, haben im Auftrage des SPD-Vorstandes eine Einheitsfront mit Borsig und Siemens durchgeführt *gegen* die Berliner Arbeiter, gegen die deutschen Arbeiter.

Einheitsfront des Herrn Breitscheid bedeutet: *Brüning toleriert Hitler, Breitscheid toleriert Brüning, die KPD soll Breitscheid tolerieren.*

Merkt denn nicht heutzutage jeder sozialdemokratische Arbeiter, wohin der Tolerierungsweg führt? Anderthalb Jahre wird Brüning von der SPD toleriert, und in diesen anderthalb Jahren hat Hitler seine größten Erfolge zu verzeichnen.

Die SPD ist die entscheidende Kraft, die die Durchführung der faschistischen Diktatur in Deutschland ermöglicht. Der siegreiche Kampf der deutschen Arbeiterklasse gegen den Faschismus ist zugleich der Kampf gegen Hitler und Breitscheid, Brüning und Wels.

Nicht von ungefähr redete Breitscheid von Einheitsfront. *Tief* in den breitesten Massen der deutschen Arbeiterschaft ist der Wille zur kämpfenden Einheitsfront wach. Diese Einheitsfront wird tagaus, tagein in den Arbeitsstätten und auf den Arbeitsnachweisen geschmiedet. Eine gemeinsame Versammlung sozialdemokratischer, parteiloser und kommunistischer Arbeiter, eine gemeinsam durchgeführte Widerstandsaktion in einer Betriebsabteilung, ein Streik, jede gemeinsame aktive Willensäußerung von Arbeitern ist die Wirklichkeit dieser Einheitsfront. Die »Einheitsfront«, die Herr Breitscheid wünscht, ist eben eine solche »Einheitsfront«, die die einheitliche Kampffront der deutschen Arbeiterschaft verhindern will.

Das wird ihm aber genau so wenig gelingen, wie seinem Parteifreund, dem preußischen Polizeiminister Severing, wie dem Herrn Groener, der von der SPD toleriert wird, wie dem Herrn Brüning, der im Reichstag offen ausgesprochen hat, es müsse eine solche Politik geführt werden, die es verhindert, daß die Einheitsfront der deutschen Arbeiterschaft hergestellt wird.

Kampf gegen den Faschismus heißt Kampf gegen die SPD, genau so, wie es Kampf gegen Hitler und die Brüningparteien heißt.

Es gibt nur zwei Lager, nur zwei Fronten – die *Front* der ausgebeuteten und entrechteten deutschen Proletarier ohne Unterschied von Parteizugehörigkeit und Parteisympathien und die *Front* der Satten von Ulrich bis Borsig, von Breitscheid bis Groener und Hitler.

Nicht *mit*, sondern *gegen* Breitscheid wird der Faschismus in Deutschland geschlagen werden.

11. Artikel Friedrich Stampfers im ›Vorwärts‹ vom 19. Juni 1932

In diesem Artikel setzte sich der Chefredakteur des sozialdemokratischen Zentralorgans mit den Einheitsfrontangeboten der KPD auseinander. Die KPD hatte im April und Mai 1932 ihren Konfrontationskurs gegen die SPD korrigiert und sich dann bemüht, mit den Basisorganisationen der SPD in Kontakt zu kommen.
Quelle: Vorwärts, Nr. 285 vom 19. Juni 1932.

Von der proletarischen Einheitsfront wird viel geredet, aber nicht alle, die von ihr reden, verbinden mit dem Wort eine genaue Vorstellung. Eine proletarische Einheitsfront kann dadurch entstehen, daß die Kommunisten Sozialdemokraten werden oder umgekehrt die Sozialdemokraten Kommunisten, aber die Herstellung einer solchen Einheitsfront wäre, wenn überhaupt, erst nach Jahren oder Jahrzehnten möglich – *für die Gegenwart* bedeutet sie nichts anderes als erbitterten Kampf der Parteien um die Führung des Proletariats, also das *Gegenteil* von Einheitsfront.

Immerhin ist der Weg zur Einheitsfront unter sozialdemokratischer Führung viel kürzer als der Weg zur Einheitsfront unter Führung der KPD; denn die Zahl der sozialdemokratischen Arbeiter ist bekanntlich viel größer als die der kommunistischen. Es könnte leichter geschehen, daß die 4,6 Millionen kommunistischer Wähler von 1930 zur Sozialdemokratie kommen, als daß 8,6 Millionen sozialdemokratischer Wähler zur KPD stoßen. Die *Eiserne Front* kann, rein zahlenmäßig gesehen, viel eher den Anspruch erheben, *die Einheitsfront* des Proletariats darzustellen als die KPD samt der RGO.

Zuzugestehen ist trotzdem, daß das, was mit der *Gegenwarts*forderung nach der Einheitsfront gemeint ist, weder in der KPD gegeben ist noch in der Sozialdemokratischen Partei.

Die Einheitsfront für »später einmal« braucht uns also hier nicht weiter zu kümmern. Das Problem ist die Einheitsfront von morgen. Die Einheitsfront von morgen ist nur möglich, wenn bei den Parteien der *Wille* vorhanden ist, sie zu bilden. Je nach der Intensität dieses Willens würde dann diese Einheitsfront entweder eine auf Dauer berechnete feste Phalanx oder eine losere Kombination auf Zeit darstellen. Die Einheitsfront der ersten Art ist nicht möglich, da die Gegensätze der grundsätzlichen Auffassungen viel zu groß sind. Es käme also nur eine *losere Kombination auf Zeit* in Frage. Aber auch die ist nur dann möglich, wenn man auf eine massive gegenseitige Bekämpfung, die mit *Beschimpfungen und Verleumdungen* arbeitet, *verzichtet* und sich über das beiderseitige Vorgehen in der nächsten Zeit einigermaßen verständigt.

Um die Voraussetzungen für eine solche Einheitsfront – die allein mögliche – zu schaffen, bedarf es bei der Sozialdemokratie kaum einer Änderung ihres bisherigen Verhaltens. Ein Blick in unsere Presse zeigt, daß uns *der Kampf gegen rechts* alles ist, und daß wir uns gegen die Kommunisten nur dann zur Wehr setzen, wenn sie uns in diesem Kampfe behindern. Es liegt bei den Kommunisten, die Polemik zum Stillstand zu bringen oder sie auf ein Mindestmaß zu reduzieren. *Die Kommunisten haben das aber bisher auf das schärfste abgelehnt.*

Infolgedessen fehlt bisher auch die erste Voraussetzung für eine Verständigung über das beiderseitige taktische Verhalten.

Nun ist zuzugeben, daß diese Verständigung etwas schwerer wäre, doch liegen auch hier die Schwierigkeiten nur bei den Kommunisten. Die Sozialdemokratie steht zu dem neuen System in allerschärfster Opposition: Tolerierungs- oder Koalitionsfragen gibt es zur Zeit nicht. Wohl aber besteht die Tatsache einer *kommunistisch-nationalsozialistischen Einheitsfront* im Preußischen Landtag, die ihre Spitze gegen die Sozialdemokratie richtet. Man denke nur an den nationalsozialistischen Antrag auf Absetzung Grzesinskis, der mit kommunistischer Hilfe angenommen wurde!

Die Kommunisten, die am letzten Donnerstag in unseren Versammlungen auf dem Wedding waren, können ihren Genossen erzählen, wie dort die rein sachliche Mitteilung von der eben erfolgten Abstimmung im Landtag von den sozialdemokratischen *Arbeitern* aufgenommen wurde. Ich habe überhaupt den Eindruck, daß die Erbitterung über kommunistische Taten solcher Art bei den sozialdemokratischen Massen viel größer ist als bei den Führern. Die Kommunisten belügen sich selbst, wenn sie sich einreden, die sozialdemokratischen Arbeiter wären eigentlich bereit, jeden Tag zu ihnen überzulaufen, wenn nur die bösen Führer sie nicht mit List und Tücke daran hinderten.

Wenn sich die sozialdemokratischen Führer zur Bildung einer Einheitsfront mit den Kommunisten bereit erklären wollten, *ohne* daß die Kommunisten auf ihre Schimpftaktik und auf ihre Kooperation mit den Nazis verzichteten, so würden sie von den sozialdemokratischen Arbeitern davongejagt werden!

Man kann also die Sache drehen wie man will, die Einheitsfront ist nur denkbar als lose Kombination auf Zeit, und auch die ist nur möglich, wenn die Kommunisten darauf verzichten, über die Sozialdemokraten zu schimpfen und mit den Nationalsozialisten zu stimmen. Dieser Verzicht sollte aber den Kommunisten nicht schwerfallen, wenn sie sich überlegen, wie sich in den letzten Jahren die Dinge geändert haben.

Früher gab es für die KPD nur *ein* Reservoir, aus dem sie schöpfen konnten, das war die Millionenmasse der sozialdemokratischen Wähler. Sie suchten daher durch schärfste Angriffe auf die Sozialdemokratie möglichst viele Wähler zu sich hinüberzuholen. Heute aber stehen leider auch *in der NSDAP gro-*

ße *Massen von Proletariern*, und zwar zum Teil solche, die es früher einmal mit der KPD gehalten hatten. Der Versuch, diese verlorenen Anhänger zurückzugewinnen, müßte die KPD eigentlich reizen und könnte ihre Kräfte in weitem Maße in Anspruch nehmen. Einer zielbewußten »antifaschistischen Aktion« wäre damit weit besser gedient als mit einem sturen Loshacken auf die Sozialdemokratie.

Ähnliche Gedankengänge habe ich kürzlich in einer Rede in Hamburg entwickelt. Darauf hat Thälmann in einer Rede in Darmstadt geantwortet, ich hätte »von einer Einheitsfront kommunistischer und sozialdemokratischer *Führer* gefaselt«. Eine Einheitsfront mit Severing und Hilferding könnte aber *niemals* zustande kommen. Schön, dann müssen eben die Arbeiter entscheiden, ob sie die besseren geistigen und moralischen Führerqualitäten bei Thälmann oder bei Severing und Hilferding finden, und erst wenn alle bei Thälmann sind, wird die »Einheitsfront« da sein, die Thälmann will und die den Faschismus schlägt.

So lange warten können wir nicht! Der Feind steht vor den Toren. In sechs Wochen fällt die Entscheidung. Wenn wir Sozialdemokraten die Abwehr kommunistischer Angriffe auf das Notwendige beschränken und unsere *ganze Kraft gegen das Hitler-Papen-System* richten, so tun wir für die proletarische Einheitsfront *alles, was wir tun können*, und dieses Tun ist besser als bloßes Gerede. Wo mit dem Einsatz aller Kräfte der Kampf gegen den Faschismus geführt wird, wie *wir* ihn führen, *dort wächst die proletarische Einheitsfront!*

12. Erklärung des Bundesvorstands des ADGB vom 22. Juni 1932 zur Frage der Einheitsfront

Der Bundesvorstand des ADGB diskutierte in seiner Sitzung am 21. Juni 1932 über die Frage der Einheitsfront, nachdem Albert Einstein, Heinrich Mann und Käthe Kollwitz in einem gemeinsamen Appell an KPD und SPD ein Zusammengehen der beiden Parteien im Reichstagswahlkampf gefordert hatten. Als Ergebnis seiner Beratungen verabschiedete der Bundesvorstand des ADGB eine Entschließung, die den Gewerkschaftsmitgliedern zeigen sollte, »daß die KPD keine Einheitsfront will«.

Quelle: Peter Jahn (Bearb.), Die Gewerkschaften in der Endphase der Republik 1930–1933. Köln 1988, S. 611 f.

Seit dem Sturz der Regierung *Brüning* wird der Gedanke der Einheitsfront der Sozialdemokratie und der Kommunistischen Partei unter der Arbeiterschaft in den Betrieben lebhaft erörtert.

Der Vorstand des ADGB ist fest davon überzeugt, daß der Kampf gegen den gemeinsamen Feind das geschlossene Vorgehen der gesamten deutschen Arbeiterbewegung zur gebieterischen Pflicht macht. In den anderthalb Jahrzehnten der Nachkriegszeit, seit dem Beginn der verhängnisvollen politischen Spaltung der deutschen Arbeiterbewegung, waren die Freien Gewerkschaften die Träger des Einheitsgedankens. In ihren Reihen war dieser Gedanke in den Grenzen des politisch Möglichen verwirklicht. Daß man sich von allen Seiten gerade an sie, insbesondere an den Vorstand des ADGB wendet, die Rolle des Mittlers zu übernehmen, beweist, daß diese Tatsache allseitig anerkannt wird.

Leider hat diese Anerkennung noch nicht zu der Einsicht geführt, daß die Voraussetzung für eine Einheitsfront die Einstellung des gehässigen und verleumderischen Bruderkampfes ist, der tagtäglich in Versammlungen, in der Presse und in Flugblättern geführt wird. Das Zentralkomitee der Kommunistischen Partei Deutschlands hat sich noch in neuester Zeit ausdrücklich dazu bekannt, diesen Kampf hemmungslos fortzusetzen. In einer Erklärung vom 20. Juni 1932 sagt die kommunistische Parteizentrale:

> Die Kommunisten erklären dabei ganz offen, daß sie nicht daran denken, den Parteien, mit deren Hilfe und durch deren Politik der Faschismus zur Macht gelangte, einen »Burgfrieden« zu gewähren, wie es die SPD- und ADGB-Führer wünschen, weil sie um ihre Mandate zittern ... Es gibt für die Kommunisten keinen »Burgfrieden« mit Verrätern und Feinden der Arbeiterklasse.

Diese Erklärung ist unter ausdrücklicher Bezugnahme auf die Einheitsbestrebungen in der Arbeiterschaft von der höchsten Instanz der KPD abgegeben worden. Unter diesen Umständen sieht der Vorstand des ADGB für Einigungsversuche keine Erfolgsmöglichkeiten.

Die einheitliche Abwehrfront der politischen Parteien der deutschen Arbeiterbewegung ist nur denkbar, wenn alle Beteiligten freiwillig darauf verzichten, die Kampfgenossen in entehrender Weise anzugreifen. Der Verzicht auf böswillige Verunglimpfung der Gewerkschaften und der Sozialdemokratie während des Wahlkampfes ist die Mindestbedingung, die die Kommunistische Partei erfüllen muß, wenn der Vorstand des ADGB seinen Einfluß für die Bildung einer gemeinsamen politischen Abwehrfront in die Waagschale werfen soll. Es ist eine Forderung, auf die kein ehrlicher Befürworter der Einheitsfront verzichten kann.

Es wird die Aufgabe der organisierten Arbeiter selbst sein, die moralischen Grundlagen für ein einheitliches Vorgehen der gesamten deutschen Arbeiterbewegung zu schaffen. Sie müssen jedem, der den Bruderkampf in ihren Reihen mit den bisherigen verwerflichen Mitteln in Wort und Tat fortsetzt, unzweideutig klarmachen, daß er den Todfeinden der deutschen Arbeiterschaft den Weg zum Siege bahnt.

V. Das Ende der Arbeiterbewegung 1933

13. Rede Rudolf Breitscheids auf der Sitzung des Parteiausschusses der SPD am 31. Januar 1933

Am Vormittag des 31. Januar 1933 – einen Tag nach der Ernennung Hitlers zum Reichskanzler – tagte der Parteiausschuß der SPD mit Vertretern der Reichstagsfraktion und der Eisernen Front. An dieser rund einstündigen Sitzung nahmen über 70 Personen teil. Breitscheids Ausführungen stießen auf keinen Widerspruch. Auch der stellvertretende Vorsitzende des ADGB, Peter Graßmann, nannte einen befristeten Generalstreik zu diesem Zeitpunkt »politischen Unsinn«. Die Rede Breitscheids wurde unter dem Titel ›Bereit sein ist alles!‹ dann in großer Auflage verbreitet.

Quelle: Hagen Schulze (Hrsg. u. Bearb.), Anpassung oder Widerstand? Aus den Akten des Parteivorstands der deutschen Sozialdemokratie 1932/33. Bonn-Bad Godesberg 1975. S. 138–148 (Auszüge).

BREITSCHEID: Genossinnen und Genossen! Was viele von uns auf Grund der Wahlergebnisse des letzten Jahres und auf Grund der ablehnenden Haltung, die der Reichspräsident im August und November 1932 eingenommen hatte, für unmöglich gehalten hatten, ist Wirklichkeit geworden: Seit gestern ist Adolf Hitler Reichskanzler! Und zwar ist er Reichskanzler auf legalem Wege geworden, nicht durch einen Putsch, nicht durch einen Marsch auf Berlin. [...]

Wenn wir, Genossinnen und Genossen, die Dinge rückschauend betrachten, so glaube ich, daß die Entwicklung, die zu diesem Ergebnis geführt hat, eigentlich zwangsläufig gewesen ist. Von dem Augenblick an, in dem das Spiel mit den autoritären Kabinetten begann, war es fast unabwendbar, daß die Regierung zuletzt in die Hand des Mannes fallen mußte, der sich selbst für den autoritärsten in Deutschland hielt und hält und der von einer großen Masse des Volkes ebenfalls für den autoritärsten gehalten wird. [...]

Die Entwicklung ist zwangsläufig gewesen, und doch muß eine Einschränkung gemacht werden. Bei aller Anerkennung der Notwendigkeit der Entwicklung dürfen wir nicht an der Schuld derjenigen vorübergehen, die an der Beschleunigung dieser Entwicklung mitgeholfen haben. Das haben einmal die Nationalsozialisten getan dadurch, daß sie die Demokratie bekämpft und die Diktatur proklamiert haben. Für sie hatte das, von ihrem Standpunkt aus gesehen, einen Sinn, es war die Politik, die zur Vorbereitung ihrer Sache notwendig war. Verbrecherisch war aber, daß die Kommunisten dasselbe taten. Sie haben ebenso wie die Nationalsozialisten gegen uns Front gemacht und den Willen zur Demokratie gelähmt mit dem Erfolg, daß die Gegner der Arbeiterschaft den Weg zur Macht für sich gebahnt fanden. [...]

Hitler ist zwar Reichskanzler, aber es sitzen mehrere Aufpasser des Reichspräsidenten im Kabinett, wie Papen, Krosigk, von Neurath. Wir dürfen überzeugt sein, daß sie dahin gebracht worden sind durch den Reichspräsidenten, um Herrn Adolf Hitler, dem Mann, dessen Idee doch die Alleinherrschaft ist, Schranken zu setzen und Fesseln aufzuerlegen.

Ich glaube, es wäre bedenklich, wenn die Sozialdemokratische Partei und wenn die Arbeiterschaft überhaupt durch irgendwelche ungestümen und voreiligen Aktionen eine Entwicklung, die sich innerhalb dieser Regierung vollziehen muß, hindern und hemmen würde, wenn sie dazu beiträgt, um diese einander widerstrebenden Kräfte zusammenzuschweißen. Es wäre falsch und bedenklich, aus den Gründen, die ich erwähnt habe, auf ein baldiges und schnelles Ende der Hitlerschen Herrlichkeit zu spekulieren. Wir dürfen den zur Macht gelangten Gegner nicht unterschätzen. Wir haben unsere Politik so einzustellen, als seien wir überzeugt davon, daß er stark ist, daß er seine Macht behalten will und daß er alles tun wird, um sich in der Macht zu befestigen. Wir haben gelegentlich der Diskussionen über unsere Tolerierung häufig und mit Recht gesagt und wiederholen es heute, es war leichter, ihn von der Macht fernzuhalten als ihn zu vertreiben, wenn er sie hat. Wir müssen uns des ganzen Ernstes der Situation bewußt sein, wir müssen entschlossen sein, unsere ganze Kraft und unseren ganzen Willen aufzubieten, um das gegenwärtige Regierungssystem wieder zu beseitigen.

Denn schließlich liegen die Dinge bei Hitler anders als bei Schleicher und Papen. Es liegt auf der Hand: Wenn diese Karte Hitler nicht sticht, dann hat der Gedanke der Autorität überhaupt ausgespielt. Und deshalb werden alle Gegner der Arbeiterklasse und der Demokratie, solange es irgend möglich ist, bemüht sein, dieses neue System, dieses Hitler-System, diesen letzten Trumpf der Autorität zu halten. [...]

Es ist begreiflich, daß man in Diskussionen jetzt in erster Linie spricht von den außerparlamentarischen Aktionen und die Frage ventiliert: Massenstreiks, Einzelstreiks, Demonstrationen mit dem Ziel, daß etwas anderes und mehr daraus wird als eine Manifestation in der Öffentlichkeit.

Wir stellen die Gegenfrage: Ist der Augenblick zu einer großen außerparlamentarischen Aktion gekommen? Welches Ziel soll eine solche außerparlamentarische Aktion haben, und wenn wir bereit sind, sie zu unternehmen, verspricht diese Aktion dann Erfolg?

Ich will meine Meinung dazu sagen. Wenn Hitler sich zunächst auf dem Boden der Verfassung hält, und mag das hundertmal Heuchelei sein, wäre es falsch, wenn wir ihm den Anlaß geben, die Verfassung zu brechen, ihn von dem Boden des Rechtes entfernen, abgesehen von dem Grund, daß wir in demselben Augenblick die widerstrebenden Kräfte innerhalb des Kabinetts zusammenschweißen.

Wenn Hitler den Weg der Verfassung beschreitet, steht er an der Spitze einer Rechtsregierung, die wir bekämpfen können und müssen, mehr noch als die früheren, aber es ist dann eben eine verfassungsmäßige Rechtsregierung.

Man wird den Einwand erheben, Hitler denkt nicht daran, auf dem Wege zu bleiben, er wird die Verfassung brechen.

Die Konsequenz ist die, daß wir alles zu tun haben, um für den Augenblick dieses Verfassungsbruches gerüstet zu sein. Dann ist es zu spät, wird man sagen, dann hatte er die Möglichkeit, bereits etwas zu tun. Aber wenn wir heute etwas unternehmen, glaubt nur, daß in derselben Minute von seiten der Regierung alles geschehen würde, um uns durch das Verbot von Zeitungen, Versammlungen, durch Hindernisse aller Art unsere Aktionsfähigkeit gegen die Regierung zu rauben.

Man sprach auch von der Möglichkeit, einen befristeten Generalstreik zu unternehmen. Verspricht man sich davon einen Erfolg, wenn man zwei bis vier Stunden oder vielleicht einen ganzen Tag streikt? Danach gehen die Arbeiter in die Betriebe zurück, und Hitler wird sich sagen, das Schlimmste ist überstanden. Die größere Gefahr wäre die, wir und die Gewerkschaften geben die Parole aus: Zurück in die Betriebe, und die Kommunisten fallen uns in den Rücken und sagen, hier muß die Revolution weitergetrieben werden, daß ein Teil unserer Anhänger sich dadurch beeinflussen läßt und daß dann eine Bewegung entsteht, die von der Staatsmacht zusammen mit der Reichswehr im Blute der Arbeiter erstickt wird. Dann sind uns auf lange Zeit hinaus die Wege zu solchen Aktionen abgeschnitten. [...]

Von Verhandlungen mit den Kommunisten mit dem Ziel der Einheitsfront verspreche ich mir nicht viel. Sie würden enden mit einer Entlarvungsfeststellung der SPD. Wir müssen immer wieder darauf hinweisen, wie dringend notwendig die Einheitlichkeit der Arbeiterschaft ist, es ist aber nicht zu reden von einer Einheitlichkeit mit der kommunistischen Partei und deren Leitern.

Wir müssen den Arbeitern heute klarmachen: Seht, wohin wir gekommen sind durch die Zerrissenheit der Arbeiterklasse, durch das Verhalten der Kommunistischen Partei gegenüber der Demokratie und dem Parlament! Seht, was notwendig ist. Im gegenwärtigen Augenblick notwendig ist nicht das Spiel mit der – meiner Meinung nach – unmöglichen Idee einer Diktatur des Proletariats. Notwendig ist die Vertretung des Gedankens des Selbstbestimmungsrechts der Arbeiter, d.h. der Demokratie und des Parlamentarismus. Notwendig ist der Sozialismus, aufgebaut auf dieser demokratischen Grundlage, der Sozialismus, der in Deutschland nur werden und nur leben kann, wenn er getragen ist von dem Gesamtwillen der gesamten arbeitenden Klasse.

Was haben wir zu tun in unserem Verhältnis zu den Kommunisten? Wir haben den Arbeitern das zu sagen, was notwendig ist, und ich habe den Eindruck gewonnen, daß gerade in der letzten Zeit das Verständnis für die Notwendigkeit der Demokratie auch in der Arbeiterklasse wieder gewachsen ist, daß die Arbeiter anfangen, zum mindesten sich abzuwenden von denen, die ihnen sagen: Parlament ist Unsinn, Parlament ist im besten Falle eine Tribüne, das Parlament und die Demokratie ist keine Regierungsform für die Arbeiterklasse.

Wie oft ist das Wort gesprochen worden: Bereit sein ist alles! Wir wiederholen dieses Wort, aber ich glaube, mehr als je sind wir verpflichtet, dieses Wort: Bereit sein ist alles! auch in die Tat umzusetzen, d. h. auf deutsch, daß für alle Organisationen der Arbeiterschaft, insbesondere für Partei und Gewerkschaft, der Moment gekommen ist, in dem sie sich in Beratungen, in Unterhaltungen, in Beschlüssen darüber klar sein müssen und klar werden, was unsererseits zu geschehen hat in dem Augenblick, wenn Hitler die demokratische Maske abwirft. Wir dürfen nicht nur den Menschen draußen sagen: Ihr müßt bereit sein, sondern wir müssen auch selber bereit sein. Die geordneten Instanzen der Arbeiterbewegung müssen meiner Meinung nach die Fühlung, die sie in den letzten Tagen mit besonderer Intensität wieder aufgenommen haben, dazu benutzen, um planvoll vorzugehen, um ihrerseits den Moment vorzubereiten, in dem wir die Bereitschaft der Arbeiterklasse verlangen, daß wir wissen, was in einem solchen Augenblick unter bestimmt formulierten Voraussetzungen zu geschehen hat.

Ich glaube sagen zu können: Wir stehen jetzt in einem Klassenkampf in seiner reinsten Form. Es stehen zwei Fronten einander gegenüber: die Arbeiterklasse auf der einen, die vereinigte Reaktion, der vereinigte Kapitalismus, unterstützt von den braunen Scharen des Herrn Hitler, auf der anderen Seite. Nie gab es eine klarere, einwandfreie Klassenkampfsituation als in diesem Moment, in dieser Zeit. Parteigenossinnen und -genossen! Wir müssen uns bewußt sein, daß nach Hitler nichts anderes mehr kommen kann und kommen darf als eine Regierung, auf die die Arbeiterschaft den maßgebenden Einfluß ausübt.

Für diese Entscheidungsstunde gilt es frei zu sein, für diese Entscheidungsstunde gilt es die Kräfte zu sammeln. Zu früh losschlagen hieße nur die Lebensdauer des Gedankens der Autorität verlängern. Wir müssen wissen, was wir wollen, und wir müssen wollen, was wir wissen; aber wir müssen an diese Dinge mit jener Kaltblütigkeit herangehen, die nicht durch irgendwelches hysterisches Geschrei getrübt werden darf.

Wir müssen auch, wenn wir es für richtig halten, in diesem Augenblick innerhalb der Bahn bleiben, die wir bisher beschritten haben. Ich wiederhole: Wir müssen alles tun, um im einzelnen gerüstet zu sein für den Moment, wo Hitler von der Demokratie abweicht.

14. Herbert Wehner über die Politik der KPD nach dem 30. Januar 1933

Herbert Wehner, von 1931 bis 1933 technischer Sekretär des Politbüros der KPD, legte in seinen 1946 niedergeschriebenen »Notizen« einen Erinnerungsbericht vor, an dem er schon in den Jahren zwischen 1942 und 1944 in Stockholm gearbeitet hatte. Diese von ihm als »Selbstbesinnung und Selbstkritik« bezeichneten Aufzeichnungen schloß er im Mai 1946 ab. Die folgenden Auszüge sind dem Kapitel ›1933 – Die nicht verstandene Katastrophe‹ entnommen.

Quelle: Herbert Wehner, Zeugnis. Hrsg. von Gerhard Jahn. Köln 1982, S. 63 ff. (Auszüge).

Die Wochen nach dem 30. Januar bedeuteten die Besiegelung der Niederlage der antinationalsozialistischen Kräfte. Die knappe Zeit zwischen dem Amtsantritt der Hitlerregierung und der Nacht des Reichstagsbrandes verging, ohne daß die antinationalsozialistischen Kräfte sie als letzte Chance für die Abwendung der Katastrophe verstanden und genützt hätten.

Der Nachrichtenapparat der Partei lieferte in dieser Zeit täglich mehrere Berichte aus Reichswehrkreisen, in denen auf eine beabsichtigte, beziehungsweise bevorstehende Aktion der Reichswehr und der freien Gewerkschaften angespielt wurde. Es wurde von Kippenberger versichert, daß diese Berichte zuverlässig seien und aus den Spitzen der Reichswehr stammten. Thälmanns Mitarbeiter Birkenhauer behauptete, die Partei solle durch diese Berichte und Nachrichten zu Aktionen provoziert werden, die als Anlaß zu ihrer Niederschlagung genommen werden könnten.

In der Zeit vor dem Reichstagsbrand hat das Politbüro ein Mal einen Boten zum Parteivorstand der SPD geschickt, um dort ein Angebot zu gemeinsamem Handeln zu übergeben. Torgler versuchte, Gespräche, die er kurz vor dem 30. Januar mit Stampfer begonnen hatte, fortzuführen und meinte, es wäre möglich, auf diesem Wege zu einer Verständigung mit der Sozialdemokratie zu gelangen. In den Bezirken wurde versucht, gemeinsame Demonstrationen und Versammlungen zustandezubringen; allerdings war die Triebfeder dazu weniger das Bewußtsein von der tödlichen Gefahr, als der Versuch, die Losungen der Partei zur Geltung zu bringen. Ein Beispiel dafür boten die schließlich gescheiterten Verhandlungen in Baden, die ich schon früher erwähnt habe.

Versucht man heute, herauszuarbeiten, was die Partei in jenen Wochen bewegte, bleiben hauptsächlich folgende Dinge:

Die Parteiführung betrieb vom 30. Januar an hauptsächlich die Überführung der Parteiorganisation in die Illegalität. Fast alle ihr zur Verfügung stehenden Kräfte wurden zur Kontrolle und Instruktion in der Richtung der technischen Vorbereitungen auf illegale Arbeitsmethoden verwandt.

Politisch war das Politbüro gebannt von der Auffassung, die NSDAP bereite einen Marsch auf Berlin vor. Die politischen Instruktionen der Parteileitung zielten deshalb darauf hin, diesem Marsch Hindernisse zu bereiten. Gleichzeitig sollte alles vermieden werden, was vom Staatsapparat dazu ausgenützt werden könnte, die Parteiorganisationen zu zerschlagen.

In den Reihen der sogenannten Berufsparlamentarier der Partei, d. h. jener Abgeordneten der Partei, die als Sachbearbeiter in den Fraktionen des Reichstags und des preußischen Landtags tätig waren, herrschte die Auffassung, daß die Partei noch längere Zeit legal oder zumindest halblegal werde existieren können. Kasper vertrat diese Auffassung besonders hartnäckig; er glaubte sie bestätigt, als die Naziabgeordneten im Landtag nicht sofort nach dem 30. Januar alle parlamentarischen Regeln außer Kraft gesetzt hatten. Torgler bekannte sich ebenfalls zu dieser Auffassung und meinte wiederholt, die Gefahren würden übertrieben. Pieck machte sich geradezu einen Spaß daraus, in seinem Arbeitszimmer im Landtag zu sitzen und damit zu prahlen, daß er dies tue. [...]

Für den Abend, an dem der Reichstagsbrand stattfand, war eine Sitzung des Politbüros angesetzt worden. Während die Parteileitung tagte, ging die große Provokation vonstatten, von der sie keine Ahnung hatte. Kasper, ein Mitglied des Politbüros, begab sich nach der Sitzung nichtsahnend in seine Privatwohnung, um dort zu schlafen und wurde am Morgen verhaftet. Es war keine Vorsorge getroffen worden, das Politbüro während seiner Tagung erreichen und benachrichtigen zu können.

An diesem Abend traf ich bei Aschinger am Bahnhof Friedrichstraße mit Wilhelm Koenen, Ernst Torgler und Bruno Peterson zusammen. Meine Absicht war, Torgler darauf aufmerksam zu machen, daß er irre, wenn er dem eben zum Chef der Geheimen Staatspolizei ernannten Regierungsrat Diels vertraue. Torgler war nicht von der Auffassung abzubringen, daß Diels ein politisch linksstehender Mann sei. Während ich nachzuweisen suchte, daß Diels Torglers Umgang suche, um Nachrichten herauszulocken und Torgler und die Partei in Sicherheit zu wiegen, behauptete Torgler, Diels habe erst vor wenigen

Tagen wiederum bewiesen, daß er es ehrlich meine, indem er ihn darauf aufmerksam gemacht habe, daß es zweckmäßig sei, die Sammler für den Wahlfonds der Partei von den Straßen zurückzuziehen. Unmittelbar darauf sei ein Erlaß erschienen, der die polizeiliche Festnahme der Sammler der KPD anordnete. Diels habe mit seiner Warnung ein übriges Mal gezeigt, daß er der Partei helfen wolle. Meine Entgegnung, daß diese Warnung billig gewesen sei, wenn damit erreicht wurde, daß Leute wie Torgler dem Diels Vertrauen entgegen bringen, verfing nicht.

Kurze Zeit, nachdem ich das Lokal Aschinger verlassen hatte, hörte ich die Rufe von Extrablattverkäufern, die den Reichstagsbrand mitteilten. Ich eilte zu Aschinger zurück, in der Hoffnung, Torgler noch zu treffen; er und die andern waren aber schon weggegangen. Meine Versuche, Torgler durch den Sekretär der Fraktion, Otto Kühne, zu erreichen, schlugen ebenfalls fehl. Erst am nächsten Morgen teilte mir Kühne mit, daß Torgler selbst zur Polizei gegangen sei, um dort Diels zu treffen, gegen die Behauptung, er habe mit der Brandstiftung zu tun, zu protestieren und die Sache aufzuklären. So war daran nichts mehr zu ändern. Nach Erledigung meiner abendlichen Treffs postierte ich mich in einer Seitenstraße in der Nähe des Alexanderplatzes, um wenigstens noch einige Genossen, von denen ich annahm, sie würden auf dem Heimweg dort durchkommen, zu informieren und zu warnen. Es waren nur wenige, die ich traf, unter ihnen war Arthur Voigt, der damalige Organisationssekretär von Berlin, der äußerst nervös und erschrokken wirkte. Nachts versuchte ich noch Werner Peuke zu treffen, um ihm anzuraten, sich sicher zu verbergen und mit mir Verbindung zu halten. Ich traf ihn nicht an; er war bereits aufs Land gereist, wo er sich dann lange Zeit versteckt hielt.

Die nächsten Tage brachten die von überall strömenden Nachrichten über massenhafte Verhaftungen, und nun setzte die Suche nach Ersatzleuten ein, die nicht mehr abreißen sollte.

Abermals wurde ein Bote zum Vorstand der SPD und diesmal auch zum Vorstand des ADGB geschickt. Beim ADGB wurde der Bote vom Portier nicht durchgelassen. Von der SPD (Künstler) wurde eine Antwort in Aussicht gestellt, die dann in der Form gegeben wurde, daß es nunmehr unzweckmäßig sei, etwas Gemeinsames zu tun, weil dadurch nur die Legalität der SPD zerstört würde.

Mit dem Reichstagsbrand und den mit ihm verbundenen

Massenverhaftungen war die letzte Frist zu einem wirkungsvollen Gegenschlag gegen die Hitlerdiktatur abgelaufen. Es blieb übrig, die Organisationen der Partei zusammenzuhalten und die neue Lage zu verstehen. Die Parteileitung befaßte sich nur damit, die Organisationen zusammenzuhalten. Die neue Lage verstand sie nicht. Weil sie sie nicht verstand, gelang es ihr auch nicht, die systematische Zerstörung der Organisationen zu verhindern. Die falsche Politik, die nun lange Zeit betrieben wurde, tat ein Übriges zum Zerfall und zur Zersetzung der Organisationen. Sie setzte die opferwilligen Genossen bei den verzweifelten Versuchen demonstrativer Aktionen gegen die Nazidiktatur immer wieder dem Zugriff der Polizei und der Naziorganisationen aus. Anderseits flüchteten Massen desillusionierter Mitglieder der Partei und ihrer Nebenorganisationen in die halbmilitärischen Organisationen der Deutschnationalen und schließlich in die SA und NSDAP.

In den bis zur Reichstagswahl am 5. März verbleibenden Tagen haben die aktiven Parteigenossen noch einmal, unter wütendem Terror, versucht, eine Demonstration gegen den Nazismus durchzuführen. Das Wahlresultat ist bekannt. Es zeugte davon, daß die Partei trotz alledem noch bei Millionen Vertrauen besaß. Die Parteimitglieder, die dem Terror trotzend, Zeitungen und Flugblätter herausgaben und verbreiteten, und die immer wieder die zerstörten Organisationen aufbauten, haben dies Vertrauen sicher gerechtfertigt. Sie haben getan, was in ihren Kräften stand und haben in vielen Fällen mit dem Leben bezahlt. Die Parteileitung aber hat das Vertrauen nicht gerechtfertigt, denn sie hat nicht einmal den Mut aufgebracht, die Niederlage zu konstatieren und der Arbeiterbewegung auf neue Wege zu helfen. Was half die Opferwilligkeit der Genossen, die Zeitungen herstellten und verbreiteten, dagegen, daß der politische Inhalt der Zeitungen den Arbeitern und dem Volke überhaupt nicht das Notwendige sagte?

Gleich nach dem Reichstagsbrand war ein Abgesandter der Exekutive der Komintern angekommen, Sepp Schwab. Er hatte mit Thälmann zu sprechen. Obwohl er über die politischen Richtlinien nichts äußerte, war zu merken, daß er mit der durch den Brand herbeigeführten Lage nichts anzufangen wußte. Am Nachmittag des Tages, an dem Schwab Thälmann treffen sollte, führte ich ihn mit Thälmanns Mitarbeiter Birkenhauer zusammen. Wir trafen uns in einem Lokal auf dem Wittenbergplatz, das Birkenhauer angegeben hatte. Nach kurzer Zeit wurde ich auf einen Mann aufmerksam, von dem ich den Eindruck hatte, er interessiere sich für uns. Diese Beobachtung veranlaßte mich, unseren sofortigen Aufbruch zu verlangen. Kaum waren wir um die Ecke in der Richtung Augsburger Straße gebogen, als hinter uns ein großes Polizeiauto sichtbar wurde. Wir hatten eben die Augsburger Straße erreicht, als das Auto uns überholte. Schwab und ich trennten uns von Birkenhauer fluchtartig, das Auto hielt auf der anderen Straßenseite und die Polizeimannschaft sprang herunter. Schwab und ich waren jedoch weggekommen, ehe die Polizisten in der dicht belebten Straße auf unsere Fährte kommen konnten.

Einige Stunden später erschien die ›Nachtausgabe‹ mit der Mitteilung, daß Thälmann verhaftet worden sei. Außer ihm wurden genannt: Birkenhauer, Hirsch, Kattner. Jeder von ihnen wurde kurz mit seiner Funktion innerhalb der Partei charakterisiert. [...]

Der 1. Mai, an dem die Belegschaften und Gewerkschaftsorganisationen aufmarschierten, und der einen der Höhepunkte nationalsozialistischer Propaganda darstellte, mußte es jedem Klarsehenden deutlich werden lassen, wie tief unser Absturz in die Katastrophe war. Ich bin an diesem Tage durch viele Teile Berlins gegangen, habe die massenhafte Beflaggung der Wohnungsfenster gesehen und das Geschrei der Lautsprecher aus den offenen Fenstern gehört. Mir war elend zu Mute und ich dachte, wie viel Widerstandskraft dazu gehöre, gegenüber diesem Massenwahn und dieser Massenunterwerfung fest zu bleiben und ihnen entgegenzuarbeiten. Ich war mir klar darüber, daß viele die Fahnen nur herausgehängt hatten, um sich zu tarnen und nicht Anlaß zu Maßnahmen zu geben. Aber das war auch schon bezeichnend für die Lage. Gewiß, es wurde diskutiert, Witze wurden kolportiert, Zeitungen und Aufrufe wurden insgeheim verteilt. Aber an der großen Entwicklung konnte das nichts mehr ändern. Wir hätten damals klar sagen müssen, was vor sich ging; es wäre für die Arbeiter notwendig und besser gewesen, als die Versuche der Partei, so zu tun, als habe sich nur äußerlich einiges geändert, während es im Grunde genommen auf die alte Weise weiter gehe.

Mit Schehrs Rückkehr von Moskau kam auch die offizielle Einschätzung der Lage seitens der Kominternführung. Kurz gesagt: Die Niederlage wurde nicht als solche anerkannt. Es wurde so getan, als spiele sich in Deutschland ein gewaltiger, noch keineswegs entschiedener Kampf zwischen den nazistischen Kräften einerseits und der unter Führung der KPD stehenden Arbeiterklasse anderseits ab. Als gefährlichster Feind wurden die – linken Sozialdemokraten bezeichnet, die – nach jener Lesart – jetzt besonders gefährlich seien, weil sie auch vom Faschismus verfolgt würden.

Daß die Feindseligkeiten zwischen Kommunisten und Sozialdemokraten sogar in den Kellern und Konzentrationslagern der SA fortgeführt wurden und sich mitunter in Tätlichkeiten äußerten, wurde von verschiedenen Stellen berichtet. Die offiziellen Resolutionen, die nun mit großem Kraftaufwand zu verbreiten versucht wurden, trieben diesen Wahnwitz noch weiter. [...]

15. Erklärung des Vorstands des ADGB vom 20. März 1933

Diese Erklärung übersandte der Vorsitzende des ADGB, Leipart, mit einem knappen Begleitschreiben an Hitler, in dem er diesen darum bat, die Stellungnahme mündlich »näher darlegen und begründen zu können«. Dieses Schreiben blieb unbeantwortet. Den Text der Erklärung veröffentliche die Gewerkschafts-Zeitung am 25. März 1933.
Quelle: Peter Jahn (Bearb.), Die Gewerkschaften in der Endphase der Republik 1930–1933. Köln 1988, S. 866 f.

Erklärung
Die Gewerkschaften sind der Ausdruck einer unabweisbaren sozialen Notwendigkeit, ein unerläßlicher Bestandteil der sozialen Ordnung selbst. Als organisierte Selbsthilfe der Arbeiterschaft sind die Gewerkschaften ins Leben getreten und im Verlaufe ihrer Geschichte aus natürlichen Gründen mehr und mehr auch mit dem Staate selbst verwachsen. Die sozialen Aufgaben der Gewerkschaften müssen erfüllt werden, gleichviel welcher Art das Staatsregime ist.

Die großen Tarifgemeinschaften zur Regelung der Lohn- und Arbeitsbedingungen der deutschen Arbeiterschaft sind der untrügliche Beweis dafür, daß die Gewerkschaften von dem Willen geleitet sind, die ihnen obliegende Vertretung der Arbeiterinteressen in freier Vereinbarung mit den Unternehmern wahrzunehmen. Trotz aller Wirrnisse und wirtschaftlichen Schwierigkeiten haben die Tarifverträge durch die Jahrzehnte sich erhalten und in weitem Umfange dem Wirtschaftsfrieden gedient.

Durch die Anerkennung und Inanspruchnahme des staatlichen Schlichtungswesens haben die Gewerkschaften gezeigt, daß sie das Recht des Staates anerkennen, in die Auseinandersetzungen zwischen organisierter Arbeiterschaft und Unternehmertum einzugreifen, wenn das Allgemeininteresse es erforderlich macht.

Die Gewerkschaften haben der freiwilligen Vereinbarung mit den Unternehmern stets den Vorzug vor Zwangstarifen gegeben und halten auch weiterhin an dieser Auffassung fest. Sie sind durchaus bereit, auf diesem Wege im Sinne einer Selbstverwaltung der Wirtschaft auch über das Gebiet der Lohn- und Arbeitsbedingungen hinaus dauernd mit den Unternehmerorganisationen zusammenzuwirken. Eine staatliche Aufsicht über solche Gemeinschaftsarbeit der freien Organisationen der Wirtschaft könnte ihr unter Umständen durchaus förderlich sein, ihren Wert erhöhen und ihre Durchführung erleichtern.

Die Gewerkschaften beanspruchen nicht, auf die Politik des Staates unmittelbar einzuwirken. Ihre Aufgabe in dieser Hinsicht kann nur sein, die berechtigten Wünsche der Arbeiterschaft in bezug auf sozial- und wirtschaftspolitische Maßnahmen der Regierung und Gesetzgebung zuzuleiten, sowie der Regierung und dem Parlament mit ihren Kenntnissen und Erfahrungen auf diesen Gebieten dienlich zu sein.

Die Gewerkschaften beanspruchen für sich kein Monopol. Über der Form der Organisation steht die Wahrung der Arbeiterinteressen. Eine wahre Gewerkschaft kann sich aber nur auf freiwilligen Zusammenschluß der Mitglieder gründen, sie muß von den Unternehmern ebenso wie von den politischen Parteien unabhängig sein.

Berlin, 20. März 1933. Der Vorstand des Allgemeinen
Deutschen Gewerkschaftsbundes.
L[eipart]

Bibliographien:

Die Literatur zur Geschichte der deutschen Arbeiterbewegung in der Weimarer Republik ist so umfangreich, daß auch Spezialisten auf diesem Forschungsgebiet die Fülle der einschlägigen Monographien, Aufsätze und Editionen kaum noch überblicken, zumal der Zuwachs an in- und ausländischen Neuerscheinungen von Jahr zu Jahr größer geworden ist. Neuere Spezialbibliographien und die Rezensionsteile der einschlägigen Fachzeitschriften eröffnen jedoch einen systematischen Zugang zur wissenschaftlichen Literatur sowie zu Fest- und Gedenkschriften, die vor allem für Regional- und Lokalhistoriker viele sonst nirgendwo mehr überlieferte Informationen und Daten enthalten. Knapp 4000 zwischen 1945 und Ende 1975 erschienene Titel verzeichnet Kurt Klotzbach, Bibliographie zur Geschichte der deutschen Arbeiterbewegung 1914–1945. Sozialdemokratie, Freie Gewerkschaften, Christlich-Soziale Bewegungen, Kommunistische Bewegung und linke Splittergruppen. Mit einer forschungsgeschichtlichen Einleitung. 3. wesentl. erw. u. verb. Aufl., bearb. von Volker Mettig. Bonn 1981. Die Zeitlücke zwischen dieser Bibliographie und dem aktuellen Forschungsstand schließt die seit 1976 von der Bibliothek des Archivs der sozialen Demokratie hrsg. Bibliographie zur Geschichte der deutschen Arbeiterbewegung (Bonn 1976 ff.), die zunächst vierteljährlich erschien und jetzt jährlich erscheint. In dieser Bibliographie werden die wichtigsten Periodika von über 20 Staaten laufend ausgewertet.

Eine Zusammenstellung von bibliographisch oft schwer zugänglichen und meistens ungedruckten Dissertationen legten 1977 Dieter Emig und Rüdiger Zimmermann vor: Arbeiterbewegung in Deutschland. Ein Dissertationsverzeichnis (= IWK, 13. Jg., 1977, H. 3). In diesem Nachschlagewerk sind über 2000 in- und ausländische Dissertationen, in über 100 Sachgruppen untergliedert, verzeichnet. Dem seit einiger Zeit wiederaufgelebten Interesse an der Lokal-, Regional- und Alltagsgeschichte von Arbeiterschaft und Arbeiterbewegung aus der Sicht der »Betroffenen« trägt eine von Christoph Stamm erarbeitete Bibliographie Rechnung: Regionale Fest- und Gedenkschriften der deutschen Arbeiterbewegung. Annotierte Bibliographie von Fest-, Gedenk- und ähnlichen Schriften regionaler und lokaler Organisationsgliederungen der deutschen Arbeiter- und Angestelltenbewegung bis 1985. Mit Standortangabe. Bonn 1987. Hier sind – nach Orten gegliedert – über 3000 Titel verzeichnet. Sie besitzen auch als Quelle einen hohen Wert, weil es sich um oft mit Dokumenten angereicherte Selbstdarstellungen der verschiedenen Organisationen handelt. Die Standortangaben zu jedem Titel ermöglichen auch die Beschaffung der »grauen« Literatur, die nicht im Buchhandel erschienen ist.

Der aktuelle Forschungsstand spiegelt sich in den Rezensionsteilen der Fachzeitschriften wider. Hier sind insbesondere folgende in der Bundesrepublik erscheinende Periodika heranzuziehen: Archiv für Sozialgeschichte; Internationale Wissenschaftliche Korrespondenz zur Geschichte der deutschen Arbeiterbewegung (mit regelmäßigem Verzeichnis von Forschungs- und Publikationsvorhaben); Neue Politische Literatur; Historische Zeitschrift. Von den Fachzeitschriften aus der DDR sind vor allem zu nennen: Beiträge zur Geschichte der Arbeiterbewegung; Jahrbuch für Geschichte; Jahrbuch für Regionalgeschichte; Zeitschrift für Geschichtswissenschaft. Die einschlägigen internationalen Fachzeitschriften sind verzeichnet in: Internationale Bibliographie der Zeitschriftenliteratur. Bearb. u. hrsg. von Reinhard Dietrich, Osnabrück 1947ff.; ab 1963: Otto Zeller (Hrsg.), Internationale Bibliographie der Zeitschriftenliteratur aus allen Gebieten des Wissens.

Unveröffentlichte Quellen:
In der Zeit des Nationalsozialismus wurde nicht nur die deutsche Arbeiterbewegung verfolgt; das NS-Regime wollte auch die Erinnerung an die Arbeiterparteien und Gewerkschaften vernichten, indem es ihre Archive plünderte und zerstörte. Nach 1945 bemühten sich in beiden deutschen Staaten die Archivverwaltungen und nichtstaatliche Institutionen um die Sammlung der verstreuten Quellen und um die Rekonstruktion von Beständen. Bei der Beschaffung von Quellenmaterialien muß jeder Forscher eine Reihe von Institutionen im In- und Ausland zu Rate ziehen. Die Suche nach diesen Spezialarchiven und -bibliotheken erleichtert eine Publikation von Dieter Dowe: Führer zu den Archiven, Bibliotheken und Forschungseinrichtungen zur Geschichte der europäischen Arbeiterbewegung. Bonn 1984. Hier sind alphabetisch nach Ländern, Orten und Institutionen insgesamt 402 Einrichtungen aufgeführt, die Quellen und Literatur zur Arbeiterbewegungsgeschichte archiviert haben. Die wichtigsten Bestände werden außerdem knapp genannt, was jedoch nicht die konkrete Forschungsarbeit »vor Ort« mit Verzeichnissen und Findbüchern ersetzen kann. Neben diesen auf die Geschichte der Arbeiterbewegung spezialisierten Archiven sind natürlich auch die Aktenbestände der staatlichen Archive heranzuziehen.

Zu den wichtigsten Spezialarchiven zur Geschichte der deutschen Arbeiterbewegung zählen in der Bundesrepublik folgende Einrichtungen: Archiv der sozialen Demokratie (Bonn); Archiv des Deutschen Gewerkschaftsbundes (Düsseldorf); Hamburger Bibliothek für Sozialgeschichte und Arbeiterbewegung (Hamburg); Bibliothek zur Geschichte der Arbeiterbewegung an der Ruhr-Universität Bochum. Die von der Sozialdemokratie vor dem Zugriff der Nationalsozialisten geretteten umfangreichen Bestände ihres Parteiarchivs befinden sich heute im Internationaal Instituut voor Sociale Geschiedenis in Amsterdam. In der DDR werden im Institut für Marxismus-Leninismus beim Zentralkomitee der SED (Berlin) viele Quellen zur Geschichte der Arbeiterbewegung aufbewahrt. Leider ist der Zugang zu diesem Archiv immer noch von einer besonderen Benutzererlaubnis abhängig, die noch seltener als für staatliche Archive der DDR erteilt wird. Tausende von Broschüren, Rechenschaftsberichten, Protokollen und Zeitungen zur Geschichte der deutschen Gewerkschaftsbewegung sind in der Zentralbibliothek der Gewerkschaften beim Bundesvorstand des Freien Deutschen Gewerkschaftsbundes (Berlin) archiviert. Ihre Benutzung wird, sofern es sich um gedrucktes Material handelt, meistens großzügig gestattet. Die genauen Adressen der verschiedenen Archivträger in der Bundesrepublik, der DDR und in anderen Ländern finden sich in der bereits genannten, für Archivrecherchen unverzichtbaren Publikation von Dowe.

Veröffentlichte Quellen:

Eine Pionierarbeit auf dem Gebiet der Quelleneditionen leistete die Kommission für Geschichte des Parlamentarismus und der politischen Parteien in Bonn. Ihre Publikationen setzten wissenschaftliche Standards für die Quellenerschließung und machten der Forschung eine Fülle von Materialien gedruckt zugänglich. Drei der vier von der Parlamentarismuskommission hrsg. Reihen konzentrieren sich auf den Zeitraum des späten Kaiserreichs und der Weimarer Republik. Aus der ersten Reihe (Von der konstitutionellen Monarchie zur parlamentarischen Republik) sind vor allem drei Bände zu nennen, die das Thema dieses Buches berühren: Die Regierung des Prinzen Max von Baden. Bearb. von Erich Matthias u. Rudolf Morsey, Düsseldorf 1962; Die Regierung der Volksbeauftragten 1918/19. Eingel. von Erich Matthias, bearb. von Susanne Miller unter Mitw. von Heinrich Potthoff, 2 Halbbde, Düsseldorf 1969; Die Regierung Eisner 1918/19. Ministerratsprotokolle und Dokumente. Eingel. u. bearb. von Franz J. Bauer, Düsseldorf 1987. Die zweite Reihe (Militär und Politik) konzentriert sich bislang auf die Frühgeschichte der Weimarer Republik und erschließt Quellen für die Revolutionszeit, den Kapp-Putsch, die Anfänge der Ära Seeckt und das Krisenjahr 1923. In der dritten Reihe (Die Weimarer Republik) sind neben zentralen Editionen zum Verhältnis von Staat und NSDAP, zur Politik und Wirtschaft während der Weltwirtschaftskrise und zum Linksliberalismus zwei Bände erschienen, die sich auf die Geschichte der Sozialdemokratie und des Kommunismus konzentrieren: Die Generallinie. Rundschreiben des Zentralkomitees der KPD an die Bezirke 1929–1933. Eingel. von Hermann Weber, bearb. von Hermann Weber unter Mitw. von Johann Wachtler, Düsseldorf 1981; Die SPD-Fraktion in der Nationalversammlung 1919–1920. Eingel. von Heinrich Potthoff, bearb. von Heinrich Potthoff u. Hermann Weber, Düsseldorf 1986. Alle hier genannten Bände enthalten quellen- und forschungsgeschichtliche Einleitungen, die selbst bedeutende Beiträge zur Geschichte der deutschen Arbeiterbewegung darstellen.

Diese Feststellung gilt auch für die Quellenbände, die sich auf die Geschichte der Rätebewegung in Deutschland 1918/19 konzentrieren und ebenfalls im Rahmen der Editionsprojekte der Parlamentarismuskommission erschienen sind: Der Zentralrat der Deutschen Sozialistischen Republik. 19. 12. 1918–8. 4. 1919. Vom ersten zum zweiten Rätekongreß. Bearb. von Eberhard Kolb unter Mitw. von Reinhard Rürup, Leiden 1968; Regionale und lokale Räteorganisationen in Württemberg. Bearb. von Eberhard Kolb u. Klaus Schönhoven, Düsseldorf 1976; Arbeiter-, Soldaten- und Volksräte in Baden 1918/19. Bearb. von Peter Brandt u. Reinhard Rürup, Düsseldorf 1980. In diesen Bänden wird anhand einer Vielzahl von lokalen, regionalen und zentralen Quellen nachgewiesen, daß die während des Staatsumsturzes im Herbst 1918 spontan entstandenen Arbeiter- und Soldatenräte sich als die Organe einer demokratischen Massenbewegung verstanden, die mit der Regierung der Volksbeauftragten zusammenarbeiten wollte. Die sich ebenfalls in den Dokumenten widerspiegelnde Radikalisierung der Rätebewegung im Frühjahr 1919 war das Ergebnis der Polarisierung der Arbeiterparteien Ende Dezember 1918 und Anfang Januar 1919.

Für die Geschichte der SPD als Regierungspartei finden sich in den von Karl Dietrich Erdmann, Wolfgang A. Mommsen bzw. Hans Booms hrsg. Akten der Reichskanzlei viele Hinweise. Die zwischen 1968 und 1988 edierten 17 Bände mit Kabinettsprotokollen, Besprechungsniederschriften auf Partei- oder Ministerialebene, Behördendenkschriften und Sachakten (Boppard 1968 ff.) dokumentieren sämtliche Themen der Regierungsarbeit und werfen viele Schlaglichter auf die Willens- und Entscheidungsbildung im Vorfeld des Kabinetts. Unentbehrlich für die Erforschung der Parlamentsarbeit der Arbeiterparteien sind die Protokolle der Verfassunggebenden Nationalversammlung, der Reichs- und Landtage der Weimarer Republik. Die innerparteiliche Entwicklung von KPD, USPD und SPD beleuchten die teilweise auch als Reprint vorliegenden Parteitagsprotokolle und Jahrbücher. Die Politik der Führungsgremien der KPD in der Endphase der Weimarer Republik dokumentieren die bereits genannten Rundschreiben des Zentralkomitees. Für die SPD ist die wichtige, von Hagen Schulze hrsg. und bearb. Edition Anpassung oder Widerstand? Aus den Akten des Parteivorstands der deutschen Sozialdemokratie 1932/33, Bonn 1975, zu nennen.

An Dokumentensammlungen zu ausgewählten Aspekten der Arbeiterbewegungsgeschichte herrscht kein Mangel. Dies gilt auch für die Wiederveröffentlichung von Schriften und Reden prominenter Parteiführer oder Theoretiker. Die Qualität dieser Sammelbände ist jedoch unterschiedlich, namentlich dann, wenn das »Prinzip der Parteilichkeit« die Auswahlkriterien bestimmte. Obwohl also bei der Benutzung derartiger Dokumentationen eine gewisse Vorsicht geboten ist, kann auf sie nicht verzichtet werden, weil sie oft erstmals Archivmaterialien zugänglich machen. Den politischen Umgang mit Quellen hat für den Bereich der DDR Hermann Weber exemplarisch beschrieben (Kommunismus in Deutschland 1918–1945. Darmstadt 1983), der auch die wichtigsten Dokumentationen in Ost und West zur Geschichte der KPD nennt. Von den vielen in der Bundesrepublik publizierten Quel-

lensammlungen seien nur zwei genannt, weil sie ebenso preiswert wie
nützlich sind: Gerhard A. Ritter u. Susanne Miller (Hrsg.), Die deutsche Revolution 1918/19. Dokumente. Zweite, erheblich erw. u. über-
arb. Ausgabe, Frankfurt 1983; Wolfgang Luthardt (Hrsg.), Sozialdemokratische Arbeiterbewegung und Weimarer Republik. Materialien
zur gesellschaftlichen Entwicklung 1927–1933. 2 Bde, Frankfurt 1978.
Beide Publikationen enthalten knappe, den zeitgenössischen Hintergrund der Quellen aber genau umreißende Einführungen.

Zur Geschichte der Gewerkschaften, die lange Zeit vernachlässigt wurde, liegt jetzt eine umfangreiche vierbändige Quellenedition komplett
vor. Sie erschließt die Restakten des Allgemeinen Deutschen Gewerkschaftsbundes und dokumentiert vor allem die Entscheidungsprozesse
in den Führungsgremien dieses größten gewerkschaftlichen Dachverbandes: Quellen zur Geschichte der deutschen Gewerkschaftsbewegung im 20. Jahrhundert, hrsg. von Hermann Weber, Klaus Schönhoven u. Klaus Tenfelde. Bd. 1: Die Gewerkschaften in Weltkrieg und
Revolution 1914–1919. Bearb. von Klaus Schönhoven. Köln 1985;
Bd. 2: Die Gewerkschaften in den Anfangsjahren der Republik 1919–
1923. Bearb. von Michael Ruck. Köln 1985; Bd. 3,1.2.: Die Gewerkschaften von der Stabilisierung bis zur Weltwirtschaftskrise 1924–1930.
Bearb. von Horst A. Kukuck u. Ditter Schiffmann. Köln 1986; Bd. 4:
Die Gewerkschaften in der Endphase der Republik. Bearb. von Peter
Jahn. Köln 1988. Neben dieser Edition ist noch auf den 15 Bände umfassenden Reprint der zentralen Gewerkschaftszeitungen des ADGB
hinzuweisen: Correspondenzblatt der Generalkommission der Gewerkschaften Deutschlands bzw. Korrespondenzblatt des Allgemeinen
Deutschen Gewerkschaftsbundes, 1918–1923. Berlin, Bonn 1985; Gewerkschafts-Zeitung. Organ des Allgemeinen Deutschen Gewerkschaftsbundes, 1924–1933. Berlin, Bonn 1983 u. 1984.

Memoiren und Biographien:
Die Zahl der Memoiren von Politikern der Weimarer Republik ist
beträchtlich; der Einfluß der Memoirenschreiber auf die wissenschaftliche Deutung der ersten deutschen Demokratie blieb jedoch unterschiedlich groß. Für die frühe Arbeiterbewegungsforschung nach dem
Zweiten Weltkrieg wichtig waren die im Exil verfaßten Lebenserinne-
rungen des preußischen Ministerpräsidenten Otto Braun, Von Weimar
zu Hitler. 2. Aufl. New York 1940 (Nachdr. Hildesheim 1979) und das
Buch des ehemaligen Chefredakteurs der SPD-Zeitung ›Vorwärts‹
Friedrich Stampfer, Die ersten 14 Jahre der Deutschen Republik. Of-
fenbach 1947. Kurz nach Kriegsende erschienen auch die Erinnerungen
des ehemaligen Reichsinnenministers und preußischen Innenministers
Carl Severing, Mein Lebensweg. 2 Bde. Köln 1950, die ebenso wie die
zwei Memoirenbände des württembergischen Sozialdemokraten Wilhelm Keil (Erlebnisse eines Sozialdemokraten. Stuttgart 1948) aus der
Sicht des gouvernementalen Flügels der SPD geschrieben sind. Noch in

der Weimarer Republik wurden Darstellungen zur Revolutionsgeschichte aus der Feder von an führender Stelle Beteiligten vorgelegt: Philipp Scheidemann, Memoiren eines Sozialdemokraten. Bd. 2, Dresden 1928; ders., Der Zusammenbruch. Berlin 1921; Gustav Noske, Von Kiel bis Kapp. Zur Geschichte der deutschen Revolution. Berlin 1920; Hermann Müller-Franken, Die November-Revolution. Berlin 1928; Richard Müller, Der Bürgerkrieg in Deutschland. Berlin 1925; ders., Vom Kaiserreich zur Republik. Bd. 2: Die Novemberrevolution. Wien 1925; Eduard Bernstein, Die deutsche Revolution. Geschichte der Entstehung und ersten Arbeitsperiode der deutschen Republik. Berlin 1921. Zornige Rückblicke auf das Ende der Weimarer Republik und das Scheitern der eigenen Partei finden sich in den drei, teilweise im Exil verfaßten Büchern des bayerischen SPD-Führers Wilhelm Hoegner: Die verratene Republik. Geschichte der deutschen Gegenrevolution. München 1958; Der schwierige Außenseiter. Erinnerungen eines Abgeordneten, Emigranten und Ministerpräsidenten. München 1959; Flucht vor Hitler. Erinnerungen an die Kapitulation der ersten deutschen Republik. München 1977.

Von Spitzenpolitikern der KPD (Karl Liebknecht, Rosa Luxemburg, Clara Zetkin, Franz Mehring, Wilhelm Pieck, Walter Ulbricht, Franz Dahlem, Paul Levi, August Thalheimer) liegen zumeist nur Sammelbände ihrer Reden und Schriften vor, wobei auf dem westdeutschen Buchmarkt in der Bundesrepublik und in der DDR erstellte Publikationen miteinander konkurrieren. Wichtige Aufschlüsse über Details der KPD-Geschichte vermitteln in der DDR veröffentlichte Sammelbände und Erinnerungen von »Parteiveteranen« oder die zahlreichen Memoiren kommunistischer Funktionäre aus dem zweiten Glied. Diese umfangreiche Literatur erschließt bibliographisch Hermann Webers Überblick: Kommunismus in Deutschland (Darmstadt 1983). Großes Aufsehen erregten die in der Bundesrepublik publizierten Darstellungen von Ruth Fischer (Stalin und der deutsche Kommunismus. Frankfurt o. J.), Margarete Buber-Neumann (Von Potsdam nach Moskau. Stationen eines Irrweges. Stuttgart 1957), Rosa Meyer-Leviné (Im inneren Kreis. Erinnerungen einer Kommunistin in Deutschland. Köln 1979) und Herbert Wehner (Zeugnis. Köln 1982), weil diese Autoren schonungslose Rechenschaftsberichte über ihre Erlebnisse in der KPD und über die Stalinisierung des deutschen Kommunismus verfaßten.

Ebenfalls in beiden deutschen Staaten sind Biographien über kommunistische Politiker erschienen. Eine vergleichende Lektüre kann hier Einblicke in unterschiedliche Interpretationswege eröffnen. Genannt seien nur als kontrastierende Beispiele: Peter Nettl, Rosa Luxemburg. Köln, Berlin 1967; Annelies Laschitza u. Günter Radczun, Rosa Luxemburg. Ihr Wirken in der deutschen Arbeiterbewegung. 2. korr. Aufl. Berlin (Ost) 1980; Helmut Trotnow, Karl Liebknecht. Eine politische Biographie. Köln 1980; Heinz Wohlgemuth, Karl Liebknecht. Eine Biographie. Berlin (Ost) 1973. Für andere Führer und Funktionäre der KPD (Ernst Thälmann, Hermann Matern, Walter Stöcker u. a.)

liegen Lebensbeschreibungen aus der DDR, nicht aber aus der Bundesrepublik vor. Ihr wissenschaftlicher Ertrag ist unterschiedlich groß. Manchmal signalisiert schon der Titel – z. B. Walter Bartel, Ein Held der Nation. Aus dem Leben Ernst Thälmanns. Berlin 1961 – den überwiegend hagiographischen Charakter einer Biographie.

Von den führenden Sozialdemokraten der Weimarer Republik haben bislang erst wenige eine auch nur halbwegs befriedigende wissenschaftliche Biographie erhalten. Maßstäbe gesetzt hat vor allem Hagen Schulze mit seiner breit angelegten Darstellung: Otto Braun oder Preußens demokratische Sendung. Frankfurt, Berlin, Wien 1977, die den Lebensweg dieses sozialdemokratischen Spitzenpolitikers in eine breite Behandlung der preußischen Geschichte während der Weimarer Republik einbettet. Ähnlich angelegt ist die leider nur als Dissertationsdruck veröffentlichte Studie von Peter Pistorius, Rudolf Breitscheid 1874–1944. Ein biographischer Beitrag zur deutschen Parteiengeschichte. Phil. Diss. Nürnberg 1970. Sie setzt am Beispiel des Vorsitzenden der sozialdemokratischen Reichstagsfraktion kritisch mit der SPD-Geschichte in der Weimarer Republik auseinander, was bei Hans J. L. Adolph (Otto Wels und die Politik der deutschen Sozialdemokratie 1894–1939. Eine politische Biographie. Berlin 1971) zurücktritt hinter dem Nacherzählen von Ereignisabläufen. Ein Gutachterstreit ging dem Erscheinen der Noske-Biographie von Wolfram Wette voraus (Gustav Noske. Eine politische Biographie. Düsseldorf 1987), weil der Autor das in der Forschung eigentlich bereits fest verankerte kritische Noske-Bild – für manchen zu provokativ – untermauerte. Verständnis für die vor dem militärischen Gewalteinsatz nicht zurückschreckende Politik Noskes wollte und konnte Wette aber nicht wecken, der in seiner Biographie die Anpassungsbereitschaft des sozialdemokratischen Reichswehrministers an die alten Militäreliten scharf herausarbeitet. Über die Amtszeit Friedrich Eberts als Kopf der Revolutionsregierung und als Reichspräsident fehlt immer noch eine wissenschaftlich fundierte Lebensbeschreibung. Diese Lücke wird partiell durch Peter-Christian Witt geschlossen (Friedrich Ebert. Parteiführer, Reichskanzler, Volksbeauftragter, Reichspräsident. Bonn 1987), dessen biographischer Versuch sich aber in erster Linie an den historisch interessierten Laien wendet. Den Mitvorsitzenden Eberts im Rat der Volksbeauftragten, den USPD-Vorsitzenden Haase, hat Kenneth R. Calkins (Hugo Haase. Demokrat und Revolutionär. Berlin 1978) biographisch gewürdigt.

Gesamtdarstellungen:

Noch vor wenigen Jahren wurde in Forschungsberichten immer wieder betont, daß keine befriedigende Gesamtdarstellung zur Arbeiterbewegungsgeschichte in der Weimarer Republik vorliege. Die Anforderungen an ein derartiges Unternehmen waren sehr hoch gesteckt, weil es sich nicht auf eine Programm- und Organisationsgeschichte beschränken durfte, sondern die Entwicklung der Arbeiterparteien und Gewerkschaften im Zusammenhang mit der allgemeinen politischen Republikgeschichte und der Geschichte der Arbeiterschaft als soziale Klasse behandeln mußte. Auf diese Einbettung der Geschichte von Arbeiter und Arbeiterbewegung in eine »Gesellschaftsgeschichte des Industriezeitalters« zielt eine von Gerhard A. Ritter hrsg. und auf sieben Bände konzipierte Reihe ab, die den Zeitraum vom Ende des 18. Jahrhunderts bis 1933 umfaßt. Der Autor für den Zeitabschnitt der Weimarer Republik ist Heinrich August Winkler, dessen dreibändige Gesamtdarstellung bereits abgeschlossen vorliegt: Von der Revolution zur Stabilisierung. Arbeiter und Arbeiterbewegung in der Weimarer Republik 1918 bis 1924. Berlin, Bonn 1984 (2. Aufl. 1985); Der Schein der Normalität. Arbeiter und Arbeiterbewegung in der Weimarer Republik 1924 bis 1930. Berlin, Bonn 1985; Der Weg in die Katastrophe. Arbeiter und Arbeiterbewegung in der Weimarer Republik 1930 bis 1933. Berlin, Bonn 1987.

Die Lektüre dieses umfangreichen Werkes mit insgesamt 2700 Druckseiten erfordert viel Zeit, aber der geduldige Leser wird auch reich belohnt. Winkler hat eine souverän geschriebene Synthese vorgelegt, die die weitverzweigte wissenschaftliche Literatur aufarbeitet, aktuelle Forschungsdiskussionen berücksichtigt und mit ihren vielen Hinweisen auf Spezialstudien auch eine bibliographische Fundgrube ist. Sein Hauptinteresse konzentriert sich eindeutig auf die politische Geschichte, der er in der Anlage seiner Darstellung das Primat zuerkennt. Aber auch die soziale Lage der Arbeiterschaft und das soziokulturelle Milieu, in dem die Arbeiterorganisationen verwurzelt waren, behält Winkler ständig im Blick. Als politische Gesamtgeschichte der Weimarer Republik greift Winklers Werk die seit dem Zweiten Weltkrieg in der Forschung vielgestellte Frage nach den Lebens- und Überlebenschancen der ersten deutschen Demokratie erneut auf; als Geschichte der Arbeiterbewegung analysiert es die Folgen der Parteispaltung und der ideologischen Polarisierung von Sozialdemokratie und Kommunismus. Aus der Verknüpfung beider Handlungsstränge entwickelt Winkler seine zentrale These, die in allen drei Bänden immer wieder als Leitmotiv anklingt: Die Weimarer Republik hätte erfolgreich sein können, wenn zwischen Sozialdemokratie und Bürgertum ein Klassenkompromiß geschlossen worden wäre.

Winklers Deutungsperspektive geht von der Arbeiterbewegung aus, die im Zentrum seiner Untersuchung steht, und nicht von den bürgerlichen Parteien und Interessengruppen. Deshalb akzentuiert er vor allem das Dilemma des demokratischen Sozialismus, der auf sich allein gestellt zu schwach war, um in der Republik parlamentarisch mehrheitsfähig zu werden, und der – mit der radikalen Linken permanent in Konflikte verwickelt – nicht die Kraft fand, sich als reformerische Volkspartei zu profilieren und stabile Koalitionen mit dem republikanisch orientierten Bürgertum zu bilden. Gegen diese in eine weit ausgreifende Sachdarstellung eingebettete Kernthese sind von einigen Rezensenten bereits Bedenken erhoben worden. Sie weisen zum einen auf die Dominanz klassenpolitischer Standpunkte bei den Weimarer Funktionseliten und in breiten Kreisen des Bürgertums hin und betonen zum anderen, daß die innere Distanz von Teilen der Arbeiterschaft gegenüber der Republik keineswegs nur ideologisch vermittelt gewesen sei. Vielmehr habe die Fortdauer des Klassenkampfes von oben, das Abdrängen der SPD in eine gesellschaftliche Außenseiterrolle und die Formierung eines antisozialistischen und später antirepublikanischen Bürgerblocks zur Radikalisierung entscheidend beigetragen und die soziale Öffnung der Sozialdemokratie erschwert. Am Ende seines dritten Bandes bezieht Winkler diese Position ein, wenn er in seinem Nachwort betont, die »Hauptursache für das Scheitern der ersten Republik« sei darin zu sehen, daß die Sozialdemokratie im Bürgertum keine hinreichend starken Partner gefunden habe.

Winkler hat, darin sind sich alle Besprechungen einig, ein Standardwerk geschrieben, das alle bisherigen Versuche einer Gesamtdarstellung weit in den Schatten stellt. Seine Deutung ist zugleich eine Herausforderung für die weitere Forschung. Dies gilt namentlich für die Geschichtswissenschaft der DDR, deren überwiegend positive Bewertung der KPD-Geschichte Winklers scharfsinnige Kritik immer wieder ad absurdum führt. Bislang setzten in der DDR der dritte und vierte Band der vom Institut für Marxismus-Leninismus hrsg. Geschichte der deutschen Arbeiterbewegung (Berlin 1966) die interpretatorischen Maßstäbe für die Darstellung von SPD und KPD in der Weimarer Republik. Ob die dort trotz aller Ansätze zur Selbstkritik dominierenden ideologischen Glaubenssätze revidiert werden und empirisch abgesicherte Einzelbefunde in Zukunft eine stärkere Beachtung finden, bleibt abzuwarten. Winklers Synthese faßt jedenfalls die vorliegenden Detailforschungen zur gesamten Arbeiterbewegungsgeschichte so prägnant zusammen, daß damit eine Ausgangsbasis für die weitere Diskussion und für Spezialmonographien auf noch unerschlossenen Themenfeldern geschaffen ist.

Einzeldarstellungen:
Auf die Vielzahl der Einzeldarstellungen kann hier nicht ausführlich eingegangen werden. Einen umfangreichen und facettenreichen Überblick über die Grundprobleme und Tendenzen der Weimar-Forschung hat Eberhard Kolb verfaßt (Die Weimarer Republik. 2. durchges. u. erg. Aufl. München 1988, S. 143 ff.). Die folgenden Hinweise beschränken sich darauf, einige Schwerpunkte der Arbeiterbewegungsforschung knapp zu skizzieren.

Das Forschungsinteresse der fünfziger Jahre richtete sich vor allem auf die Endphase der Weimarer Republik, angeregt durch Karl Dietrich Brachers große Monographie aus dem Jahr 1955 (Die Auflösung der Weimarer Republik. Eine Studie zum Problem des Machtverfalls in der Demokratie. Villingen, 4. Aufl. 1964). Die revolutionäre Gründungsphase bildete erst in den sechziger und siebziger Jahren das Schwerpunktthema vieler Publikationen, die eine Neuinterpretation des Verlaufs der Übergangszeit und der Entscheidungsalternativen von 1918/19 vornahmen. Hervorzuheben sind hier vor allem die bahnbrechenden Arbeiten von Eberhard Kolb (Die Arbeiterräte in der deutschen Innenpolitik 1918 bis 1919. Düsseldorf 1962; ders. [Hrsg.], Vom Kaiserreich zur Weimarer Republik. Köln 1972), Peter von Oertzen (Betriebsräte in der Novemberrevolution. Düsseldorf 1963), Ulrich Kluge (Soldatenräte und Revolution. Studien zur Militärpolitik in Deutschland 1918/19. Göttingen 1975) und Reinhard Rürup (Probleme der Revolution in Deutschland 1918/19. Wiesbaden 1968), weil sie den Handlungsspielraum für eine sozialdemokratische Reformpolitik größer einschätzten als vorangegangene Revolutionsstudien und weil sie nachwiesen, daß die Fundierung der parlamentarischen Demokratie solider gewesen wäre, wenn die regierenden Sozialdemokraten das Demokratisierungspotential der Arbeiter- und Soldatenräte stärker ausgenutzt und weniger auf die Loyalität der traditionellen Machteliten vertraut hätten. Dieser Interpretation schloß sich auch Susanne Miller an (Die Bürde der Macht. Die deutsche Sozialdemokratie 1918–1920. Düsseldorf 1978), deren bedeutende Monographie auf den Forschungsergebnissen der genannten Autoren und auf eigenen Quellenstudien basiert.

Kritik an dieser Revolutionsdeutung wurde vor allem in Zeitschriftenartikeln geäußert, so von Wolfgang J. Mommsen (Die deutsche Revolution 1918–1920. In: Geschichte und Gesellschaft, 4 [1978], S. 362–391), der die Rätebewegung als eine amorphe soziale Protestbewegung charakterisierte und die Effektivität ihrer Neuordnungspolitik anzweifelte. Die marxistisch-leninistische Geschichtsschreibung setzt andere Akzente. Für sie stellt die Gründung der KPD den entscheidenden Wendepunkt im Revolutionsverlauf dar, weil damit eine proletarische Kampfpartei die Bühne der Geschichte betrat. Wie gering der Einfluß der Spartakusgruppe und aller anderen linksradikalen Organisationen auf den Gang der Dinge war, haben jedoch zahlreiche Untersuchungen über die lokale und regionale Entwicklung des Kommunismus nachgewiesen. Die politische und programmatische Heterogenität der äußersten Linken dokumentierte der Gründungsparteitag der KPD anschaulich, dessen Wortprotokoll als Edition vorliegt (Der Gründungsparteitag der KPD. Protokoll und Materialien. Hrsg. u. eingel. von Hermann Weber. Frankfurt 1969). Die von rechts beschworene »Gefahr des Bolschewismus« war 1918/19 ebensowenig real wie die von links erhoffte Errichtung einer »Diktatur des Proletariats«. Spartakusgruppe und KPD standen nicht im Zentrum, sondern an der Peripherie des historischen Geschehens, wie Erich Matthias konstatierte (Zwischen Räten und Geheimräten. Die deutsche Revolutionsregierung 1918/19. Düsseldorf 1970). Dieser Befund verdeutlicht die Bodenlosigkeit des kommunistischen »Verrat-Vorwurfs« gegen die mehrheitssozialdemokratischen Führer und macht die methodisch damit korrespondierende These fragwürdig, wonach die SPD in den Revolutionsmonaten nur die Wahl zwischen der bolschewistischen Diktatur und einer Koalition mit konservativen Elementen gehabt habe. Trotz aller Sachzwänge hätten

248

die Sozialdemokraten 1918/19 »mehr verändern können und weniger bewahren müssen« – so das Fazit von Heinrich August Winkler (Vorbemerkung. In: Geschichte und Gesellschaft, 8 [1982], S. 5; ders., Die Sozialdemokratie und die Revolution von 1918/19. Berlin, Bonn 1979).

Über den Anteil der Arbeiterparteien am Prozeß der Verfassungsgebung fehlt bislang eine breitangelegte Monographie. Ein Aufsatz von Heinrich Potthoff (Das Weimarer Verfassungswerk und die deutsche Linke. In: Archiv für Sozialgeschichte, 12 [1972], S. 433–483) und eine Dissertation von Sigrid Vesting (Die Mehrheitssozialdemokratie und die Entstehung der Reichsverfassung von Weimar 1918/19. Münster 1987) weisen auf die programmatischen Defizite und die fehlenden politischen Durchsetzungsmöglichkeiten der MSPD bei den Verfassungsberatungen hin, gehen aber auf die Verfassungsdiskussion außerhalb der Nationalversammlung zu wenig ein. Einen Überblick über die rätetheoretischen Konzepte von USPD und KPD hat Horst Dähn vorgelegt (Rätedemokratische Modelle. Studien zur Rätediskussion in Deutschland 1918–1919. Meisenheim 1975).

Mit der Frühgeschichte des Kommunismus, dem Zerfall der USPD und dem Rückzug der SPD aus der Regierungsverantwortung seit Sommer 1920 beschäftigt sich eine Reihe von Untersuchungen. Starkes Interesse fanden in der Forschung vor allem die im Frühjahr 1919 gegründeten Räterepubliken, der Kapp-Lüttwitz-Putsch im März 1920 und die gescheiterten Aufstandsversuche der KPD 1921 und 1923. Neuere westliche Darstellungen zum zuletzt genannten Themenkomplex (Werner T. Angress, Die Kampfzeit der KPD 1921–1923. Düsseldorf 1973; Sigrid Koch-Baumgarten, Aufstand der Avantgarde. Die Märzaktion der KPD. Frankfurt, New York 1986; Ben Fowkes, Communism in Germany under the Weimar Republic. London 1984; Hans-Ulrich Ludewig, Arbeiterbewegung und Aufstand. Eine Untersuchung zum Verhalten der Arbeiterparteien in den Aufstandsbewegungen der frühen Weimarer Republik 1920–1923. Husum 1978) kritisieren die willkürliche Gewaltpraxis der KPD in der Inflationszeit und stellen die innerparteilichen Fraktionskämpfe heraus, während DDR-Autoren bemüht sind, die wachsende Abhängigkeit des deutschen Kommunismus von der Kommunistischen Internationale abzustreiten, die Aufstandsstrategie zu rechtfertigen und die in Parteispaltungen mündenden Zerwürfnisse der Parteiführer zu Meinungsverschiedenheiten abzumildern (Arnold Reisberg, An den Quellen der Einheitsfront. Der Kampf der KPD um die Aktionseinheit in Deutschland. 2 Bde, Berlin 1971).

Zur Geschichte der USPD, die sich nur kurze Zeit als dritte Kraft zwischen den Fronten von Sozialdemokratie und Kommunismus behaupten konnte, liegen einige Monographien von unterschiedlicher Qualität vor (Hartfrid Krause, USPD. Zur Geschichte der Unabhängigen Sozialdemokratischen Partei Deutschlands. Frankfurt 1975; David W. Morgan, The Socialist Left and the German Revolution. A history of the Independent Social Democratic Party 1917–1922. Ithaca, London 1975; Robert F. Wheeler, USPD und Internationale. Sozialisti-

scher Internationalismus in der Zeit der Revolution. Frankfurt 1975),
ohne daß bislang der Prozeß der Verschmelzung von USPD und KPD
im Herbst 1920 und die Rückkehr der Rest-USPD zur SPD im Herbst
1922 aus regional- und sozialgeschichtlicher Perspektive ausreichend
untersucht sind. Auch die Zusammensetzung der Mitglieder und Wähler der Arbeiterparteien ist erst punktuell erforscht worden (vgl. etwa
Uta Stolle, Arbeiterpolitik im Betrieb. Frauen und Männer, Reformisten und Radikale. Fach- und Massenarbeiter bei Bayer, BASF, Bosch
und in Solingen 1900–1933. Frankfurt, New York 1980). Deshalb sind
allgemeine Aussagen zum Organisationsverhalten von bestimmten Arbeitergruppen nur schwer möglich. Diese Forschungslücke konnte
auch Heinrich August Winkler nicht schließen, der den programmatischen Sieg des ideologischen Traditionalismus nach der Wiederverein-
gung von SPD und USPD kritisiert und betont, die SPD sei auch
deshalb eine proletarische Milieupartei geblieben, wobei er seine Mit-
gliederanalyse nur auf Einzelergebnisse für Bremen, Hamburg und
Hannover stützen kann (Klassenbewegung oder Volkspartei? Zur Pro-
grammdiskussion in der Weimarer Sozialdemokratie 1920–1925. In:
Geschichte und Gesellschaft 8 [1982], S. 9–54).

In diesem Zusammenhang ist darauf hinzuweisen, daß die soziale
Entwicklung während der Inflationszeit erst in Ansätzen bekannt ist.
Die im Rahmen eines großen Forschungsprojektes (Gerald D. Feldman, Carl-Ludwig Holtfrerich, Gerhard A. Ritter, Peter-Christian
Witt (Hrsg.), Die deutsche Inflation. Berlin, New York 1982; dies.
(Hrsg.), Die Anpassung an die Inflation. Berlin, New York 1986) bis
jetzt vorgelegten Teilergebnisse lassen eine differenzierte Beurteilung
der Lebenssituation von Arbeitern in den Jahren bis 1924 angeraten
erscheinen. Die Auswirkungen der Inflation führten jedenfalls nicht zu
einer generellen Verelendung der Arbeiterklasse, wie insbesondere
marxistische Historiker wiederholt behaupteten, wohl aber zu einer
gewissen Anpassung der Löhne von ungelernten an gelernte Arbeiter.
Erst der schnelle Verfall der inflationären Scheinblüte 1922/23 löste
namentlich in den großstädtischen Ballungsgebieten eine soziale Katastrophe aus, wo Arbeiter neben ihrem Lohneinkommen kaum andere
Erwerbsquellen besaßen. Sozialgeschichtliche Forschungsanstöße, wie
sie von dem Bochumer Symposion im Juni 1973 ausgingen (vgl. den
von Hans Mommsen, Dietmar Petzina u. Bernd Weisbrod hrsg. Ta-
gungsband Industrielles System und politische Entwicklung in der
Weimarer Republik. Düsseldorf 1974), wären erneut notwendig, um
das erst in Umrissen bekannte industriegesellschaftliche Profil der Weimarer Republik genauer zu konturieren. Über die Arbeitsmarkt-, Al-
ters- und Berufsstruktur in der Zwischenkriegszeit sowie über die Folgewirkungen von Rationalisierung, Verstädterung und Landflucht liegen zwar einige Überblicksdarstellungen und Aufsatzsammlungen vor
(Josef Mooser, Arbeiterleben in Deutschland 1900–1970. Klassenlagen,
Kultur und Politik. Frankfurt 1984; Werner Abelshauser [Hrsg.], Die
Weimarer Republik als Wohlfahrtsstaat. Zum Verhältnis von Wirt-

schafts- und Sozialpolitik in der Industriegesellschaft. Stuttgart 1987), aber ein tiefenscharfes Bild läßt sich damit noch nicht zeichnen. Dies gilt auch für den Bereich der staatlichen Sozialpolitik, den die vor vierzig Jahren erschienene und bis heute konkurrenzlos gebliebene Untersuchung von Ludwig Preller (Sozialpolitik in der Weimarer Republik. Stuttgart 1949, 2. Aufl. Düsseldorf 1978) breit behandelt.

Die Mittelphase der Weimarer Republik, die Zeit der »relativen Stabilisierung«, hat in der wirtschaftshistorischen Diskussion der letzten Jahre große Beachtung gefunden. Knut Borchardts These, daß das Lohnniveau zwischen 1925 und 1929 überhöht gewesen sei und die Investitionsschwäche und mangelnde Konkurrenzfähigkeit der deutschen Wirtschaft auf dem Weltmarkt ursächlich bedingt habe, stieß auf viel Zustimmung und ebensoviel Kritik. Seine in einer Reihe von Aufsätzen entfaltete Argumentation (Wachstum, Krisen, Handlungsspielräume der Wirtschaftspolitik. Göttingen 1982) provozierte vor allem den Widerspruch von Sozialhistorikern, die den Konjunkturabschwung nicht ausschließlich einer zu hohen Lohnquote anlasten wollen (vgl. die Einzelbeiträge in Geschichte und Gesellschaft 8 [1982], S. 415 ff.; 10 [1984], S. 122 ff.; 11 [1985], S. 273 ff.). Die zeitweise zum »Glaubenskrieg« zugespitzte Debatte endete vorerst ohne Ergebnis, weil die für eine Urteilsfindung notwendigen sozial- und wirtschaftsstatistischen Daten keineswegs so verläßlich sind, wie viele Berechnungen und Tabellen suggerieren. Einigkeit besteht allerdings über ein Faktum: Auch in den »goldenen« Jahren der Weimarer Republik war die gesamtwirtschaftliche Lage in Deutschland wenig stabil.

Hinter dem »Schein der Normalität« (Winkler) kam es auch zu keiner dauerhaften Festigung des politischen Systems. Für die Arbeiterparteien zeigen dies eine Reihe von Studien, die das Demokratie- und Parlamentarismusverständnis, Strategie- und Taktikkonzeptionen, innerparteiliche Richtungskämpfe, die Entwicklung von Nebenorganisationen oder die lokale und regionale Verankerung von SPD und KPD behandeln. Die Umformung der KPD zu einer »Partei neuen Typus« leninistischer Prägung, von der DDR-Geschichtsschreibung als Positivum herausgestellt, von der nichtkommunistischen Forschung als Bolschewisierung oder Stalinisierung charakterisiert, vollzog sich als Abfolge verwickelter Prozesse, für deren Steuerung die Abhängigkeit der KPD von der Moskauer Komintern-Führung ein entscheidender Faktor war. Dies hat Hermann Weber in seinem Standardwerk (Die Wandlung des deutschen Kommunismus. Die Stalinisierung der KPD in der Weimarer Republik. 2 Bde, Frankfurt 1969) historisch-chronologisch und systematisch herausgearbeitet. Eine damit vergleichbare Monographie, welche die Geschichte der KPD während der Mittelphase der Republik aus der Sicht der marxistisch-leninistischen Geschichtsschreibung behandelt, liegt noch nicht vor. Die Differenzen in der Partei thematisiert zwar eine Fülle in der DDR erschienener Aufsätze und Dissertationen, aber politisch-ideologische Gründe versperren immer noch den Blick für eine kritische Auseinandersetzung mit der zum »Reifungsprozeß« stilisierten inneren Verhärtung der KPD und ihrer Gleichschaltung mit der Moskauer Generallinie.

Der Theoriediskussion in Splittergruppen, deren Bandbreite vom Syndikalismus über den »Links«- und »Rechts«-Kommunismus bis zu nationalrevolutionären Bünden reichte, sind so viele Studien gewidmet worden, daß auf ihre Aufzählung schon aus Platzgründen verzichtet werden muß (vgl. die bibliographischen Angaben bei Klotzbach, S. 280 ff.). Dies gilt auch für die Flut von Darstellungen zur Geschichte der Arbeiterbewegung als Kultur- und Bildungsbewegung, in denen oft aus alltagsgeschichtlicher Perspektive wichtige Schrittmacherdienste für die sozialhistorische Erforschung der individuellen und kollektiven Lebensentwürfe von Arbeitern geleistet wurden. Den Zusammenhang von Arbeiteralltag, Arbeiterkultur und Arbeiterbewegung behandelt ein grundlegender Aufsatz von Dieter Langewiesche (Politik – Gesellschaft – Kultur. Zur Problematik von Arbeiterkultur und kulturellen Arbeiterorganisationen in Deutschland nach dem 1. Weltkrieg. In: Archiv für Sozialgeschichte, 22 [1982], S. 359–402), der sich auch mit neueren Forschungsansätzen und Forschungsergebnissen auseinandersetzt.

Wissenschaftliche Konjunktur hat seit einigen Jahren auch die Reformismustheorie der Sozialdemokratie. Der Verlauf und die Ergebnisse der während der Weimarer Republik in der SPD intensiv geführten Diskussionen über das Selbstverständnis und die Strategie des Demokratischen Sozialismus waren noch zu Beginn der siebziger Jahre relativ unbekannt. Seitdem hat sich das Interesse an orthodox-marxistischen Deutungen immer mehr erschöpft, während gleichzeitig die Verfassungs-, Staats- und Gesellschaftstheorie der Weimarer Sozialdemokratie wiederentdeckt wurde. Zwei Aufsatzsammlungen präsentieren neuere Forschungsergebnisse und wollen zugleich Anregungen für die aktuelle Programmdebatte in der SPD geben: Horst Heimann u. Thomas Meyer (Hrsg.), Reformsozialismus und Sozialdemokratie. Zur Theoriediskussion des Demokratischen Sozialismus in der Weimarer Republik. Berlin, Bonn 1982; Richard Saage (Hrsg.), Solidargemeinschaft und Klassenkampf. Politische Konzeptionen der Sozialdemokratie zwischen den Weltkriegen. Frankfurt 1986. Das breite Spektrum der innerparteilichen Diskussionen in den zwanziger Jahren leuchten zwei Dissertationen aus: Dietmar Klenke, Die SPD-Linke in der Weimarer Republik. 2 Bde, Münster 1983; Benno Fischer, Theoriediskussion der SPD in der Weimarer Republik. Frankfurt, Bern, New York 1987.

Die Politik der Arbeiterparteien in der Endphase der Weimarer Republik ist in der Forschung nach wie vor heftig umstritten. Das zeigen auch die zahlreichen Publikationen, die aus Anlaß der fünfzigsten Wiederkehr des Grenzjahres 1933 erschienen sind. Über die Tolerierungspolitik der SPD in der Ära Brüning und ihre kampflose Kapitulation nach der Entmachtung der preußischen Landesregierung im Juli 1932 und nach der Machtübergabe an die Nationalsozialisten Ende Januar 1933 gehen die Meinungen immer noch weit auseinander. Jedoch wird die Passivität der SPD-Spitze nicht mehr so rigoros attackiert, wie das in der älteren Forschungsliteratur überwiegend der Fall war. Bei der Suche nach Alternativen zum Tolerierungskurs und zur Stillhaltetaktik sind die Historiker nicht auf tragfähige Konzepte gestoßen, die ein anderes Verhalten der SPD zwingend gemacht hätten. Betont wird neuerdings vielmehr die politische Kalkulation der sozialdemokratischen Führung, die während der Regierungszeit Brünings eine »auf Zeitgewinn angelegte Ermattungsstrategie« verfolgte (so Eberhard Kolb, Die sozialdemokratische Strategie in der Ära des Präsidialkabinetts Brüning – Strategie ohne Alternative? In: Ursula Büttner [Hrsg.], Das Unrechtsregime. Internationale Forschung über den Nationalsozialismus. Bd. 1, Hamburg 1986, S. 157–176) und die in den letzten Monaten der Republik den Zeitpunkt für einen gewaltsamen Widerstand immer wieder vertagte, weil sie dem Generalstreik in einer Phase der Massenarbeitslosigkeit kaum Erfolgschancen einräumte (s. Helga Grebing, Flucht vor Hitler? In: Aus Politik und Zeitgeschichte B 4–5/ 83 vom 29. 1. 1983, S. 26–42). Der von Hans Mommsen in einem eindringlichen Aufsatz schon vor fünfzehn Jahren analysierte Verlust des Bewegungscharakters der SPD (Sozialdemokratie in der Defensive. Der Immobilismus der SPD und der Aufstieg des Nationalsozialismus. In: ders. [Hrsg.], Sozialdemokratie zwischen Klassenbewegung und Volkspartei. Frankfurt 1974, S. 106–133) kam hinzu. Allerdings mangelt es immer noch an organisationssoziologischen Studien, die diesen Befund aus regional- und lokalgeschichtlicher Sicht erhärten.

Kein Zweifel besteht in der nichtkommunistischen Forschung darüber, daß die Obstruktionspolitik der KPD, die in der Sozialfaschismusdoktrin ihr ideologisches Fundament hatte, die Abwehrfront der Arbeiterbewegung gegen den Nationalsozialismus destabilisierte und den deutschen Kommunismus in eine ultralinke Isolierung trieb (Hermann Weber, Hauptfeind Sozialdemokratie. Strategie und Taktik der KPD 1929–1933. Düsseldorf 1982; Siegfried Bahne, Die KPD und das Ende von Weimar. Das Scheitern einer Politik 1932 bis 1935. Frankfurt 1976; Johann Wachtler, Zwischen Revolutionserwartung und Untergang. Die Vorbereitung der KPD auf die Illegalität in den Jahren 1929 bis 1933. Frankfurt, Bern, New York 1983). Rechtfertigungen der KPD-Offensive gegen die Sozialdemokratie und die Republik finden sich immer noch bei der stalinistischen Nachhut unter den SED- und DKP-Historikern, während ansonsten vorsichtig von Fehleinschätzungen die Rede ist oder behauptet wird, die KPD habe die Sozialfaschismusdoktrin mit der Proklamation der »Antifaschistischen Aktion« im Frühjahr 1932 überwunden (Joseph Schleifstein, Die »Sozialfaschismus«-These. Zu ihrem geschichtlichen Hintergrund. Frankfurt 1980). Inzwischen liegen zahlreiche Untersuchungen vor, die den sowjetischen Ursprung der Sozialfaschismusdoktrin freilegen und ihren Export in die Kommunistische Internationale schildern (z.B. Leonid Luks, Die Entwicklung der Faschismus-Theorie der Komintern 1921 bis 1935. München 1981). Die Plausibilität dieser Forschungsergebnisse können Arbeiten nicht erschüttern, in denen behauptet wird, die Sozialfaschismusdoktrin sei als

Antwort auf die antisowjetische Politik rechter sozialdemokratischer Führer zu interpretieren (so Horst Schumacher, Die Kommunistische Internationale 1919–1943. Grundzüge ihres Kampfes für Frieden, Demokratie, nationale Befreiung und Sozialismus. Berlin 1979). Die Erträge der westlichen und östlichen Kommunismusforschung gewichtet mit vielen Literaturhinweisen die bereits erwähnte Publikation von Hermann Weber (Kommunismus in Deutschland 1918–1945), die eine Vielzahl von weiteren Arbeiten der DDR-Geschichtswissenschaft vorstellt.

Grundsätzlich kranken die meisten Studien zur KPD an ihrer ideologischen Kopflastigkeit. Sie konzentrieren sich fast ausschließlich auf die Führungsgruppen in der Partei und nehmen das Mitgliederverhalten nur gebrochen wahr, nämlich so, wie es sich in den Rundschreiben und Direktiven der Funktionärskader widerspiegelte. Dieses prinzipielle Problem taucht natürlich auch in vielen Untersuchungen zur Sozialdemokratie auf. Über den Parteialltag unterhalb der Ebene von Theorie- und Strategiediskussionen, über die Lebenswirklichkeit der Arbeiter in der Fabrik, der Familie und am Feierabend, über ihre informellen Beziehungen und Bindungen als Solidargemeinschaft, ihre Verkehrsformen und Wertvorstellungen sind unsere Kenntnisse gerade für die Zeit der Weimarer Republik erst bruchstückhaft. Versuche, die sozialdemokratische oder kommunistische Organisationswelt »von unten«, also aus der Perspektive der Parteibasis, auszuleuchten, stoßen auf viele Schwierigkeiten, die bei der Quellensuche anfangen und bei der Verallgemeinerung von individuellen Lebensgeschichten aufhören. Dennoch muß auch dieses steinige Forschungsfeld weiter beackert werden, weil die Arbeiterbewegung als Massenbewegung eine Bewegung von »gewöhnlichen Leuten« war, die – manchmal – außergewöhnliche Persönlichkeiten führten.

Ausgeklammert aus diesem knappen Überblick blieben Studien zur Gewerkschaftsgeschichte, deren akademische Erforschung vor allem in den letzten Jahren große Fortschritte gemacht hat. Da in den bereits genannten Quelleneditionen über die Gewerkschaften zwischen 1914 und 1933 einleitend der neueste Forschungsstand beleuchtet wird, muß das hier nicht mehr wiederholt werden. Hingewiesen sei aber auf drei vor kurzem erschienene Darstellungen, in denen Stand und Defizite der Gewerkschaftshistoriographie beschrieben sind: Klaus Schönhoven, Die deutschen Gewerkschaften. Frankfurt 1987, 2. Aufl. 1988; Klaus Tenfelde, Klaus Schönhoven, Michael Schneider, Detlev J. K. Peukert, Geschichte der deutschen Gewerkschaften von den Anfängen bis 1945. Hrsg. von Ulrich Borsdorf, Köln 1987; Heinrich Potthoff, Freie Gewerkschaften 1918–1933. Der Allgemeine Deutsche Gewerkschaftsbund in der Weimarer Republik. Düsseldorf 1987. Für das Studium der ideellen und materiellen Geschichte der Arbeiterbewegung in der Weimarer Republik bieten gerade die Gewerkschaften ein weites Feld, weil sich in ihrer Entwicklung der komplexe Zusammenhang von Organisations-, Sozial-, Wirtschafts-, Alltags- und politischer Geschichte besonders vielfältig widerspiegelt.

Zeittafel

1918

29. 9.	Oberste Heeresleitung verlangt sofortigen Waffenstillstand.
28. 10.	Verfassungsreform: Parlamentarisierung des Reiches.
3.–9. 11.	Aufstand der Matrosen in Kiel. Ausbreitung der Aufstandsbewegung im Reich. Bildung von Arbeiter- und Soldatenräten in vielen Städten.
9. 11.	Abdankung Wilhelms II. Ausrufung der Republik.
10. 11.	Bildung des Rats der Volksbeauftragten als Revolutionsregierung von SPD und USPD.
11. 11.	Unterzeichnung des Waffenstillstands in Compiègne.
15. 11.	Gründung der »Zentralarbeitsgemeinschaft der industriellen und gewerblichen Arbeitgeber und Arbeitnehmer Deutschlands« (ZAG).
16.–20. 12.	I. Reichsrätekongreß in Berlin. Entscheidung für Wahlen zur Verfassunggebenden Nationalversammlung am 19. Januar 1919.
28./29. 12.	Austritt der USPD-Vertreter aus dem Rat der Volksbeauftragten.
30. 12–1. 1.	Gründungsparteitag der KPD.

1919

5.–12. 1.	Januarunruhen in Berlin.
9. 1.	Essener Arbeiter- und Soldatenrat proklamiert die Sozialisierung des Bergbaus.
10. 1.–4. 2.	Räterepublik in Bremen.
15. 1.	Ermordung von Rosa Luxemburg und Karl Liebknecht.
19. 1.	Wahlen zur Nationalversammlung. Die SPD erhält 37,9 Prozent, die USPD 7,6 Prozent der Stimmen. Die KPD beteiligt sich nicht an den Wahlen.
6. 2.	Eröffnung der Nationalversammlung in Weimar.
11. 2.	Wahl Eberts zum Reichspräsidenten durch die Nationalversammlung.
13. 2.	Bildung einer Reichsregierung aus SPD, Zentrum, DDP (»Weimarer Koalition«).
21. 2.	Ermordung des bayerischen Ministerpräsidenten Kurt Eisner (USPD).
2.–6. 3.	Außerordentlicher Parteitag der USPD in Berlin.
7.–13. 4.	1. Räterepublik in München.
8.–14. 4.	II. Reichsrätekongreß in Berlin.
13. 4.–2. 5.	2. Räterepublik in München.
10.–15. 6.	Parteitag der SPD in Weimar.

20. 6.	Rücktritt des Kabinetts Scheidemann und Bildung des Kabinetts Bauer (SPD, Zentrum).
28. 6.	Unterzeichnung des Friedensvertrags in Versailles.
30. 6.–5. 7.	Gewerkschaftskongreß in Nürnberg. Gründung des Allgemeinen Deutschen Gewerkschaftsbundes (ADGB).
31. 7.	Verabschiedung der Weimarer Reichsverfassung durch die Nationalversammlung.
11. 8.	Reichspräsident Ebert unterzeichnet die Reichsverfassung.
9./10. 9.	Reichskonferenz der USPD in Berlin.
13.–22. 10.	Generalversammlung des Deutschen Metallarbeiterverbandes lehnt die ZAG ab.
20.–23. 10.	2. (illegaler) Parteitag der KPD in Heidelberg.
7. 11.	Hugo Haase (USPD) stirbt an den Folgen eines Attentats.
30. 11.–6. 12.	Außerordentlicher Parteitag der USPD in Leipzig.

1920
13. 1.	Protestkundgebung von USPD und KPD gegen die »Verwässerung des Rätegedankens« durch das Betriebsrätegesetz. 42 Tote und 105 Verletzte.
13.–16. 3.	Kapp-Lüttwitz-Putsch. Flucht der Reichsregierung nach Stuttgart. Ausrufung des Generalstreiks durch die Gewerkschaften. Zusammenbruch des Putsches.
15. 3.–8. 4.	Kämpfe in Mitteldeutschland und im Ruhrgebiet. Die »Rote Ruhrarmee« wird von der Reichswehr entwaffnet und zerschlagen. Mehrere hundert Personen werden durch Standgerichte zum Tode verurteilt.
22. 3.	Rücktritt Noskes. Verhandlungen über die Bildung einer Arbeiterregierung.
27. 3.	Umbildung des Reichskabinetts unter Hermann Müller (SPD).
3./4. 4.	Gründung der Kommunistischen Arbeiterpartei (KAPD).
10. 5.	Errichtung des Reichsamts für Arbeitsvermittlung.
6. 6.	Reichstagswahl. Erhebliche Verluste der »Weimarer Koalition«, die die Mehrheit verliert; starke Gewinne der USPD.
30. 6.	Zusammentritt des »Vorläufigen Reichswirtschaftsrats«.
23. 7.–7. 8.	II. Weltkongreß der Kommunistischen Internationale in Moskau. Verabschiedung der 21 Bedingungen zur Aufnahme in die Komintern.
1.–3. 9.	Reichskonferenz der USPD in Berlin.
5.–7. 10.	Erster Betriebsrätekongreß in Berlin. 953 Delegierte vertreten 15 Millionen Arbeiter.
10.–16. 10.	Parteitag der SPD in Kassel.
12.–17. 10.	Außerordentlicher Parteitag der USPD in Halle. Die

	Mehrheit der Delegierten nimmt die 21 Bedingungen der Komintern an. Die Minderheit trennt sich und setzt den Parteitag in einem anderen Lokal fort.
4.–7. 12.	Vereinigungsparteitag zwischen KPD und dem linken Flügel der USPD.
26. 12.	Tod des ADGB-Vorsitzenden Carl Legien.

1921

19. 1.	Vorständekonferenz des ADGB wählt Theodor Leipart zum Nachfolger Legiens.
20. 3.–1. 4.	»Märzaktion« der KPD in Mitteldeutschland, Hamburg und im Ruhrgebiet. Blutige Zusammenstöße zwischen Demonstranten und Polizei.
15. 4.	Ausschluß von Paul Levi aus der KPD.
10. 5.	SPD kehrt in die Reichsregierung zurück. Bildung des Kabinetts Wirth (Zentrum).
3.–17. 7.	Gründung der kommunistischen »Roten Gewerkschafts-internationale« (RGI).
26. 8.	Ermordung von Matthias Erzberger (Zentrum).
18.–24. 9.	Parteitag der SPD in Görlitz. Verabschiedung eines neuen Parteiprogramms.
2./3. 10.	Erster Kongreß des AfA-Bundes in Düsseldorf.
26. 10.	Umbildung des Kabinetts Wirth.
26./27. 11.	Gründung des »Bundes religiöser Sozialisten« in Berlin.

1922

8.–12. 1.	Parteitag der USPD in Leipzig.
22. 2.	Eine Reichskonferenz der USPD stimmt der Aufnahme der Kommunistischen Arbeitsgemeinschaft zu.
Ende Febr./ Anfang Mai	Streik der Metallarbeiter in Süddeutschland um die 48-Stunden-Woche.
18. 6.	Gründung des »Allgemeinen Deutschen Beamtenbundes« (ADB) in Leipzig.
18.–24. 6.	1. Bundestag des ADGB in Leipzig.
24. 6.	Ermordung von Reichsaußenminister Walter Rathenau.
18. 7.	Verabschiedung des »Gesetzes zum Schutz der Republik« durch den Reichstag.
17.–23. 9.	Parteitag der SPD in Augsburg.
20.–23. 9.	Parteitag der USPD in Gera.
24. 9.	Vereinigungsparteitag von SPD und USPD in Nürnberg.
5. 11.–5. 12.	IV. Weltkongreß der Kommunistischen Internationale.
22. 11.	Bildung der Reichsregierung Cuno aus Zentrum, BVP, DDP, DVP.

1923

11. 1.	Französische und belgische Truppen besetzen das Ruhrgebiet. Gewerkschaften rufen zum nationalen Widerstand auf.

30. 3.–2. 4.	Tagung von Jungsozialisten in Hofgeismar.
April/Sept.	Der Dollarkurs steigt von 29 500 DM (19. 4.) auf 98,9 Millionen Mark (Ende Sept.).
12. 8.	Bildung einer Regierung der »Großen Koalition« (SPD, DDP, Zentrum, DVP).
25. 8.	Die letzte Ausgabe von ›Die Neue Zeit‹ erscheint.
26. 9.	Reichspräsident und Reichsregierung verkünden das Ende des passiven Widerstands an der Ruhr.
5. 10.	Parteileitung der KPD spricht sich für den Eintritt der Partei in die sächsische und thüringische Landesregierung aus.
10. 10.	In Sachsen wird eine Regierung aus SPD und KPD gebildet.
16. 10.	Errichtung der Rentenbank.
21./22. 10.	In Leipzig, Meißen, Dresden und Pirna rücken Reichswehrverbände ein.
23.–25. 10.	Hamburger Aufstand der KPD.
28. 10.–1. 11.	Die sächsische Landesregierung wird von Reichspräsident Ebert, gestützt auf Art. 48, ihrer Stellung enthoben.
30. 10.	Inkrafttreten der neuen Schlichtungsverordnung.
2. 11.	Rücktritt der sozialdemokratischen Regierungsmitglieder im Reich.
8./9. 11.	Ludendorff-Hitler-Putsch in München.
15./16. 11.	Beginn der Rentenmark-Ausgabe. Der Dollarkurs beträgt 4,2 Billionen Mark.
21. 12.	Eine Verordnung der Reichsregierung bekräftigt das Prinzip des Acht-Stunden-Tages, gestattet jedoch eine Verlängerung der Arbeitszeit auf zehn Stunden.

1924

16. 1.	Der ADGB erklärt seinen Austritt aus der ZAG.
22. 2.	Gründung des »Reichsbanners Schwarz-Rot-Gold« in Magdeburg, das wenige Monate später 700 000 Mitglieder zählt.
4. 5.	Reichstagswahlen mit beachtlichen Gewinnen von DNVP, Völkischen und KPD.
11.–14. 6.	Parteitag der SPD in Berlin.
17. 6.–8. 7.	V. Weltkongreß der Komintern.
8.–21. 7.	III. Weltkongreß der Roten Gewerkschaftsinternationale.
7. 12.	Reichstagswahlen. SPD verbessert sich um über 1,8 Millionen Stimmen; KPD verliert mehr als eine Million Stimmen.

1925

28. 2.	Tod von Reichspräsident Ebert.
29. 3.	Erster Wahlgang zur Reichspräsidentenwahl.

26. 4.	Wahl Hindenburgs zum Reichspräsidenten mit 14,6 Millionen Stimmen. Der von der SPD unterstützte Kandidat des Zentrums, Wilhelm Marx, erhält 13,7 Millionen Stimmen; Thälmann (KPD) 1,9 Millionen.
15.–18. 6.	2. Kongreß des AfA-Bundes in München.
12.–17. 7.	Der 10. Parteitag der KPD verabschiedet ein Parteistatut, in dem die Betriebszellen als organisatorisches Fundament der Partei bezeichnet werden.
24.–28. 7.	1. Internationale Arbeiter-Olympiade in Frankfurt a. M.
31. 8.–4. 9.	2. Bundeskongreß des ADGB in Breslau.
13.–18. 9.	Parteitag der SPD in Heidelberg. Verabschiedung eines neuen Programms.

1926

1. 1.	Gründung des »Internationalen Sozialistischen Kampfbundes« (ISK) als Nachfolger des »Internationalen Jugendbundes« (IJB).
6. 1.	Auf Initiative der KPD wird in Berlin ein Ausschuß zur Durchführung des Volksentscheids für die entschädigungslose Enteignung der Fürsten gegründet.
19. 1.	Der Parteivorstand der SPD beschließt die Teilnahme der Partei am Volksbegehren.
4.–17. 3.	12,5 Millionen Wahlberechtigte sprechen sich in einem Volksbegehren für den von SPD, ADGB, KPD und dem Ausschuß für den Volksentscheid vorgelegten Gesetzentwurf auf entschädigungslose Enteignung der deutschen Fürstenhäuser aus.
20. 6.	Der Volksentscheid scheitert. Dem Gesetzentwurf zur Fürstenenteignung stimmen 14,4 Millionen Wahlberechtigte zu; zur Annahme wären 20 Millionen Stimmen erforderlich gewesen.
6. 11.	Die Deutsche Welle bringt die erste Arbeiterfunksendung.

1927

28. 1.	Bildung der Regierung des Bürgerblocks unter Marx (Zentrum).
2.–7. 3.	Auf dem 11. Parteitag der KPD in Essen wird der linke Flügel der SPD als Hauptgegner bezeichnet.
22.–27. 5.	Parteitag der SPD in Kiel.
1. 7.	Das Arbeitsgerichtsgesetz tritt in Kraft.
7. 7.	Der Reichstag nimmt mit 356 gegen 47 Stimmen bei 16 Enthaltungen das Gesetz über die Arbeitslosenversicherung und Arbeitsvermittlung an.

1928

17. 3.–3. 4.	Auf dem IV. Kongreß der Roten Gewerkschaftsinternationale werden die deutschen Arbeiter aufgefordert, auch

	gegen den Willen der offiziellen Gewerkschaftsleitungen Streiks vorzubereiten und durchzuführen. In den Betrieben sollen Aktionskomitees für die Einheitsfront von unten organisiert werden.
21./22. 4.	Reichskonferenz der Sozialistischen Arbeiterjugend (SAJ) in Leipzig. Es bestehen 1415 Ortsgruppen mit rund 50 000 Mitgliedern.
20. 5.	Reichstagswahlen. Auf die SPD entfallen 9,1 Millionen Stimmen. Sie stellt die mit Abstand stärkste Fraktion.
6. 6.	Parteiausschuß der SPD beschließt, die Partei solle die Regierungsführung übernehmen.
28. 6.	Bildung der neuen Reichsregierung (SPD, DDP, Zentrum, BVP, DVP) unter Hermann Müller (SPD).
17. 7.–1. 9.	Der VI. Weltkongreß der Kommunistischen Internationale beschließt eine verschärfte Auseinandersetzung mit der SPD und proklamiert die »Einheitsfront von unten«.
10. 8.	Reichsregierung beschließt mit den Stimmen der SPD-Minister, mit dem Bau des Panzerschiffes A zu beginnen.
3.–7. 9.	3. Bundeskongreß des ADGB in Hamburg. Verabschiedung des Konzeptes der Wirtschaftsdemokratie.
1.–4. 10.	3. Kongreß des AfA-Bundes in Hamburg, der 410 000 Mitglieder hat.
Okt.–21. 12.	Schwerer Lohnkonflikt in der Eisenindustrie (»Ruhreisenstreit«), in dessen Verlauf 210 000 Arbeiter von den Arbeitgebern ausgesperrt werden, die einen Schlichtungsvorschlag nicht akzeptieren.
14.–17. 11.	Die SPD-Reichstagsfraktion beantragt die Einstellung des Panzerschiffbaus. In der Abstimmung, in der die Fraktion mit 257 gegen 202 Stimmen unterliegt, stimmen die SPD-Minister mit ihrer Fraktion.

1929	
Ende Febr.	22,3 Prozent der Gewerkschaftsmitglieder sind arbeitslos.
1. 5.	Trotz des Verbots findet eine kommunistische Maidemonstration in Berlin statt. Bei Zusammenstößen mit der Polizei werden 31 Demonstranten getötet (»Blutmai«).
26.–31. 5.	Parteitag der SPD in Magdeburg. Verabschiedung der Richtlinien zur Wehrpolitik.
7. 6.	Unterzeichnung des Young-Plans.
8.–15. 6.	Der 12. Parteitag der KPD spricht sich gegen die Bildung eigener Gewerkschaften aus.
3. 10.	Änderung der Arbeitslosenversicherung. Bei der ersten Unterstützungszahlung muß der Empfänger vorher mindestens 52 Wochen gearbeitet haben. Tod von Reichsaußenminister Stresemann.
25. 10.	Börsenkrach in den USA (»Schwarzer Freitag«).

| 30. 11.–1. 12. | 1. Reichskongreß der kommunistischen »Revolutionären Gewerkschaftsopposition Deutschlands« (RGO) in Berlin. |
| 21. 12. | Rücktritt Hilferdings (SPD) als Reichsfinanzminister. |

1930

15. 1.	Die Zahl der Arbeitslosen beträgt 3,1 Millionen.
12. 3.	Der Reichstag stimmt dem Young-Plan zu.
27. 3.	Rücktritt des Kabinetts Müller. Dieser »Bruch der Großen Koalition« bedeutet das Ende der parlamentarischen Regierung in Deutschland bis 1945.
30. 3.	Bildung des Präsidialkabinetts Brüning (Zentrum).
4. 5.	Eröffnung der Bundesschule des ADGB in Bernau.
1. 6.–25. 7.	Streik im Mansfelder Kupferbergbau, der mit einem Lohnabbau von 9,5 Prozent endet.
10. 6.	Schiedsspruch von Bad Oeynhausen erklärt Lohnsenkung von 7,5 Prozent für die Eisenindustrie der Gruppe Nordwest für verbindlich.
24. 6.	Verhandlungen von ADGB und Unternehmerverbänden über die gemeinsame Krisenbekämpfung scheitern.
15.–18. 7.	Reichstag lehnt Steuererhöhungsprogramm des Kabinetts ab. Nach dem Beschluß des Reichstags, eine entsprechende Notverordnung aufzuheben, löst der Reichspräsident das Parlament auf.
15.–30. 8.	Der V. Kongreß der RGI beschließt, die RGO zu einer selbständigen Gewerkschaftsorganisation zu entwickeln.
14. 9.	Reichstagswahlen. »Erdrutschsieg« der NSDAP; Gewinne der KPD und leichte Verluste der SPD.
18.–20. 9.	3. Bundeskongreß des ADB in München, der rund 177 000 Mitglieder hat.
26. 9.	Der Beitrag zur Arbeitslosenversicherung wird auf 6,5 Prozent erhöht.
13.–31. 10.	85 Prozent der gewerkschaftlich organisierten Metallarbeiter Berlins lehnen einen Schiedsspruch ab, der eine Lohnsenkung von 8 Prozent vorsieht. An einem Streik beteiligen sich 130 000 Metallarbeiter.
8. 11.	In einem Schiedsspruch für die Berliner Metallindustrie wird eine Lohnsenkung von 8 Prozent ab 1931 festgelegt.
6. 12.	Der Reichstag lehnt mit den Stimmen der SPD (»Tolerierungspolitik«) die Anträge auf Aufhebung von Notverordnungen ab.
15. 12.	Die Zahl der Arbeitslosen beträgt 3,9 Millionen.
31. 12.	Die Zahl der Arbeitslosen beträgt 4,3 Millionen.

1931

| 20. 3. | 108 SPD-Abgeordnete enthalten sich bei der Abstimmung über den Wehretat der Stimme. |

31. 5.–5. 6.	Parteitag der SPD in Leipzig.
16. 6.	Die SPD verzichtet auf eine Einberufung des Reichstags, nachdem die Reichsregierung mit ihrem Rücktritt gedroht hat.
19.–25. 7.	2. Internationale Arbeiter-Olympiade in Wien.
31. 8.–4. 9.	4. Bundeskongreß des ADGB in Frankfurt am Main.
29. 9.	Ausschluß der Reichstagsabgeordneten Seydewitz und Rosenfeld aus der SPD.
2. 10.	Gründung der ersten Ortsgruppe der »Sozialistischen Arbeiterpartei« (SAP) in einer von Seydewitz geleiteten Versammlung in Breslau.
4. 10.	Reichskonferenz oppositioneller Sozialdemokraten in Berlin. Seydewitz, Rosenfeld und Ströbel werden zu Vorsitzenden der SAP gewählt.
5.–7. 10.	3. AfA-Kongreß in Berlin.
11. 10.	Bildung der »Harzburger Front« aus Deutschnationalen, Nationalsozialisten, Stahlhelm und Reichslandbund.
23. 11.	Der Herausgeber der ›Weltbühne‹, C. von Ossietzky, wird vom Reichsgericht »wegen Verrats militärischer Geheimnisse« zu eineinhalb Jahren Gefängnis verurteilt.
23. 12.	Bildung der »Eisernen Front«, einer Kampforganisation der SPD, des ADGB, der Arbeiter-Sportorganisationen und des Reichsbanners zur Abwehr der faschistischen Gefahr. Das Wahrzeichen werden die »Drei Pfeile«.

1932

31. 1.	Die Arbeitslosenzahl übersteigt erstmals die Sechs-Millionen-Grenze.
23. 2.	K. Schumacher (SPD) bescheinigt dem Nationalsozialismus im Reichstag, ihm sei »zum ersten Mal in der deutschen Politik die restlose Mobilisierung der menschlichen Dummheit« gelungen.
27. 2.	Der Parteivorstand der SPD fordert zur Wiederwahl Hindenburgs auf.
13. 3.	Beim ersten Wahlgang zur Reichspräsidentenwahl erhalten Hindenburg 18,6, Hitler 11,3 und Thälmann 4,9 Millionen Stimmen.
25.–28. 3.	Parteitag der SAP in Berlin, 95 Delegierte vertreten 25 000 Mitglieder.
10. 4.	Beim zweiten Wahlgang zur Reichspräsidentenwahl wird Hindenburg mit 19,3 Millionen Stimmen wiedergewählt. Hitler erhält 13,4 Millionen Stimmen, Thälmann 3,7 Millionen Stimmen.
13. 4.	Außerordentlicher Gewerkschaftskongreß des ADGB in Berlin. Der Kongreß verabschiedet den WTB-Plan zur Arbeitsbeschaffung.

24. 4.	Bei den preußischen Landtagswahlen wird die NSDAP zur stärksten Partei. Die SPD verliert 43 Mandate.
30. 5.	Reichspräsident Hindenburg entzieht Reichskanzler Brüning sein Vertrauen.
1. 6.	Franz von Papen stellt sein »Kabinett der nationalen Konzentration« vor, in dem die meisten Mitglieder der DNVP angehören.
3. 6.	Der preußische Landtag nimmt einen kommunistischen Mißtrauensantrag gegen das Kabinett O. Braun (SPD) mit den Stimmen der NSDAP, DNVP und der DVP an.
4. 6.	Auflösung des Reichstags.
17. 7.	Blutige Zusammenstöße zwischen Kommunisten und Nationalsozialisten in Altona, bei denen 14 Menschen getötet werden.
20. 7.	Die preußische Regierung wird durch eine Notverordnung des Reichspräsidenten abgesetzt und Preußen der kommissarischen Gewalt des Reichskanzlers von Papen unterstellt (»Preußenschlag«).
31. 7.	Bei den Reichstagswahlen wird die NSDAP mit 37,8 Prozent zur stärksten Partei. Die SPD erhält 21,6, die KPD 14,3 Prozent.
3. 8.	Thälmann erklärt erneut, daß es keine Abschwächung des prinzipiellen Kampfes gegen die SPD geben darf.
14. 8.	Hitler lehnt es ab, in das Kabinett Papen einzutreten.
12. 9.	Der Reichstag spricht mit 513 gegen 32 Stimmen bei 5 Enthaltungen der Regierung Papen sein Mißtrauen aus. Daraufhin löst der Reichspräsident den Reichstag auf.
25. 10.	Das Reichsgericht erklärt die Verordnung vom 20. 7. gegen Preußen mit der Verfassung für vereinbar, soweit sie den Reichskanzler zum Reichskommissar für das Land Preußen bestellt hat. Die Vertretung des Landes im Reichstag und Reichsrat obliegt dem preußischen Staatsministerium.
3.–8. 11.	Verkehrsarbeiterstreik in Berlin, in dessen Verlauf Kommunisten und Nationalsozialisten zusammenarbeiten. Der zuständige Verband des ADGB hatte nicht zum Streik aufgerufen, nachdem bei einer Urabstimmung die erforderliche Mehrheit nicht zustande gekommen war.
6. 11.	Die Nationalsozialisten verlieren bei den Reichstagswahlen zwei Millionen Stimmen und 34 Mandate.
17. 11.	Rücktritt der Reichsregierung Papen.
3. 12.	Kurt von Schleicher wird vom Reichspräsidenten zum neuen Reichskanzler ernannt.
15. 12.	Der neue Reichskanzler erklärt, sein einziger Programmpunkt sei es, Arbeit zu beschaffen.
18. 12.	Tod von Eduard Bernstein.

1933

4. 1.	Unterredung zwischen Hitler und Papen im Haus des Bankiers von Schröder (Köln).
28. 1.	Reichspräsident Hindenburg verweigert Schleicher eine Auflösungsvollmacht für den Reichstag. Rücktritt des Kanzlers.
30. 1.	Hindenburg beauftragt Hitler mit der Regierungsbildung.
31. 1.	In einer gemeinsamen Sitzung von SPD-Parteivorstand, Parteiausschuß und »Eiserner Front« wird ein Generalstreik gegen die neue Regierung abgelehnt. Auf einer Bundesausschußsitzung des ADGB erklärt Leipart: »Organisation – nicht Demonstration, das ist die Parole der Stunde.«
1. 2.	Auflösung des Reichstags.
7. 2.	In einer geheimen Sitzung des Zentralkomitees der KPD erklärt Thälmann, die KPD sei »in dieser besonderen Situation« für eine »Einheitsfronttaktik von unten und oben«.
12. 2.	Der Chefredakteur des ›Vorwärts‹, F. Stampfer, fordert die Kommunisten in einem offenen Brief zu einem Nichtangriffspakt mit den Sozialdemokraten auf.
27./28. 2.	Brand des Reichstags.
28. 2.	Erlaß der Notverordnung »zum Schutz von Volk und Staat«, mit der die Regierung zahlreiche Grundrechte einschränkt oder aufhebt.
3. 3.	Der Vorstand der SAP beschließt, den Mitgliedern die Auflösung der Partei und den Übertritt zur SPD zu empfehlen. Verhaftung des KPD-Vorsitzenden Thälmann.
5. 3.	Reichstagswahlen. Die SPD erhält 7,1 Millionen Stimmen (120 Mandate), die KPD 4,8 Millionen Stimmen (81 Mandate). Die NSDAP ist mit einem Stimmenanteil von 43,7 Prozent stärkste Partei.
6.–10. 3.	Gleichschaltung der Länder.
8. 3.	Die Reichsregierung annulliert die 81 Mandate der KPD.
11./12. 3.	Der (illegale) 2. Reichsparteitag der SAP in Dresden beschließt die Fortführung der Partei.
21. 3.	In einer Entschließung stellt der Bundesvorstand des ADGB fest: »Die sozialen Aufgaben der Gewerkschaften müssen erfüllt werden, gleichviel welcher Art das Staatsregime ist.«
23. 3.	Der Reichstag nimmt gegen die Stimmen der SPD das »Gesetz zur Behebung der Not von Volk und Reich« (»Ermächtigungsgesetz«) an, das die Regierung befugt, ohne den Reichstag Gesetze zu erlassen. Die Abgeordneten der KPD können an dieser Sitzung nicht mehr teilnehmen.

25. 3.	Zu diesem Zeitpunkt sind 46 Gewerkschaftshäuser von der Polizei oder der SA besetzt.
30. 3.	Wels erklärt seinen Austritt aus dem Büro der Sozialistischen Arbeiter-Internationale.
31. 3.	Gesetz »zur Gleichschaltung der Länder«.
1. 4.	Judenboykott der Nationalsozialisten in ganz Deutschland.
10. 4.	Der 1. Mai wird durch Gesetz zum »Feiertag der nationalen Arbeit« bestimmt.
13. 4.	Besprechung zwischen Vertretern des ADGB und der NSBO.
15. 4.	Der ADGB-Bundesvorstand ruft zur Beteiligung an den Mai-Veranstaltungen der Regierung auf.
16. 4.	Eine Führerkonferenz der NSDAP beschließt die gewaltsame Übernahme der Gewerkschaften am 2. Mai.
26. 4.	Reichskonferenz der SPD in Berlin.
28. 4.	Vertreter der drei Richtungsgewerkschaften bilden den »Führerkreis der vereinigten Gewerkschaften«.
1. 5.	Viele ADGB-Mitglieder beteiligen sich an den Maifeiern und folgen damit den Aufrufen ihrer Vorstandsgremien.
2. 5.	Besetzung der Häuser und Einrichtungen des ADGB, des AfA-Bundes und ihrer Einzelorganisationen durch SA und SS.
4. 5.	Der SPD-Vorstand beschließt, einige seiner Mitglieder ins Ausland zu schicken, um dort eine Auslandsstelle aufzubauen.
9. 5.	Das Vermögen der SPD wird beschlagnahmt.
10. 5.	Gründung der »Deutschen Arbeitsfront« (DAF).
17. 5.	Die Rumpffraktion der SPD im Reichstag – 65 Mitglieder – stimmt einer Resolution zu, in der sich die Regierung zu einer friedlichen Außenpolitik bekennt.
19. 5.	Das Gesetz über »Treuhänder der Arbeit« beseitigt die Tarifautonomie.
2. 6.	Der SPD-Parteivorstand teilt mit, daß er seinen Sitz nach Prag verlegt habe.
8. 6.	Die SPD-Abgeordneten des preußischen Landtags erklären, daß es nur eine Parteiführung gebe, die in Berlin.
10. 6.	Letzte Sitzung der SPD-Reichstagsfraktion, an der 73 von 120 Abgeordneten noch teilnehmen können.
15. 6.	Die Parteivorstandsmitglieder der SPD in Berlin widerrufen alle Erklärungen, die im Namen der Partei im Ausland abgegeben wurden.
18. 6.	Die erste Nummer der Wochenzeitung ›Neuer Vorwärts‹ erscheint in Karlsbad mit dem Aufruf »Zerbrecht die Ketten«.
19. 6.	Auf einer Reichskonferenz der SPD in Berlin wird ein

	neuer Vorstand gewählt, der sich von den ins Ausland gegangenen Vorstandsmitgliedern distanziert.
20. 6.	Tod von Clara Zetkin (KPD).
21. 6.	Beginn der »Köpenicker Blutwoche«, in deren Verlauf mehrere hundert Funktionäre der KPD und SPD mißhandelt, verschleppt und ermordet werden.
22. 6.	Verbot der SPD.
14. 7.	Gesetz gegen die Neubildung von Parteien legalisiert die Monopolstellung der NSDAP und die Gleichschaltung der Parlamente. Damit ist auch die KPD endgültig verboten, die seit dem Reichstagsbrand durch die Verhaftung und Verfolgung ihrer Funktionäre und Mitglieder bereits faktisch ausgeschaltet worden war.

1. Mitgliederentwicklung der Arbeiterparteien
a) SPD

Zeitpunkt	Mitgliederzahl	davon Frauen	in %
31. 3. 1918	249411	70695	28.3
31. 3. 1919	1012299	206354	20.1
31. 3. 1920	1180208		
31. 3. 1921	1221059	192485	15.8
31. 12. 1921	1174106	184099	15.7
31. 3. 1924	940078	148125	15.8
31. 3. 1925	844495	153693	18.2
31. 12. 1926	823520	165492	20.1
31. 12. 1927	867671	181541	20.9
31. 12. 1928	937381	198731	21.2
31. 12. 1929	1021777	218335	21.4
31. 12. 1930	1037384	228278	22.0
31. 12. 1931	1008953	230331	22.8

Quellen: Protokolle der Parteitage der SPD. Berlin 1919ff.; Jahrbücher der Deutschen Sozialdemokratie 1924–1931. Berlin 1976 (Nachdruck)

b) KPD

Zeitpunkt	Mitgliederzahl	Zeitpunkt	Mitgliederzahl
1. 10. 1919	106656	Okt. 1926	133849
1. 10. 1920	78715	April 1927	124729
März 1921	359000	Ende 1928	130000
3. Quartal 1922	224689	Okt. 1929	98527
Sept. 1923	294230	Okt. 1930	149000
3. Quartal 1924	136000	3. Quartal 1931	213554
1. 10. 1925	129996	Ende 1932	252000

Quelle: Hermann Weber, Die Wandlung des deutschen Kommunismus. Die Stalinisierung der KPD in der Weimarer Republik. Frankfurt 1969, S. 362ff.

c) USPD

Zeitpunkt	Mitgliederzahl	Zeitpunkt	Mitgliederzahl
März 1919	ca. 300000	April 1921	340057
Nov. 1919	ca. 750000	Jan. 1922	300659
Okt. 1920	893923	Sept. 1922	290762

Quelle: Hartfrid Krause, USPD. Zur Geschichte der Unabhängigen Sozialdemokratischen Partei Deutschlands. Frankfurt 1975, S. 303.

2. Mitgliederentwicklung der Gewerkschaften

a) Allgemeiner Deutscher Gewerkschaftsbund (im Jahresdurchschnitt)

Jahr	Mitgliederzahl	Organisationsgrad (in %)
1918	1 664 991	11.5
1919	5 479 073	38.0
1920	7 890 102	54.7
1921	7 567 978	52.4
1922	7 895 065	54.7
1923	7 138 416	49.5
1924	4 618 353	32.0
1925	4 156 451	28.3
1926	3 977 309	27.6
1927	4 150 160	28.8
1928	4 653 586	32.2
1929	4 906 228	34.0
1930	4 821 832	33.4
1931	4 417 852	30.6
1932	3 790 748	25.4

Quelle: Heinrich Potthoff, Freie Gewerkschaften 1918–1933. Der Allgemeine Deutsche Gewerkschaftsbund in der Weimarer Republik. Düsseldorf 1987, S. 348.

b) Organisationsgrad der Arbeitergewerkschaften

	Mitgliederzahl Jahresdurch- schnitt 1920	Org.-Grad in %	Mitgliederzahl Jahresdurch- schnitt 1925	Org.-Grad in %	Mitgliederzahl Dezember 1931	Org.-Grad in %
Freie Gewerkschaften	7890102	54.7	4156451	28.3	4134902	27.7
Christl. Gewerkschaften	1076792	7.5	606349	4.2	698472	4.7
Gewerkschaftsring	225998	1.6	157571	1.1	181100	1.2
Bünde gesamt	9192892	62.5	4920371	33.5	5014474	33.6
Syndikalisten u. Kommunisten	246892	1.7	63586	0.4	71548	0.5
Sonstige	192491	1.3	15701	0.1	62034	0.4
Gesamt	9632275	65.5	4999658	34.0	5148056	34.5

Quelle: Ebenda, S. 358. Nicht aufgenommen wurden die bei Potthoff einbezogenen Wirtschaftsfriedlichen Verbände (»Gelbe«).

3. Ergebnisse der Arbeiterparteien bei Wahlen im Reich 1919–1933

	19. 1. 1919	6. 6. 1920	4. 5. 1924	7. 12. 1924	20. 5. 1928	14. 9. 1930	31. 7. 1932	6. 11. 1932	5. 3. 1933
Wahlberechtigte in Mio.	36.766	35.949	38.374	38.987	41.224	42.957	44.211	44.374	44.664
Abgegebene Stimmen in Mio.	30.524	28.463	29.709	30.703	31.165	35.225	37.162	35.758	39.658
Wahlbeteiligung in %	83.0	79.2	77.4	78.8	75.6	82.0	84.1	80.6	88.8
Gesamtzahl der Mandate[1]	421(423)	459	472	493	491	577	608	584	647
SPD	11.509	6.104	6.008	7.886	9.152	8.577	7.959	7.251	7.181
	37.9	21.7	20.5	26.0	29.8	24.5	21.6	20.4	18.3
	163 (165)	102	100	131	153	143	133	121	120
USPD	2.317	5.046	0.235	0.099	0.020	0.011	–	–	–
	7.6	17.9	0.8	0.3	0.1	–	–	–	–
	22	84	–	–	–	–	–	–	–
KPD	–	0.589	3.693	2.711	3.264	4.592	5.369	5.980	4.847
		2.1	12.6	9.0	10.6	13.1	14.3	16.9	12.3
		4	62	45	54	77	89	100	81
Alte SPD[2]	–	–	–	–	0.065	–	–	–	–
					0.2				
					–				

Leninbund[3]								
—	—	—	—	0.080 0.3 —	—	—	—	—
SAPD[4]								
—	—	—	—	—	—	0.072 0.2 —	0.045 0.1 —	—
Gesamtzahl der Stimmen in Mio.								
13.826	11.739	9.936	10.696	12.581	13.180	13.402	13.276	12.028

Quelle: Jürgen Falter, Thomas Lindenberger, Siegfried Schumann, Wahlen und Abstimmungen in der Weimarer Republik. Materialien zum Wahlverhalten 1919–1933. München 1986, S. 41, 51, 67ff. Bei den einzelnen Parteien ist in erster Position die Zahl der auf die jeweilige Partei entfallenen Stimmen in Millionen angegeben, in zweiter Position der Prozentanteil und in dritter Position die Zahl der Mandate (am Beginn der Legislaturperiode).

[1] Die Gesamtzahl der Mandate war in den einzelnen Legislaturperioden unterschiedlich hoch, weil sie aufgrund des Wahlrechts von der Zahl der abgegebenen Stimmen abhängig war. Bei der Wahl zur Nationalversammlung wurden am 19. 1. 1919 insgesamt 421 Abgeordnete gewählt. Zwei weitere Mandate kamen durch die Wahl im Ostheer am 2. 2. 1919 hinzu. Die gewählten Abgeordneten traten der SPD bei, deren Mandatszahl sich dadurch auf 165 erhöhte.

[2] Die Alte SPD war eine 1926 gegründete Abspaltung von der Sächsischen SPD, die sich 1932 wieder auflöste.

[3] Der Leninbund war eine Abspaltung von der KPD und bestand bis 1933.

[4] Die 1931 gegründete Sozialistische Arbeiterpartei Deutschlands war eine Abspaltung von der SPD, der sich auch linkssozialistische Splittergruppen und eine Minderheit der KPD-Opposition anschlossen.

Deutsche Geschichte der neuesten Zeit vom 19. Jahrhundert bis
zur Gegenwart
Herausgegeben von Martin Broszat, Wolfgang Benz, Hermann
Graml in Verbindung mit dem Institut für Zeitgeschichte

Die »neueste« Geschichte setzt ein mit den nachnapoleonischen Evolu-
tionen und Umbrüchen auf dem Wege zur Entstehung des modernen
deutschen National-, Verfassungs- und Industriestaates. Sie reicht bis
zum Ende der sozial-liberalen Koalition (1982). Die großen Themen
der deutschen Geschichte des 19. und 20. Jahrhunderts werden, auf die
Gegenwart hin gestaffelt, in dreißig konzentriert geschriebenen Bänden
abgehandelt. Ihre Gestaltung folgt einer einheitlichen Konzeption, die
die verschiedenen Elemente der Geschichtsvermittlung zur Geltung
bringen soll: die erzählerische Vertiefung einzelner Ereignisse, Konflikte, Konstellationen; Gesamtdarstellung und Deutung; Dokumentation mit ausgewählten Quellentexten, Statistiken, Zeittafeln; Work-
shop-Information über die Quellenproblematik, leitende Fragestellun-
gen und Kontroversen der historischen Literatur. Erstklassige Autoren
machen die wichtigsten Kapitel dieser deutschen Geschichte auf methodisch neue Weise lebendig.

275

Deutsche Geschichte der neuesten Zeit

Wo Deutschland liegt

Bundesrepublik Deutschland – Deutsche Demokratische Republik

Zeugen unseres Jahrhunderts

**Inge Deutschkron:
Ich trug
den gelben Stern**

dtv
Zeitgeschichte

**Christian
Graf von Krockow:
Die Reise
nach Pommern**

Bericht aus einem verschwiegenen Land

dtv
Zeitgeschichte

Schalom Ben-Chorin:
Jugend an der Isar
dtv 10937

Yue Daiyun:
Als hundert Blumen
blühen sollten
Die Odyssee einer
modernen Chinesin
vom Langen Marsch
bis heute
dtv 11040

Inge Deutschkron:
Ich trug
den gelben Stern
dtv 10402

Lotte H. Eisner:
Ich hatte einst ein
schönes Vaterland
Memoiren
dtv 10848

Lisa Fittko:
Mein Weg über die
Pyrenäen
Erinnerungen 1940/41
dtv 11028

Ingeborg Hecht:
Als unsichtbare
Mauern wuchsen
Eine deutsche
Familie unter den
Nürnberger Rassen-
gesetzen
dtv 10699

George F. Kennan:
Memoiren eines
Diplomaten
dtv 10096

Christian Graf von
Krockow:
Die Reise nach
Pommern
Bericht aus einem
verschwiegenen Land
dtv 10885

Hans Graf von
Lehndorff:
Menschen, Pferde,
weites Land
dtv 10162

Ostpreußisches
Tagebuch
Aufzeichnungen eines
Arztes aus den
Jahren 1945-1947
dtv 2923

Danièle Philippe:
Es begann in der
Normandie
Eine französische
Kindheit im Zweiten
Weltkrieg
dtv 10634

Pu Yi:
Ich war Kaiser von
China
Vom Himmelssohn
zum Neuen Menschen
dtv 10710

Vilma Sturm:
Barfuß auf Asphalt
Ein unordentlicher
Lebenslauf
dtv 10404
dtv großdruck 25005

Marion Yorck von
Wartenburg:
Die Stärke der
Stille
Erzählung eines
Lebens aus dem
deutschen Widerstand
dtv 10772

Krystyna Zywulska:
Tanz, Mädchen . . .
Vom Warschauer Getto
nach Auschwitz
Ein Überlebensbericht
dtv 10983